UMA NOVA CIÊNCIA DA VIDA

Rupert Sheldrake

UMA NOVA CIÊNCIA DA VIDA

A Hipótese da Causação Formativa e os Problemas Não Resolvidos da Biologia

Tradução
MARCELLO BORGES

Editora
Cultrix
SÃO PAULO

Título do original: *A New Science of Life.*

Copyright do texto © 1981, 2009 Rupert Sheldrake.
Copyright da edição brasileira © 2013 Editora Pensamento-Cultrix Ltda.

1ª edição 2013.

1ª reimpressão 2021.

Todos os direitos reservados. Nenhuma parte desta obra pode ser reproduzida ou usada de qualquer forma ou por qualquer meio, eletrônico ou mecânico, inclusive fotocópias, gravações ou sistema de armazenamento em banco de dados, sem permissão por escrito, exceto nos casos de trechos curtos citados em resenhas críticas ou artigos de revistas.

A Editora Cultrix não se responsabiliza por eventuais mudanças ocorridas nos endereços convencionais ou eletrônicos citados neste livro.

Editor: Adilson Silva Ramachandra
Coordenação editorial: Denise de C. Rocha Delela e Roseli de S. Ferraz
Preparação de originais: Roseli de S. Ferraz.
Produção editorial: Indiara Faria Kayo
Assistente de produção editorial: Estela A. Minas
Editoração eletrônica: Join Bureau
Revisão: Liliane S. M. Cajado e Yociko Oikawa

CIP-Brasil Catalogação na Publicação
Sindicato Nacional dos Editores de Livros, RJ

S548u

Sheldrake, Rupert, 1942-
    Uma nova ciência da vida: a hipótese da causação formativa e os problemas não resolvidos da biologia / Rupert Sheldrake; tradução Marcello Borges. – 1. ed. – São Paulo: Cultrix, 2013.

    Tradução de: A New Science of Life.
    Apêndice
    ISBN 978-85-316-1246-6

    1. Ciência – Filosofia. 2. Biologia. 3. Vida – Origem. I. Título.

13-04399

CDD: 501
CDU: 501

Direitos de tradução para a língua portuguesa adquiridos com exclusividade pela
EDITORA PENSAMENTO-CULTRIX LTDA., que se reserva a
propriedade literária desta tradução.
Rua Dr. Mário Vicente, 368 – 04270-000 – São Paulo, SP
Fone: (11) 2066-9000
E-mail: atendimento@editoracultrix.com.br
http://www.editoracultrix.com.br
Foi feito o depósito legal.

Ao monge beneditino Dom Bede Griffiths

Sumário

Prefácio à edição de 2009 .... **13**

    Esta nova edição 16

    Como a biologia mecanicista revelou suas próprias limitações 16

    A evolução do desenvolvimento 20

    Epigenética 21

    Morfogenética e campos mórficos 23

    Relação entre campos mórficos e a física moderna 23

    Testes experimentais 26

    Um novo modo de se fazer ciência 26

    Controvérsias 30

    Agradecimentos 32

Introdução 35

1   **Os problemas não resolvidos da biologia** **39**

    1.1   Histórico do sucesso 39

    1.2   Os problemas da morfogênese 41

    1.3   Comportamento 45

    1.4   Evolução 46

    1.5   A origem da vida 47

    1.6   Mentes 48

UMA NOVA CIÊNCIA DA VIDA

1.7	Parapsicologia	50
1.8	Conclusões	51

2 TRÊS TEORIAS DA MORFOGÊNESE **53**

2.1	Pesquisa descritiva e experimental	53
2.2	Mecanicismo	55
2.3	Vitalismo	64
2.4	Organicismo	70

3 AS CAUSAS DA FORMA **75**

3.1	O problema da forma	75
3.2	Forma e energia	79
3.3	As estruturas dos cristais	84
3.4	As estruturas das proteínas	89
3.5	Causação formativa	92

4 CAMPOS MORFOGENÉTICOS **97**

4.1	Germes morfogenéticos	97
4.2	Morfogênese química	100
4.3	Campos morfogenéticos como "estruturas de probabilidades"	104
4.4	Processos probabilísticos na morfogênese biológica	106
4.5	Germes morfogenéticos em sistemas biológicos	109

5 A INFLUÊNCIA DE FORMAS PASSADAS **113**

5.1	A constância e a repetição das formas	113
5.2	A possibilidade geral de conexões causais transtemporais	115
5.3	Ressonância mórfica	116
5.4	A influência do passado	117
5.5	Implicações de uma ressonância mórfica atenuada	123
5.6	Um teste experimental com cristais	125

6 CAUSAÇÃO FORMATIVA E MORFOGÊNESE **131**

6.1	Morfogênese sequencial	131
6.2	A polaridade dos campos morfogenéticos	132
6.3	O tamanho dos campos morfogenéticos	133

6.4	A crescente especificidade da ressonância mórfica durante a morfogênese	134
6.5	A manutenção e a estabilidade das formas	135
6.6	Um comentário sobre o "dualismo" físico	136
6.7	Um resumo da hipótese da causação formativa	138

7 A HERANÇA DA FORMA ... 141

7.1	Genética e hereditariedade	141
7.2	Germes morfogenéticos alterados	143
7.3	Caminhos alterados da morfogênese	146
7.4	Dominância	147
7.5	Semelhanças familiares	151
7.6	Influências ambientais e ressonância mórfica	151
7.7	A herança de características adquiridas	153
7.8	Herança epigenética	154
7.9	Experimentos com fenocópias	156

8 A EVOLUÇÃO DAS FORMAS BIOLÓGICAS ... 161

8.1	A teoria neodarwinista da evolução	161
8.2	Mutações	163
8.3	A divergência dos creodos	163
8.4	A supressão dos creodos	165
8.5	A repetição dos creodos	168
8.6	A influência de outras espécies	170
8.7	A origem de novas formas	172

9 MOVIMENTOS E CAMPOS COMPORTAMENTAIS ... 173

9.1	Introdução	173
9.2	Os movimentos das plantas	174
9.3	Movimento ameboide	177
9.4	A morfogênese repetitiva de estruturas especializadas	178
9.5	Sistemas nervosos	180
9.6	Campos morfogenéticos, campos motores e campos comportamentais	183
9.7	Campos comportamentais e os sentidos	187

UMA NOVA CIÊNCIA DA VIDA

9.8   Regulação e regeneração.. 188
9.9   Campos mórficos... 190

10 INSTINTO E APRENDIZAGEM... 191
10.1   A influência de ações passadas..................................... 191
10.2   Instinto... 194
10.3   Estímulo por sinais 195
10.4   Aprendizado por meio da intuição 198
10.5   Tendências inatas de aprendizado................................. 202

11 A HERANÇA E A EVOLUÇÃO DO COMPORTAMENTO 205
11.1   A herança do comportamento.. 205
11.2   Ressonância mórfica e comportamento:
       um teste experimental 207
11.3   A evolução do comportamento 214
11.4   Comportamento humano 217

12 QUATRO CONCLUSÕES POSSÍVEIS.. 221
12.1   A hipótese da causação formativa 221
12.2   Materialismo modificado 221
12.3   O eu consciente 223
12.4   O universo criativo 226
12.5   Realidade transcendente.. 227

APÊNDICE A: NOVOS TESTES PARA A RESSONÂNCIA MÓRFICA 229
A.1   Condensados de Bose-Einstein...................................... 230
A.2   Pontos de fusão.. 231
A.3   Transformações em cristais.. 237
A.4   Adaptações em culturas de células 238
A.5   Tolerância ao calor em plantas 243
A.6   A transmissão da aversão 247
A.7   A evolução do comportamento animal.......................... 251
A.8   Memória coletiva humana.. 255
A.9   Aprimorando o desempenho humano............................ 261
A.10 Computadores ressonantes.. 271

APÊNDICE B: Campos mórficos e a ordem implicada.................. **277**

Um diálogo com David Bohm 277

Notas **293**

Referências **311**

Prefácio à edição de 2009

Este livro trata da hipótese da causação formativa, que propõe que a natureza segue hábitos. Todos os animais e plantas valem-se de uma memória coletiva de sua espécie e contribuem para ela. Cristais e moléculas também seguem os hábitos de suas espécies. A evolução cósmica envolve um jogo entre hábito e criatividade.

Esta hipótese difere radicalmente da premissa convencional de que a natureza é governada por leis eternas. Mas acredito que a ideia dos hábitos da natureza terá de ser levada em consideração mais cedo ou mais tarde, gostemos ou não dela, pois a cosmologia moderna solapou as premissas tradicionais sobre as quais a ciência se baseava.

Até a década de 1960, a maioria dos físicos considerava como fato consumado a eternidade do universo, governado por leis imutáveis e constituído por uma quantidade constante de matéria e de energia. Essa ideia das Leis da Natureza tem sido fundamental para a ciência moderna desde a revolução científica do século XVII, e baseia-se nas filosofias pitagóricas e platônicas da Grécia antiga. O patriarca da ciência moderna, *sir* Francis Bacon, asseverou em 1620 que as Leis da Natureza eram "eternas e imutáveis",[1] e os pais-fundadores da ciência, entre eles, Kepler, Galileu, Descartes e Newton, viam-nas como ideias matemáticas imateriais na mente de Deus. As Leis da Natureza eram eternas porque participavam da natureza eterna de Deus, e, como Deus, transcenderiam o tempo e o espaço. Elas eram postas em prática pela onipotência de Deus.

Enquanto se acreditava que o universo todo era eterno, constituído por uma quantidade constante de matéria e de energia, as leis eternas não representaram um problema. No século XIX e no início do XX, a maioria dos físicos acreditava que todos os aspectos fundamentais da física estavam fixos para sempre – a quantidade total de matéria, de energia e de carga elétrica era sempre a mesma, segundo as leis de conservação da massa, da energia e da carga elétrica.

Só a segunda lei da termodinâmica era um pouco diferente. A quantidade total de entropia aumentaria até todo o universo congelar para sempre – um estado que foi celebrizado em 1852 por William Thomson, mais tarde lorde Kelvin, como "um estado de repouso e morte universal".[2] Porém, embora a "morte pelo calor" ocorresse quando a entropia atingisse o máximo, o universo congelado ainda duraria para sempre, bem como as leis da natureza.

Tudo mudou com a grande revolução na cosmologia na década de 1960, quando a teoria do Big Bang tornou-se a nova ortodoxia. Desde então, a maioria dos cosmólogos acredita que o universo teve início há 15 bilhões de anos. Quando tudo surgiu do nada – não havia espaço nem tempo antes do cosmos – ele era menor do que a cabeça de um alfinete e imensamente denso e quente. O cosmos tem se expandido e se resfriado desde então. Todos os átomos, moléculas, estrelas, galáxias, cristais, planetas e formas de vida surgiram ao longo do tempo. Eles têm históricos evolutivos. Hoje, o universo se parece com um vasto organismo em desenvolvimento, não com uma máquina eterna cujo vapor está se esgotando lentamente.

A teoria do Big Bang foi proposta inicialmente em 1927 como a teoria "do átomo primevo" por Georges Lemaître, cosmólogo e padre católico. Ele sugeriu que o universo surgiu com um "evento semelhante à criação" que ele descreveu como "o Ovo Cósmico explodindo no momento da criação".[3] Sua teoria, que predisse a expansão do universo, foi recebida com muito ceticismo, mas com o tempo as evidências a favor de um "evento semelhante à criação" acabaram se tornando persuasivas demais para serem ignoradas. Um dos oponentes dessa teoria, o astrônomo Fred Hoyle, chamou-a ironicamente de teoria do Big Bang, e o nome dado por ele é usado desde então.

Embora hoje a cosmologia seja evolutiva, os velhos hábitos do pensamento demoram para desaparecer. A maioria dos cientistas toma como válidas as eternas Leis da Natureza – não porque as estudaram no contexto do Big Bang, mas porque não o fizeram.

Se as Leis da Natureza são verdades matemáticas pitagóricas, ou Ideias Platônicas, ou ideias na mente de Deus, elas transcendem tempo e espaço. Elas estariam necessariamente presentes quando o universo surgiu: as Leis não surgem ou desaparecem; transcendem tempo e espaço.

Vê-se claramente que essa é uma doutrina filosófica ou teológica e não uma hipótese científica. Não poderia ser testada experimentalmente antes de existir um universo no qual seria testada.

Para evitar a doutrina das leis transcendentes, poderíamos supor que as Leis da Natureza surgiram no próprio instante do Big Bang. Esta teoria evita uma filosofia ou teologia platônica explícita. Mas cria novos problemas. Como observou Terence McKenna, "A ciência moderna baseia-se num princípio: 'Dê-nos um milagre gratuito e explicaremos o resto'. O único milagre gratuito é o surgimento de toda a massa e energia do universo e de todas as leis que o governam num único instante e a partir do nada".[4]

O surgimento repentino de todas as Leis da Natureza é tão avesso a testes quanto a metafísica ou a teologia platônicas. Por que deveríamos presumir que todas as Leis da Natureza já estavam presentes no instante do Big Bang, como um código napoleônico cósmico? Talvez algumas delas, como aquelas que governam os cristais das proteínas, ou os cérebros, tenham surgido com o aparecimento dos primeiros cristais de proteínas ou cérebros. A preexistência dessas leis não pode ser testada antes do aparecimento dos fenômenos que elas governam.

Além de todos esses problemas, logo que pensamos nas Leis da Natureza não podemos deixar de observar que esse conceito é antropocêntrico. Só seres humanos têm leis, e mesmo assim, nem todos os humanos. Só sociedades civilizadas têm leis; sociedades tradicionais têm costumes. Aplicar ao universo o conceito de lei envolve a metáfora de Deus como uma espécie de imperador universal, cujos decretos aplicam-se por toda parte e sempre. Esta premissa foi prontamente aceita pelos fundadores da ciência moderna, que acreditavam num Deus de mente matemática e onipotente. Mas agora as Leis da Natureza flutuam num vácuo metafísico.

A cosmologia evolutiva torna ainda mais problemáticas as Leis eternas da Natureza. Talvez nem todas as leis da natureza sejam sempre fixas, mas evoluam juntamente com a natureza. Novas leis podem surgir quando os fenômenos se tornam mais complexos. E assim que admitimos essa possibilidade, percebemos que a fonte metafórica das Leis da Natureza, ou seja, as leis humanas, não são de fato eternas, mas evoluem junto com a sociedade. As atuais leis dos Estados Unidos, ou do Quênia, ou do Butão, não são as mesmas que eram há cem anos, ou mesmo há vinte anos. São alteradas e atualizadas continuamente. Mas não existe paralelo na natureza para monarcas, parlamentos ou congressos. A metáfora legal é incoerente.[5]

Sugiro uma nova possibilidade. As regularidades da natureza não são impostas a ela desde um reino transcendente, mas evoluem dentro do universo. Aquilo que acontece depende daquilo que aconteceu antes. A memória é inerente à natureza. É transmitida por um processo chamado de ressonância mórfica, que atua em campos chamados de campos mórficos.

Neste livro, discuto a hipótese da causação formativa, basicamente no contexto da biologia e da química. No meu livro *The Presence of the Past*[6] estendo essa discussão à evolução psicológica e cultural.

Esta nova edição

A primeira edição deste livro foi publicada em 1981. Mostrou-se controvertida, como descrito a seguir. Na segunda edição (1985), resumi essas controvérsias, bem como os resultados de alguns dos primeiros testes experimentais da hipótese. Desde então, aconteceu muita coisa. Nesta nova edição, revisei e atualizei todo o livro. Resumi os resultados das pesquisas até o momento no Apêndice A, onde discuto dez novos testes. O Apêndice B consiste num diálogo com David Bohm, no qual exploramos conexões entre causação formativa e física quântica.

Os notáveis desenvolvimentos da biologia no último quarto de século tornaram ainda mais evidentes as limitações da abordagem mecanicista convencional, aumentando a plausibilidade da hipótese da causação formativa.

Como a biologia mecanicista revelou suas próprias limitações

Na década de 1980, a teoria mecanicista da vida parecia pronta para seu triunfo supremo. A teoria neodarwinista da evolução eliminara Deus da natureza, e a própria vida estava prestes a ser explicada em termos de física e química, sem a necessidade de misteriosos campos ou fatores. Muitos cientistas acreditavam que a biologia molecular estava quase revelando os segredos da vida graças à compreensão do código genético e do controle da síntese de proteínas. Nesse meio-tempo, técnicas de escaneamento cerebral estavam prestes a mostrar o funcionamento mecanicista da mente. A Década do Cérebro, inaugurada em 1990 pelo presidente George Bush pai, levou a uma maior aceleração no crescimento das neurociências, causando ainda mais otimismo com relação ao potencial dessas técnicas na sondagem de nossa essência íntima.[7]

Nesse meio-tempo, o entusiasmo pela Inteligência Artificial levou à expectativa de que em breve uma nova geração de computadores iria conseguir rivalizar, ou mesmo exceder, a capacidade mental dos seres humanos. Se a inteligência, ou mesmo a própria consciência, pudesse ser programada em máquinas, então os mistérios finais seriam solucionados. A vida e a mente seriam plenamente explicáveis em termos de mecanismos moleculares e neurais. O reducionismo teria sua vingança. Todos aqueles que achavam que a mente envolvia alguma coisa além do alcance da ciência mecanicista seriam refutados para sempre. Mas isso não aconteceu.

É difícil recordar a atmosfera de entusiasmo na década de 1980, quando novas técnicas permitiram a clonagem de genes e a descoberta do sequenciamento de "letras" no "código genético". Parecia ser o momento da coroação da biologia: as instruções da própria vida estavam sendo expostas, abrindo para os biólogos a possibilidade de modificarem geneticamente plantas e animais, e de ficarem mais ricos do que poderiam ter imaginado antes. Havia um fluxo contínuo de novas descobertas; quase todas as semanas, as manchetes dos jornais falavam de alguma "descoberta" revolucionária: "Cientistas descobrem genes que combatem o câncer", "A terapia genética oferece esperanças para as vítimas de artrite", "Cientistas descobrem o segredo do envelhecimento", e assim por diante.

A nova genética parecia tão promissora que em pouco tempo todo o espectro de pesquisadores da biologia ocupava-se com a aplicação de suas técnicas às suas especialidades. Seu notável progresso levou a uma visão vasta e ambiciosa: soletrar todo o complemento dos genes do genoma humano. Como disse Walter Gilbert, da Harvard University, "A busca desse 'Santo Graal' de quem somos atingiu sua fase culminante. A meta final é conhecer todos os detalhes do nosso genoma". O Projeto Genoma Humano foi lançado formalmente em 1990 com um orçamento estimado em 3 bilhões de dólares.

O Projeto Genoma Humano foi uma tentativa proposital de levar a "Grande Ciência" à biologia, que antes se parecia com uma indústria de garagem. Os físicos estavam acostumados a orçamentos imensos, em parte por causa da Guerra Fria; gastava-se uma enormidade em mísseis e bombas de hidrogênio, Guerra nas Estrelas, aceleradores de partículas de bilhões de dólares, programas espaciais e o Telescópio Espacial Hubble. Durante anos, biólogos ambiciosos sofreram de inveja da física. Sonhavam com o dia em que a biologia também teria projetos de grande visibilidade e prestígio e orçamentos bilionários. O Projeto Genoma Humano era a resposta.

Ao mesmo tempo, a maré de especulações do mercado na década de 1990 levou a uma explosão na biotecnologia, culminando em 2000. Além do Projeto Genoma Humano oficial, havia um projeto particular do genoma sendo executado pela Celera Genomics, liderada por Craig Venter. O plano da empresa era patentear centenas de genes humanos, mantendo os direitos comerciais sobre eles. Seu valor de mercado, como o de muitas outras empresas de biotecnologia, atingiu valores estonteantes nos primeiros meses de 2000.

Ironicamente, a rivalidade entre o Projeto Genoma Humano, de natureza pública, e a Celera Genomics, levou à explosão da bolha da biotecnologia antes que o sequenciamento do genoma tivesse sido concluído. Em março de 2000, os líderes do projeto público do genoma anunciaram que todas as suas informações ficariam livremente disponíveis para todos. Isso levou a uma declaração do presidente Clinton em 14 de março de 2000: "Nosso genoma, o livro no qual está escrita toda vida humana, pertence a cada membro da raça humana... Precisamos nos assegurar de que os lucros da pesquisa com o genoma humano não sejam medidos em dólares, mas no aprimoramento da vida humana".[8] A mídia informou que o presidente planejava restringir "patentes genômicas", e as bolsas reagiram drasticamente. Nas palavras de Venter, houve uma "queda doentia". Em dois dias, o valor da Celera diminuiu 6 bilhões de dólares, e o mercado de ações de biotecnologia perdeu incríveis 500 bilhões de dólares.[9]

Em resposta a essa crise, um dia após seu discurso, o presidente Clinton emitiu uma correção dizendo que sua declaração não visara efeitos sobre a possibilidade de se patentear genes ou afetar a indústria da biotecnologia. Mas o dano fora feito. O valor dessas ações nunca voltou aos níveis anteriores. E embora muitos genes humanos tenham sido patenteados posteriormente, muito poucos mostraram-se lucrativos para as empresas que detinham as patentes.[10]

Em 26 de junho de 2000, o presidente Clinton e o primeiro-ministro britânico Tony Blair, juntamente com Craig Venter e Francis Collins, chefe do projeto genoma oficial, anunciaram a publicação do primeiro esboço do genoma humano. Numa coletiva à imprensa na Casa Branca, o presidente Clinton disse, "Estamos aqui hoje para celebrar a conclusão do primeiro mapeamento completo do genoma humano. Sem dúvida, este é o mais importante, o mais maravilhoso mapa já produzido pela humanidade".

Esse feito espantoso transformou, de fato, a visão que temos a nosso respeito, mas não da maneira que se esperava. A primeira surpresa é que temos muito poucos genes. No lugar dos 100 mil ou mais antes previstos, a contagem final, com aproximadamente 25 mil, foi bastante intrigante, ainda mais se fosse comparada com os genomas de animais bem mais simples do que nós. A mosca-das-frutas tem cerca de 17 mil genes, e o ouriço-do-mar tem cerca de 26 mil. Muitas espécies de plantas têm bem mais genes do que nós: o arroz tem aproximadamente 38 mil, por exemplo.

Em 2001, o diretor do projeto genoma do chimpanzé, Svante Paabo, previu que quando o sequenciamento do genoma do símio fosse concluído, seria possível identificar "os pré-requisitos genéticos profundamente interessantes que tornam os seres humanos diferentes de outros animais". Quando a sequência completa do chimpanzé foi publicada, quatro anos depois, sua interpretação foi bem mais discreta: "Não podemos ver nisto o motivo para sermos tão diferentes dos chimpanzés".[11]

Depois do Projeto Genoma Humano, o humor mudou drasticamente. A antiga premissa de que a vida seria compreendida se os biólogos moleculares conhecessem o "programa" de um organismo está cedendo lugar à percepção de que há uma imensa lacuna entre as sequências de genes e a forma como os organismos vivos crescem e se comportam. Este livro sugere um modo de cobrir essa lacuna.

Nesse meio-tempo, o otimismo dos investidores em ações sofreu uma nova série de golpes. Depois da explosão da bolha da biotecnologia em 2000, muitas empresas que faziam parte do *boom* da biotecnologia da década de 1990 fecharam ou foram adquiridas por empresas farmacêuticas ou químicas. Vários anos depois, os resultados econômicos ainda eram desapontadores. Um artigo no *Wall Street Journal* em 2004 tinha como título "O triste final da história da biotecnologia: mais de 40 bilhões em perdas".[12] E prosseguia: "A biotecnologia... ainda pode se transformar num estímulo ao crescimento econômico e curar doenças mortais. Mas é difícil dizer que se trata de um bom investimento.

Não só a indústria da biotecnologia apresentou resultados financeiros negativos ao longo de décadas como seu buraco fica mais fundo a cada ano".

Apesar do seu desapontador histórico comercial, esse amplo investimento em biologia molecular e biotecnologia teve vastos efeitos na prática da biologia, no mínimo pela criação de muitos empregos. A imensa demanda por profissionais formados em biologia molecular e por pessoas com doutorado nessa área transformou o ensino da biologia. Atualmente, a abordagem molecular é a predominante nas universidades e no ensino secundário. Enquanto isso, publicações científicas importantes como *Nature* estão repletas de anúncios de página inteira oferecendo máquinas de sequenciamento genético, sistemas de análise de proteínas e equipamentos para clonagem de células.

E justamente porque há uma ênfase tão forte na abordagem molecular, suas limitações estão ficando cada vez mais visíveis. O sequenciamento dos genomas de cada vez mais espécies de animais e de plantas, juntamente com a determinação das estruturas de milhares de proteínas, estão fazendo com que os biólogos moleculares se afoguem em seus próprios dados. Não há praticamente um limite para a quantidade de novos genomas que podem ser sequenciadas ou de proteínas que podem ser analisadas. Hoje, os biólogos moleculares dependem de especialistas em computadores do campo da bioinformática, em rápida expansão, para armazenarem e tentarem compreender essa quantidade inédita de informações, às vezes chamada de "avalanche de dados".[13] Mas apesar de todas essas informações, o modo como os organismos em desenvolvimento assumem suas formas e herdam seus instintos ainda permanece um mistério.

A evolução do desenvolvimento

Na década de 1980, fez-se um grande estardalhaço com a descoberta, na mosca-das-frutas, de uma família de genes chamada de genes *homeobox*. Os genes *homeobox* determinam onde irão se formar os membros e outros segmentos do corpo num embrião ou larva em desenvolvimento; eles parecem controlar o padrão de desenvolvimento das diferentes partes do corpo. Mutações nesses genes podem levar à formação de partes adicionais e não funcionais do corpo.[14] À primeira vista, pareciam proporcionar a base para uma explicação molecular da morfogênese, o surgimento de formas específicas; estariam ali os comandos para isso. No nível molecular, os genes *homeobox* atuam como gabaritos para proteínas que "ativam" inúmeros outros genes.

Entretanto, pesquisas feitas em outras espécies revelaram, em pouco tempo, que esses sistemas moleculares de controle são muito similares em animais muito diferentes. Os genes *homeobox* são quase idênticos em moscas, répteis, ratos e humanos. Embora tenham seu papel na determinação do projeto do corpo, não podem, por si sós, explicar a forma dos organismos. Como os genes são tão similares em moscas-das-frutas e em nós, não podem explicar as diferenças entre moscas e humanos.

Foi espantoso descobrir que a diversidade de projetos corporais em muitos grupos animais diferentes não se refletia na diversidade a nível genético. Como comentaram dois importantes biólogos moleculares do desenvolvimento, "Onde mais esperamos encontrar variações, encontramos a conservação, a falta de mudança".[15]

Esse estudo dos genes envolvido na regulação do desenvolvimento faz parte de um campo crescente chamado biologia evolutiva do desenvolvimento, abreviada como "evo-devo". Novamente, os triunfos da biologia molecular mostraram que a morfogênese em si ainda não aceita uma explicação molecular, mas parece depender de campos. É por isso que a ideia de campos morfogenéticos, discutida neste livro, é mais relevante do que nunca.

Epigenética

Ao longo do século XX, um dos maiores tabus na biologia relacionava-se com a herança de características adquiridas, às vezes chamada de herança lamarckista, em homenagem ao pioneiro da biologia evolutiva Jean-Baptiste Lamarck (1744-1829). Lamarck propôs que adaptações feitas por plantas e animais podiam ser passadas à sua prole. Neste sentido, Charles Darwin seria um lamarckista convicto. Ele acreditava que hábitos adquiridos pelos animais individualmente podiam ser herdados e desempenhavam um papel importante na evolução: "Não precisamos... duvidar que sob a natureza novas raças e novas espécies adaptar-se-iam a climas bastante distintos, por variação, auxiliadas por hábitos e reguladas pela seleção natural".[16] Neste sentido, a herança de hábitos pela ressonância mórfica está de acordo com o darwinismo e em oposição ao neo-darwinismo. Darwin apresentou muitos exemplos da herança de características adquiridas em seu livro *The Variation of Animals and Plants under Domestication*, e também propôs uma teoria para explicá-la, a teoria da "pangênese".

O neodarwinismo moderno estabeleceu-se na década de 1940, e rejeitou firmemente o aspecto lamarckista da teoria de Darwin. Os neodarwinistas afirmaram que os genes eram passados sem modificações dos progenitores para a prole, exceto no caso de raras mutações aleatórias. Qualquer tipo de modificação lamarckista dos genes seria impossível. Em contraste, na União Soviética de Stálin, a herança das características adquiridas tornou-se a doutrina oficial sob Trofim Lysenko. O debate degenerou-se, transformando-se em polêmicas e acusações, e no Ocidente o tabu contra a herança das características adquiridas reforçou-se ainda mais.

Ao rejeitar o lamarckismo, Richard Dawkins, o principal expoente moderno do neodarwinismo, deixa clara sua posição: "Para ser brutalmente honesto, posso pensar em poucas coisas que mais devastariam minha visão de mundo do que a demonstração da necessidade de se retornar à teoria da evolução tradicionalmente atribuída a Lamarck".[17]

Evidências a favor da herança das características adquiridas continuaram a se acumular ao longo do século XX, mas foram ignoradas, de modo geral. Contudo, pouco depois da virada do milênio, o tabu começou a perder forças com o reconhecimento crescente de uma nova forma de herança, chamada de herança epigenética. O prefixo "epi" significa "sobre e acima". A herança epigenética não envolve mudanças nos genes em si, mas mudanças na expressão genética. Características adquiridas pelos progenitores podem, de fato, ser passadas para sua prole. Por exemplo, as pulgas-d'água do gênero *Daphnia* desenvolvem grandes espinhos protetores quando há predadores por perto; sua prole também tem esses espinhos, mesmo quando não está exposta a predadores.[18]

Foram identificados diversos mecanismos de herança epigenética. Mudanças na configuração da cromatina – o complexo de DNA e proteínas que constitui a estrutura dos cromossomos – podem ser passadas de célula para célula-filha. Algumas dessas mudanças também podem ser passadas por óvulos e espermatozoides, tornando-se portanto hereditárias. Outro tipo de mudança epigenética, às vezes chamada de impressão genômica, envolve a metilação de moléculas de DNA. Há uma mudança química herdável no próprio DNA, mas os genes em si permanecem os mesmos.

A herança epigenética também se dá em seres humanos. Até mesmo efeitos de inanição e doenças podem ecoar através de gerações. O Projeto Epigenoma Humano foi lançado em 2003, e está ajudando a coordenar as pesquisas neste campo de inquirição rapidamente crescente.[19]

A ressonância mórfica representa outra forma de ocorrência da herança das características adquiridas. Seus efeitos podem ser diferenciados experimentalmente de outras formas de herança epigenética, como discutido no Capítulo 7 e no Apêndice A.

Morfogenética e campos mórficos

Neste livro, discuto campos morfogenéticos, os campos organizadores de moléculas, cristais, células, tecidos e, na verdade, todos os sistemas biológicos. Também discuto os campos organizadores do comportamento animal e de grupos sociais. Enquanto os campos morfogenéticos influenciam a forma, os *campos comportamentais* influenciam o comportamento. Os campos organizadores de grupos sociais, como bandos de aves, cardumes de peixes e colônias de cupins, são chamados *campos sociais*. Todos eles são *campos mórficos*. Todo campo mórfico tem uma memória inerente dada pela ressonância mórfica. Campos morfogenéticos, os campos organizadores da morfogênese, são um tipo da categoria mais ampla de campos mórficos, como uma espécie dentro de um gênero. Em *The Presence of the Past*,[20] exploro a natureza mais ampla dos campos mórficos em seus contextos comportamentais, sociais e culturais, e suas implicações para a compreensão da memória animal e humana. Também sugiro que nossas próprias memórias dependem da ressonância mórfica e não de vestígios materiais de memória armazenados em nosso cérebro.

Relação entre campos mórficos e a física moderna

Um dos paradoxos da ciência do século XX foi que a teoria quântica ocasionou uma mudança revolucionária de perspectiva na física, revelando os limites da abordagem reducionista, enquanto a biologia moveu-se no sentido oposto, distanciando-se de posturas holísticas e adotando um reducionismo extremo. Como expressou o físico quântico alemão Hans-Peter Dürr:

> A ênfase original no todo para o estudo de coisas vivas, de suas formas e *gestalts*, foi substituída por uma descrição fragmentadora e funcionalista, na

qual, para explicar sequências de eventos, o foco recai sobre as substâncias, a matéria e seus constituintes, as moléculas e suas interações. O que surpreende nesse desenvolvimento do holismo e até do vitalismo para a biologia molecular é que está ocorrendo algumas décadas depois – e não antes – de uma profunda mudança no sentido oposto que ocorreu nas bases da ciência natural, na microfísica, durante o primeiro terço do século que se encerrou recentemente. Nela, as limitações fundamentais do modo fragmentador e reducionista de se ver as coisas ficaram aparentes. A substância divisível revelou, de forma estranha, aspectos holísticos.[21]

Muitos biólogos ainda estão tentando reduzir os fenômenos da vida e da mente à física mecanicista do século XIX, mas a física progrediu. E a física quântica proporciona um contexto bem mais promissor para os campos mórficos do que qualquer elemento da física clássica. De algum modo, os campos mórficos devem interagir direta ou indiretamente com campos eletromagnéticos e quânticos, impondo padrões às suas atividades que, não fosse por eles, seriam indeterminadas. Mas a maneira exata pela qual essa interação ocorre ainda não é clara. Um possível ponto de partida é a ideia da ordem implicada, proposta pelo físico quântico David Bohm:

> Na ordem implicada ou implícita, espaço e tempo não são mais os fatores dominantes na determinação de relações de dependência ou independência de elementos distintos. Nela, é possível um tipo totalmente diferente de conexão básica de elementos, a partir da qual nossos conceitos ordinários de espaço e tempo, bem como aqueles de partículas materiais de existência separada, são abstraídos como formas derivadas da ordem mais profunda. Esses conceitos ordinários surgem, com efeito, naquela que é chamada de ordem explícita ou exposta, que é uma forma especial e distinta dentro da totalidade geral de todas as ordens implicadas.[22]

A ordem implicada envolve um tipo de memória que é expressada através de campos quânticos, e é compatível, em termos gerais, com as ideias expostas neste livro. Uma discussão entre David Bohm e eu sobre ressonância mórfica e a ordem implicada é reproduzida no Apêndice B deste livro.

Hans-Peter Dürr também discutiu o modo como "os processos da física quântica podem, em princípio, conter um potencial frutífero para uma explicação dos campos mórficos de Sheldrake".[23]

A ressonância mórfica e os campos mórficos também podem estar relacionados com a física moderna através de dimensões extras do espaço-tempo. Embora nosso pensamento lógico esteja confinado a três dimensões do espaço e uma do tempo, como na física newtoniana, a física progrediu, acrescentando novas dimensões. Na teoria da Relatividade Geral, exposta inicialmente em 1915, Einstein tratou o espaço-tempo como tetradimensional. Na década de 1920, na teoria Kaluza-Klein, o espaço-tempo foi estendido a cinco dimensões numa tentativa de descobrir uma teoria unificada para os campos gravitacionais e eletromagnéticos. As modernas esperanças de se unir os campos conhecidos da física, inclusive as forças nucleares forte e fraca, estão concentradas principalmente na teoria das supercordas, com dez dimensões, ou a teoria-M (abreviatura de teoria-Mestre) com onze.[24]

A validade da teoria das supercordas e da teoria-M ainda é discutível, mas sua mera existência mostra que dimensões adicionais não se limitam mais a especulações esotéricas; são convencionais na física moderna.[25] Mas o que fazem essas dimensões adicionais, e que diferença fazem? Alguns físicos dizem que elas incluem "campos de informação" que poderiam ajudar a explicar os fenômenos da vida e da mente.[26]

Outro ponto possível de conexão entre os campos mórficos e a física moderna está no campo do vácuo quântico. Segundo a teoria quântica convencional, todas as forças elétricas e magnéticas são mediadas por fótons virtuais que saem do campo do vácuo quântico e depois tornam a desaparecer nele. Assim, todas as moléculas de organismos vivos, todas as membranas celulares, todos os impulsos nervosos e, na verdade, todos os processos eletromagnéticos e químicos dependem de fótons virtuais que aparecem e desaparecem no campo do vácuo que permeia toda a natureza. Será que os campos mórficos interagem com processos físicos e químicos regulares por meio do campo do vácuo? Alguns teóricos especulam que sim, e que o fazem.[27]

Teorias como essas podem ajudar a relacionar campos mórficos e ressonância mórfica com a física do futuro. No presente, porém, ninguém sabe como os fenômenos da morfogênese se relacionam com a física, seja ela convencional ou não convencional.

Testes experimentais

Os testes experimentais para a ressonância mórfica propostos na primeira edição deste livro foram principalmente no âmbito da química e da biologia. Entretanto, o maior interesse que eles estimularam foi no campo da psicologia humana. Segundo a hipótese da ressonância mórfica, os seres humanos valem-se de uma memória coletiva: alguma coisa aprendida por pessoas de um lugar torna-se depois mais fácil de se aprender para pessoas do mundo todo.

Em 1982, a revista inglesa *New Scientist* realizou um concurso para que se apresentassem ideias de testes para essa hipótese. Todas as ideias vencedoras referiam-se a experimentos psicológicos. Ao mesmo tempo, um laboratório de ideias norte-americano, o Tarrytown Group de Nova York, ofereceu um prêmio de 10 mil dólares para o melhor teste para essa hipótese. Novamente, as propostas vencedoras eram da área da psicologia, e ofereceram evidências que apoiaram a hipótese da ressonância mórfica. Esses resultados foram resumidos no meu livro *The Presence of the Past*.

No Apêndice A, apresento um resumo dos resultados da mais recente pesquisa sobre ressonância mórfica, e proponho uma variedade de novos testes para a ressonância mórfica na física, na química, na biologia, na psicologia e na ciência da computação.

Um novo modo de se fazer ciência

Desde a década de 1990, boa parte de minhas próprias pesquisas experimentais tem lidado com o papel desempenhado pelos campos mórficos no comportamento social de animais e de pessoas. Meus estudos sobre aspectos inexplicados do comportamento animal e humano estão resumidos em meus livros *Seven Experiments That Could Change the World* (1994),* *Dogs That Know When their Owners are Coming Home* (1999) e *The Sense of Being Stared At* (2003).** Essas investigações tratavam principalmente dos aspectos *espaciais* dos campos mórficos, e não da ressonância mórfica, que dá a esses campos seu aspecto temporal ou histórico.

---

* *Sete Experimentos que Podem Mudar o Mundo*, publicado pela Editora Cultrix, São Paulo, 1999.

** *A Sensação de Estar Sendo Observado*, publicado pela Editora Cultrix, São Paulo, 2004.

Essa pesquisa é radical em dois sentidos: não apenas ela propõe um novo tipo de pensamento científico, como também um novo modo de se *fazer* ciência. Este é o tema central de *Seven Experiments That Could Change the World*. Muitos dos experimentos que visam testar os campos mórficos são simples e baratos. Mostram que a ciência não precisa mais ser monopólio de um sacerdócio científico. A pesquisa nas fronteiras da ciência está aberta para a participação de estudantes e de não profissionais.

Milhares de não profissionais já deram sua contribuição para essa pesquisa, apresentando casos reais, participando de testes com seus animais, como cães, gatos, cavalos e papagaios, e realizando experimentos com seus familiares e amigos, ou colegas de escola, faculdade ou universidade. Foram apresentadas dezenas de projetos estudantis sobre temas relacionados com campos mórficos, e vários ganharam prêmios em feiras de ciências. Boa parte dessas pesquisas está resumida em *Dogs That Know When their Owners are Coming Home* e *The Sense of Being Stared At*.

Nesse meio-tempo, qualquer leitor que deseje participar dos meus experimentos atuais pode fazê-lo por meio do Online Experiments Portal em meu site www.sheldrake.org. Alguns desses experimentos são realizados via internet; outros, por telefones celulares. Esses testes funcionam bem como tarefas para casa em escolas e faculdades. São divertidos, ilustram os princípios da estatística e da experimentação controlada, e representam uma valiosa contribuição para pesquisas em andamento.

No passado, algumas das pesquisas científicas mais inovadoras foram realizadas por amadores. Charles Darwin, por exemplo, nunca teve um cargo institucional. Ele trabalhou de forma independente em sua casa em Kent estudando cracas, criando pombos e fazendo experimentos no jardim com seus filhos. Ele era apenas um dentre muitos pesquisadores independentes que, sem depender de bolsas e sem a pressão conservadora da revisão anônima feita por seus pares, produziu trabalhos muito originais. Hoje, esse tipo de liberdade é quase inexistente. A partir da segunda metade do século XIX, a ciência foi ficando cada vez mais profissionalizada. Depois da Segunda Guerra Mundial, as pesquisas institucionais aumentaram muito. Hoje, resta apenas um punhado de cientistas independentes, dos quais o mais conhecido é James Lovelock, principal proponente da hipótese Gaia.

Mesmo assim, as condições para uma participação mais ampla na ciência tornaram-se mais favoráveis do que nunca. No mundo todo, há centenas de milhares de pessoas com educação científica. O poder da computação, antes monopólio de grandes organizações, está amplamente disponível. A internet dá acesso a informações que em décadas passadas seriam inimagináveis, e proporciona um meio de comunicação sem precedentes. Há hoje mais pessoas com tempo ocioso do que antes. A cada ano, milhares de estudantes fazem projetos de pesquisa científica como parte de sua formação acadêmica, e alguns receberiam de bom grado a oportunidade de serem verdadeiros pioneiros. E muitas redes e associações informais já oferecem modelos para comunidades auto-organizadas de pesquisadores, trabalhando tanto dentro como fora de instituições científicas.

Como em seus períodos mais criativos, a ciência pode, mais uma vez, nutrir-se das raízes fundamentais para cima. A pesquisa pode nascer do interesse pessoal pela natureza da natureza, um interesse que originalmente leva muitas pessoas a seguirem carreiras científicas, mas que costuma ser sufocado pelas exigências da vida institucional. Felizmente, o interesse pela natureza nasce com muita força, ou até com mais força ainda, em muitas pessoas que não são cientistas profissionais.

Creio que não apenas em áreas controvertidas e limítrofes de pesquisa, como também em áreas mais convencionais, a ciência precisa de uma democratização. Ela sempre foi elitista e nada democrática, quer em monarquias, quer em estados comunistas ou democracias liberais. Mas atualmente ela está se tornando mais hierárquica, e não menos, e essa tendência precisa ser mudada.

Hoje, os tipos de pesquisas que podem ser feitos são determinados por comissões de financiamento científico e não pela imaginação humana. E o pior é que o poder dessas comissões está cada vez mais concentrado nas mãos de cientistas mais velhos com pendores políticos, de funcionários do governo e de representantes de grandes empresas. Jovens graduados trabalhando mediante contratos de curta duração constituem uma crescente categoria científica inferior. Nos Estados Unidos, a proporção de bolsas biomédicas concedidas a pesquisadores com menos de 35 anos caiu de 23% em 1980 para 4% em 2003. Essa é uma má notícia. À medida que a ciência se torna cada vez mais uma escalada de degraus em carreiras corporativas e cada vez menos uma viagem altiva da mente, a desconfiança do público com relação a cientistas e a seu trabalho parece aumentar.

Em 2000, uma enquete promovida pelo governo britânico sobre atitudes do público com relação à ciência revelou que a maioria das pessoas acreditava que "A ciência é impelida pelos negócios – no final das contas, tudo se reduz a dinheiro". Mais de três quartos dos entrevistados concordaram que "É importante ter alguns cientistas que não estejam ligados a empresas". Mais de dois terços pensaram, "Os cientistas devem prestar mais atenção àquilo que pensam as pessoas comuns". Preocupado com essa alienação pública, em 2003 o governo britânico disse que queria levar o público a "um diálogo entre ciência, políticos e o público". Nos círculos oficiais, a moda passou de um modelo de "déficit" da compreensão que o público tem da ciência – que considera a simples educação factual como a chave – para um modelo "engajado" de ciência e sociedade.

A participação do público envolveria mais do que a criação de comissões de não cientistas para orientar os atuais organismos de financiamento. Em 2003 na *New Scientist*[28] e em 2004 na *Nature*,[29] eu propus uma possibilidade mais radical: separar uma pequena proporção do orçamento governamental para a ciência, digamos 1%, para pesquisas propostas por leigos.

Que questões seriam de interesse público? Por que não perguntar? Organizações como escolas, associações de caridade, autoridades locais, sindicatos, grupos ambientais e associações de jardinagem poderiam ser convidados para darem sugestões. Em cada organização, a possibilidade de se propor pesquisas provavelmente geraria discussões de grande alcance, e daria a muitos segmentos da população a sensação de envolvimento.

Para evitar que esse 1% seja absorvido pelo *establishment* científico, seria necessário que fosse administrado por uma comissão composta principalmente por não cientistas, tal como acontece com muitos auxílios à pesquisa. A verba seria limitada a áreas que não estejam sendo cobertas pelos outros 99% do orçamento público para a ciência. Esse sistema poderia ser tratado como se fosse um experimento e tentado durante cinco anos, por exemplo. Se não tivesse efeitos úteis, seria encerrado. Se levasse à pesquisa produtiva, a uma confiança maior do público na ciência e a um interesse mais acentuado dos estudantes, o percentual dessa verba poderia ser aumentado. Creio que isso tornaria a ciência mais atraente para os jovens, estimularia o interesse pelo pensamento científico e por testes de hipóteses, e ajudaria a diminuir a deprimente alienação de muitas pessoas com relação à ciência.

Controvérsias

Por ocasião da primeira edição de *Uma Nova Ciência da Vida* na Inglaterra em 1981, houve uma ampla discussão sobre a ideia de campos morfogenéticos e ressonância mórfica. Depois de três meses, surgiu um editorial – hoje famoso – na primeira página da *Nature*. Com o título, "Um livro para se queimar?", o editor condenou minhas propostas num ataque extraordinário:

> Até livros ruins não devem ser queimados; livros como *Mein Kampf* tornaram-se documentos históricos para quem se ocupa com a patologia da política. Mas o que se deve fazer com o livro *A New Science of Life* do dr. Rupert Sheldrake? Esse irritante tratado foi amplamente anunciado por jornais e revistas de popularização da ciência como a "resposta" à ciência materialista, e agora está a caminho de se tornar um ponto de referência para um grupo heterogêneo e medíocre de criacionistas, antirreducionistas, neolamarckistas e outros. O autor, cuja formação é de bioquímico e que demonstra ser um homem bem instruído, está, porém, desorientado. Seu livro é o melhor candidato à fogueira que apareceu nos últimos anos.[30]

O editor não apresentou nenhum argumento lógico contra a hipótese que propus. Em vez disso, depositou sua esperança nos futuros progressos da biologia molecular:

> O argumento de Sheldrake sai do seu catálogo de formas pelas quais os biólogos moleculares, sem dúvida a tropa de choque dos reducionistas, ainda não conseguiram calcular o fenótipo de um organismo singular a partir do conhecimento de seu genótipo. Mas, e daí? Os últimos vinte anos não mostraram com bastante clareza que as explicações moleculares da maioria dos fenômenos biológicos são, ao contrário do que alguns esperavam antes, possíveis e poderosas?

O editor, John Maddox (atualmente *sir* John Maddox), também descartou minhas propostas de experimentos como "nada práticas, no sentido de que nenhum órgão financiador que se respeite vai levar a sério a proposta".

Prefácio à edição de 2009

Esse editorial teve como resposta uma série de cartas para a *Nature*, que durou meses, nas quais muitos cientistas fizeram objeção ao tom destemperado desse ataque e defenderam a necessidade de pensamentos radicais com relação aos problemas ainda não solucionados pela ciência.[31] Uma das cartas foi enviada pelo físico quântico Brian Josephson, ganhador do Prêmio Nobel:

> Os rápidos progressos da biologia molecular aos quais você se refere não significam muita coisa. Se uma pessoa está viajando, o progresso rápido no caminho não implica que ela está se aproximando do destino, nem que o destino chegará a ser atingido pelo fato dela continuar na mesma estrada. Ao referir-se a "órgão financiador que se respeite", você mostra uma preocupação com a respeitabilidade, e não com a eficácia científica. A fraqueza fundamental é deixar de admitir até a possibilidade de que fatos físicos autênticos podem existir além do alcance das atuais descrições científicas. Na verdade, está surgindo um novo tipo de compreensão da natureza, com conceitos como ordem implicada e realidade dependente do sujeito (e agora, talvez a causação formativa). Esses desenvolvimentos ainda não chegaram até as principais publicações. Só podemos esperar que em breve os editores parem de obstruir esse canal de progresso.[32]

Em 1994, o canal de televisão da BBC entrevistou John Maddox a respeito dessa explosão. Ele não se mostrou arrependido, dizendo, "Sheldrake está produzindo magia em vez de ciência, e isso pode ser condenado exatamente com a mesma linguagem com que o papa condenou Galileu, e pelo mesmo motivo. É heresia".[33] Talvez ele não soubesse que, dois anos antes, em 15 de julho de 1992, o papa Joao Paulo II declarou formalmente que a Igreja tinha errado ao condenar Galileu.

Em países germanófonos, surgiram muitos artigos e discussões sobre essa hipótese envolvendo cientistas, filósofos, psicólogos e outros. Algumas de suas variadas reações foram reunidas num livro publicado em alemão em 1997 chamado *Rupert Sheldrake in der Diskussion*.[34]

Nas décadas de 1980 e 1990, muitos membros da comunidade científica, como o editor de *Nature*, estavam certos de que novas pesquisas sobre sequenciamento genético e mecanismos moleculares iriam revelar quase tudo que precisamos saber sobre a vida, explicando os mistérios da forma biológica, do comportamento instintivo, do aprendizado e até da própria consciência. Diversos cientistas de renome acreditavam que a ciência estava se aproximando do seu ápice supremo; todas as descobertas importantes já teriam sido feitas. Esse clima foi resumido em 1996 pelo *best-seller* de John Horgan *The End of Science: Facing the Limits of Knowledge in the Twilight of the Scientific Age*. Como disse Horgan:

> Se acreditamos na ciência, devemos aceitar a possibilidade – mesmo a probabilidade – de a grande era de descobertas científicas ter acabado. Quando digo ciência, não me refiro à ciência aplicada, mas à ciência em seu mais puro e grandioso estado, a busca humana primordial pela compreensão do universo e do nosso lugar nele. Novas pesquisas talvez não produzam mais grandes revelações ou revoluções, mas apenas retornos incrementais, diminutos.[35]

Felizmente, a ciência não acabou, apesar do sequenciamento do genoma humano, da avalanche de dados da biologia molecular, da explosão da tomografia cerebral, das especulações dos teóricos das supercordas e da descoberta de que mais de 90% do universo é constituído de matéria escura e energia escura, cuja natureza é literalmente obscura.

Os problemas ainda não resolvidos da biologia, resumidos no Capítulo 1, não tinham sido resolvidos em 1981 e até hoje não o foram. As questões discutidas neste livro continuam completamente em aberto. O debate continua; e, lendo este livro, você pode participar dele.

* * *

Agradecimentos

No processo contínuo de desenvolvimento e teste da hipótese da causação formativa, muitas pessoas me ajudaram por meio de discussões, comentários, sugestões e críticas. Gostaria de agradecer em particular a Ralph Abraham, Ted Bastin, Patrick Bateson, Dick Bierman, Richard Braithwaite (falecido), Stephen Braude, John Brockman, David Jay Brown, Christopher Clarke, John Cobb, Stephen Cohen, Hans-Peter Dürr, Lindy Dufferin e Ava, Ted Dace, Dorothy Emmet (falecida), Suitbert Ertel, Addison Fischer, Matthew Fox, Stanislav Grof, Brian Goodwin, Franz-Theo Gottwald, Stephen Jay Gould (falecido), David Ray Griffin, Christian Gronau, Stephan Harding, Willis Harman

PREFÁCIO À EDIÇÃO DE 2009

(falecido), Mary Hesse, Nicholas Humphrey, Francis Huxley, Jürgen Krönig, David Lambert, Bruce Lipton, Nancy Lunney, Margaret Masterman (falecida), Katinka Matson, Terence McKenna (falecido), John Michell, Robert Morris (falecido), Carl Neumann, Guy Lyon Playfair, Jill Purce, Dean Radin, Anthony Ramsay, Brendan O'Reagan (falecido), Keith Roberts, Steven Rooke, Steven Rose, Miriam Rothschild (falecida), Janis Rozé, Edward St Aubyn, Gary Schwartz, Martin Schwartz, Merlin Sheldrake, Alexander Shulgin, Harris Stone, James Trifone, Francisco Varela (falecido), Christopher Whitmont e Götz Wittneben.

Sou muito grato a Matthew Clapp, que criou meu *website*, www.sheldrake.org, em 1997 e foi seu *webmaster* até 2002; ao meu atual *webmaster*, John Caton, que tem cuidado do meu site desde 2002; e a Helmut Lasarcyk, *webmaster* do *site* alemão, que gentilmente traduziu muitas cartas, artigos e manuscritos para mim. Também sou muito grato a minha assistente de pesquisas, Pam Smart, que trabalha comigo desde 1994 e tem me ajudado de diversas maneiras.

Agradeço pelo apoio organizacional e financeiro para pesquisas do Institute of Noetic Sciences, Califórnia, do International Center for Integral Studies, Nova York, da Schweisfurth Foundation, Alemanha, da Lifebridge Foundation, Nova York, da Fundação Bial, Portugal, da Fred Foundation, Holanda, e do Perrott-Warrick Fund, administrado pelo Trinity College, Cambridge. Agradeço ainda aos seguintes benfeitores por seu generoso apoio: Laurance Rockefeller (falecido), Bob Schwartz, de Nova York (falecido), C.W. 'Ben' Webster, de Toronto (falecido), Evelyn Hancock, de Old Greenwich, Connecticut, Bokhara Legendre, de Medway, Carolina do Sul, Ben Finn, de Londres, e Addison Fischer, de Naples, Flórida.

Pelos comentários úteis aos rascunhos desta nova edição, agradeço a Ted Dace, Nicholas Greaves, Helmut Lasarcyk, Jill Purce e Götz Wittneben. Merlin Sheldrake desenhou os diagramas das Figuras 20 e A.2-A.5 Todos os outros desenhos e diagramas são de Keith Roberts, a menos que indicado de outro modo.

Hampstead, Londres
Setembro de 2008

Introdução

Atualmente, a abordagem ortodoxa da biologia é dada pela teoria mecanicista da vida: organismos vivos são considerados máquinas físico-químicas, e considera-se que todos os fenômenos da vida são explicáveis, em princípio, do ponto de vista da física e da química.[1] Este paradigma mecanicista[2] não é nada novo; tem sido o predominante há mais de um século. A principal razão para que a maioria dos biólogos ainda se apeguem a ele é que ele funciona: ele proporciona uma estrutura de pensamento na qual perguntas sobre os mecanismos físico-químicos dos processos vitais podem ser feitas e respondidas.

O fato de essa abordagem ter produzido êxitos espetaculares como a "decifração do código genético" é um bom argumento a seu favor. Entretanto, os críticos manifestaram razões aparentemente válidas para questionar se todos os fenômenos da vida, inclusive o comportamento humano, podem chegar a ser explicados de forma inteiramente mecanicista.[3] Mas mesmo que se admitisse que a abordagem mecanicista é seriamente limitada, não só na prática como em princípio, ela não poderia ser simplesmente abandonada; atualmente, ela é quase que a única abordagem disponível para a biologia experimental, e sem dúvida continuará a ser seguida até surgir alguma alternativa positiva.

Qualquer teoria nova que seja capaz de estender ou de ir além da teoria mecanicista terá de fazer mais do que afirmar que a vida envolve qualidades ou fatores que hoje não são aceitos pelas ciências físicas; ela terá de dizer que tipo de coisas são essas qualidades ou fatores, como funcionam e que relação têm com os processos físicos e químicos conhecidos.

O modo mais simples pelo qual a teoria mecanicista poderia ser modificada seria supor que os fenômenos da vida dependem de um novo tipo de fator causal, desconhecido das ciências físicas, que interage com processos físico-químicos de organismos vivos. Várias versões dessa teoria vitalista foram propostas no início do século XX,[4] mas nenhuma conseguiu fazer predições que poderiam ser testadas, ou sugerir novos tipos de experimentos. Se, para citar *sir* Karl Popper, "o critério do *status* científico de uma teoria é sua falseabilidade, ou refutabilidade, ou testabilidade",[5] o vitalismo não se qualifica.

Entretanto, a filosofia organísmica ou holística da natureza proporciona um contexto para uma revisão mais radical da teoria mecanicista. Esta filosofia nega que tudo que há no universo pode ser explicado de baixo para cima, por assim dizer, tendo em vista as propriedades das partículas subatômicas, ou átomos, ou mesmo moléculas. Em vez disso, ela reconhece a existência de sistemas organizados hierarquicamente que, em cada nível de complexidade, têm propriedades que não podem ser plenamente compreendidas levando-se em consideração as propriedades exibidas por suas partes em isolamento umas das outras; em cada nível, o todo é mais do que a soma de suas partes. Esses todos podem ser pensados como organismos, usando este termo de modo deliberadamente amplo para incluir não apenas animais e plantas, órgãos, tecidos e células, como também cristais, moléculas, átomos e partículas subatômicas. Na verdade, essa filosofia propõe uma mudança do paradigma da máquina para o paradigma do organismo nas ciências biológicas *e* nas físicas. Como diz a famosa frase de Alfred North Whitehead: "A biologia é o estudo dos organismos maiores, ao passo que a física é o estudo dos organismos menores".[6]

Várias versões dessa filosofia organísmica foram defendidas por muitos autores, inclusive biólogos, desde a década de 1920.[7] Mas se o organicismo pretende ter mais do que uma influência superficial sobre as ciências naturais, deve ser capaz de dar origem a predições testáveis.[8]

O mais importante conceito organísmico apresentado até agora é o dos *campos morfogenéticos*.[9] Supõe-se que esses campos ajudariam a explicar, ou a descrever, o surgimento das formas características de embriões e de outros sistemas que se desenvolvem. O problema é que esse conceito tem sido usado de maneira ambígua. O termo em si parece implicar a existência de um novo tipo de campo físico que tem algum papel no desenvolvimento da forma.

Mas alguns teóricos organísmicos negam que estariam sugerindo a existência de algum novo tipo de campo, entidade ou fator atualmente ignorado pela física;[10] no lugar disso, estariam proporcionando um novo modo de *falar sobre* complexos sistemas físico-químicos.[11] Essa abordagem não parece capaz de ir muito longe. O conceito de campos morfogenéticos só pode ter valor científico prático se conduzir a predições testáveis, diferentes daquelas apresentadas pela teoria mecanicista convencional. E tais predições não podem ser feitas, a menos que se considere que os campos morfogenéticos têm efeitos mensuráveis.

A hipótese apresentada neste livro baseia-se na ideia de que os campos morfogenéticos têm, de fato, efeitos físicos mensuráveis. Ela propõe que campos morfogenéticos específicos são responsáveis pela forma característica e pela organização de sistemas em todos os níveis de complexidade, não apenas no âmbito da biologia, mas também nos âmbitos da química e da física. Esses campos organizam os sistemas com os quais estão associados, afetando eventos que, do ponto de vista energético, parecem ser indeterminados ou probabilísticos; eles impõem restrições padronizadas aos resultados energeticamente possíveis de processos físicos.

Se os campos morfogenéticos são responsáveis pela organização e forma de sistemas materiais, eles devem ter estruturas características. E de onde vêm esses campos-estruturas? Derivam dos campos morfogenéticos associados a sistemas similares anteriores: os campos morfogenéticos de todos os sistemas passados tornam-se *presentes* para qualquer sistema similar subsequente; as estruturas de sistemas passados afetam sistemas similares subsequentes por uma influência cumulativa que age tanto através do espaço quanto do tempo.

Segundo esta hipótese, os sistemas são organizados tal como são porque sistemas similares eram organizados dessa forma no passado. As moléculas de uma complexa substância química, por exemplo, cristalizam-se num padrão característico porque a mesma substância cristalizou-se dessa forma antes; uma planta assume a forma que caracteriza sua espécie porque no passado membros dessa espécie assumiram essa forma; e um animal age instintivamente de certa maneira porque animais similares comportaram-se assim anteriormente.

A hipótese diz respeito à *repetição* das formas e padrões de organização; a questão da *origem* dessas formas e padrões está fora do seu escopo. Esta questão pode ser respondida de várias maneiras diferentes, mas todas elas parecem igualmente compatíveis com o meio sugerido de repetição.[12]

Várias predições testáveis, que diferem marcantemente daquelas aventadas pela teoria mecanicista convencional, podem ser deduzidas dessa hipótese. Um único exemplo será suficiente: se um animal – um rato, digamos – aprende um novo padrão de comportamento, haverá uma tendência para que qualquer rato subsequente similar (da mesma raça, criado sob condições similares, etc.) aprenda mais rapidamente o mesmo padrão de comportamento. Quanto maior o número de ratos que aprendem a realizar a tarefa, mais fácil será para que qualquer rato subsequente similar a aprenda. Assim, se, por exemplo, milhares de ratos fossem treinados para realizar uma nova tarefa num laboratório em Londres, ratos similares aprenderiam a realizar a mesma tarefa mais rapidamente em laboratórios de outros lugares. Se a velocidade do aprendizado de ratos em outro laboratório, como em Nova York, fosse medida antes e depois do treinamento dos ratos de Londres, os ratos testados na segunda vez deveriam aprender mais rapidamente do que aqueles testados na primeira vez. O efeito deveria ocorrer na ausência de qualquer tipo conhecido de conexão física ou de comunicação entre os dois laboratórios.

Tal predição pode parecer tão improvável quanto absurda. No entanto, é notável constatar que já há evidências de estudos de ratos em laboratório mostrando que o efeito predito efetivamente ocorre.[13]

Esta hipótese, chamada de hipótese da causação formativa, leva a uma interpretação de muitos fenômenos físicos e biológicos que é radicalmente diferente daquela oferecida pelas teorias existentes, e permite que vários problemas bem conhecidos sejam vistos sob nova luz. Neste livro, ela é esboçada de forma preliminar, algumas de suas implicações são discutidas e diversas maneiras para testá-la são sugeridas.

Capítulo 1

OS PROBLEMAS NÃO RESOLVIDOS DA BIOLOGIA

1.1 Histórico do sucesso

No mundo da ciência, a teoria predominante da vida é mecanicista. Organismos vivos são máquinas. Não têm almas ou misteriosos princípios vitais; podem ser perfeitamente explicados sob o ponto de vista da física e da química. Essa ideia não é nova: data do filósofo René Descartes (1596-1650). Em 1867, T. H. Huxley resumiu-a deste modo:

> A fisiologia zoológica é a doutrina das funções ou ações dos animais. Considera os corpos animais como máquinas impelidas por diversas forças e que realizam certo trabalho que pode ser expressado levando-se em conta as forças comuns da natureza. O objeto principal da fisiologia é deduzir os fatos da morfologia, por um lado, e os da ecologia, por outro, das leis das forças moleculares da matéria.[1]

Os desenvolvimentos posteriores da fisiologia, bioquímica, biofísica, genética e biologia molecular estão prenunciados nessas ideias. Sob vários pontos de vista, essas ciências têm tido brilhantes sucessos, mas nenhum tão grande quanto a biologia molecular. A descoberta da estrutura do DNA, a "decifração do código genético", a elucidação do mecanismo da síntese das proteínas e o sequenciamento do genoma humano parecem confirmações impressionantes da validade dessa abordagem.

Os mais expressivos defensores da teoria mecanicista são os biólogos moleculares. Seus relatos costumam começar com um sumário descarte das teorias vitalista e organísmica. Estas são definidas como sobreviventes de crenças "primitivas", fadadas a recuar cada vez mais com o progresso da biologia mecanicista. Eles seguem estas linhas:[2]

A natureza química do material genético, DNA, agora é conhecida, bem como o código genético pelo qual ele codifica a sequência dos aminoácidos nas proteínas. O mecanismo da síntese das proteínas é conhecido em razoável detalhe. A estrutura de muitas proteínas já foi deduzida. Todas as enzimas são proteínas, e as enzimas catalisam as complexas cadeias e ciclos de reações bioquímicas que formam o metabolismo de um organismo. O metabolismo é controlado por *feedback* bioquímico; conhecem-se diversos mecanismos segundo os quais o índice de atividade enzímica pode ser regulado. Proteínas e ácidos nucleicos agregam-se espontaneamente para formar estruturas como vírus e ribossomos. Dada a variedade de propriedades das proteínas, bem como as propriedades de outros sistemas físico-químicos como membranas lipídicas, além dos complexos sistemas de interação físico-química, as propriedades das células vivas podem, em princípio, ser plenamente explicadas.

A chave para os problemas da diferenciação e desenvolvimento, sobre os quais se conhece muito pouca coisa, é a compreensão do controle da síntese das proteínas. A forma pela qual a síntese de certas enzimas metabólicas e de outras proteínas é controlada é conhecida em detalhes no caso das bactérias *Escherichia coli*. O controle da síntese das proteínas dá-se por meio de mecanismos mais complicados nos organismos superiores, mas agora sabemos mais sobre eles do que nunca. Com o tempo, a diferenciação e o desenvolvimento deverão ser explicáveis em termos de séries de "chaves" operadas quimicamente, que "ligam" ou "desligam" genes ou grupos de genes. Já se conhecem sistemas importantes de chaves, como os genes *homeobox*.[3]

A maneira pela qual as partes dos organismos vivos se adaptam às funções do todo, e a índole aparentemente proposital da estrutura e do comportamento dos organismos vivos, dependem de mutações genéticas aleatórias seguidas pela seleção natural: esses genes que aumentam a habilidade de sobrevivência e de reprodução de um organismo serão selecionados; mutações nocivas serão eliminadas. Assim, a teoria neodarwiniana da evolução pode explicar o aspecto proposital; é totalmente desnecessário supor que algum misterioso "fator vital" estaria envolvido.

Sabe-se mais e mais sobre o funcionamento do sistema nervoso central, e os progressos da bioquímica, biofísica, eletrofisiologia e tomografia cerebral já estão nos ajudando a explicar aquilo que dizemos ser a mente em termos de mecanismos físicos e químicos no cérebro. Modelos gerados por computador permitem-nos ver a mente como o *software* que atua através do *hardware* do cérebro. Sonhos como a criação de inteligência artificial e até da própria consciência em máquinas podem, em breve, aproximar-se da realidade.[4]

Assim, os organismos vivos são, em princípio, plenamente explicáveis do ponto de vista da física e da química. Nossa limitada compreensão dos mecanismos de desenvolvimento e do sistema nervoso central deve-se à imensa complexidade dos problemas; agora, porém, armados com os novos e poderosos conceitos da biologia molecular e com a ajuda de modelos gerados por computador, esses assuntos podem ser tratados de uma forma que antes não era possível.

À luz dos êxitos anteriores, é compreensível o otimismo diante da solução mecanicista de todos os problemas da biologia. Mas uma opinião realista sobre as perspectivas da explicação mecanicista vai depender de mais do que um ato de fé; só poderá ser formada após uma análise dos problemas relevantes da biologia, e de como estes podem ser solucionados.

1.2 Os problemas da morfogênese

A morfogênese biológica pode ser definida como o "surgimento de características e formas específicas em organismos vivos".[5] O primeiro problema é precisamente o surgimento da forma: aparecem novas estruturas, como olhos ou flores, que não podem ser explicadas sob a ótica das estruturas já presentes no ovo. Não há olhos em miniatura nos ovos das águias, ou flores em miniatura nas sementes de dedaleira.

O segundo problema é que muitos sistemas em desenvolvimento podem se regular; em outras palavras, se uma parte de um sistema em desenvolvimento for removida (ou se uma parte adicional for acrescentada), o sistema continua a se desenvolver de tal modo que uma estrutura mais ou menos normal é produzida. A demonstração clássica deste fenômeno estava nos experimentos de

Hans Driesch com embriões de ouriço-do-mar. Quando se matava uma das células de um embrião muito jovem no estágio bicelular, a célula remanescente não dava origem a meio ouriço-do-mar e sim a um ouriço-do-mar pequeno mas completo. Do mesmo modo, organismos pequenos mas completos desenvolveram-se após a destruição de uma, duas ou três células no estágio tetracelular. Por outro lado, a fusão de dois embriões jovens de ouriço-do-mar resultaram no desenvolvimento de um ouriço-do-mar gigante.[6]

A regulação ocorre em todos os organismos em desenvolvimento, em animais e plantas. Em animais, a capacidade costuma se perder à medida que se desenvolvem e que o destino das distintas regiões do embrião tornam-se determinadas, como membros e fígados. Mas mesmo quando o desenvolvimento ocorre num estágio precoce, como nos embriões de insetos, a regulação ainda ocorre após o ovo sofrer danos (Fig. 1).

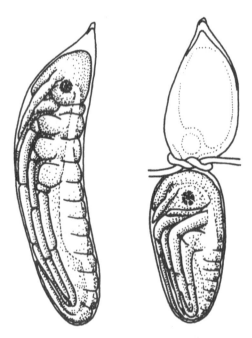

Figura 1 Um exemplo de regulação. À esquerda, um embrião normal da libélula *Platycnemis pennipes*. À direita, um embrião pequeno, mas completo, formado a partir da metade posterior de um ovo ligado na metade pouco depois de ter sido posto. (Segundo Weiss, 1939.)

Resultados desse tipo mostram que plantas e animais em desenvolvimento dirigem-se a uma meta morfológica. Eles têm alguma propriedade que especifica essa meta e que lhes permitem atingi-la, mesmo se partes do sistema forem removidas e o curso normal de desenvolvimento for perturbado.

O terceiro problema é a regeneração. Organismos substituem ou restauram estruturas danificadas. Muitas plantas têm habilidades quase ilimitadas de regeneração. Se o tronco, galhos e gravetos de um salgueiro forem cortados em centenas de pedaços, todos podem gerar novas árvores. Alguns animais também se regeneram das partes. Um platelminto, por exemplo, pode ser cortado em vários pedaços, todos geradores de novos vermes.

Alguns vertebrados mostram notáveis poderes de regeneração. Se o cristalino for removido cirurgicamente do olho de uma lagartixa, um novo cristalino se regenera a partir da margem da íris (Fig. 2); no desenvolvimento normal do embrião, o cristalino forma-se de maneira muito diferente, a partir da pele. O biólogo alemão Gustav Wolff estudou esse tipo de regeneração na década de 1890. Ele escolheu deliberadamente um tipo de mutilação que não teria ocorrido acidentalmente na natureza; portanto, não haveria seleção natural para esse processo de regeneração.[7]

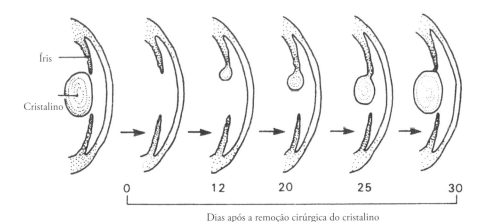

Dias após a remoção cirúrgica do cristalino

Figura 2 Regeneração do cristalino desde a margem da íris num novo olho de uma lagartixa após a remoção cirúrgica do cristalino original. (Cf. Needham, 1942.)

O quarto problema é apresentado pelo simples fato da reprodução: uma parte isolada do progenitor torna-se um novo organismo; uma parte torna-se um todo.

* * *

O único modo pelo qual esses fenômenos podem ser compreendidos é em termos das causas, que de algum modo são mais do que a soma das partes e que determinam as metas dos processos de desenvolvimento.

Os vitalistas atribuem essas propriedades a *fatores vitais*, os organicistas a *propriedades de sistemas* ou *campos morfogenéticos*, e os mecanicistas a *programas genéticos*.

O conceito de programa genético baseia-se numa analogia com programas de computador. A metáfora implica que o óvulo fertilizado contém um programa pré-formado que, de algum modo, coordena o desenvolvimento do organismo. Mas o programa genético deve envolver algo além da estrutura química do DNA, pois cópias idênticas do DNA são passadas para todas as células; se todas as células foram programadas de forma idêntica, não poderiam desenvolver-se diferentemente. E então, o que acontece? Em resposta a esta pergunta, a ideia só pode se desintegrar em sugestões vagas sobre interações físico-químicas estruturadas no tempo e no espaço; o problema é simplesmente redefinido.[8]

A metáfora do programa envolve outro problema. Um programa de computador é posto num computador por um ser consciente inteligente, o programador de computadores. Ele é projetado inteligentemente para se atingir uma meta computacional. Se o programa genético for análogo ao *software* de computador, ele implica na existência de uma mente dotada de propósito que faz o papel do programador.

Os mecanicistas rejeitam a ideia de que organismos que se desenvolvem estão sob o controle de um fator vital que os orienta até suas metas morfológicas. Contudo, como as explicações mecanicistas dependem de conceitos teleológicos como programas genéticos ou instruções genéticas, a orientação para metas só pode ser explicada porque ela já teria sido embutida antes. De fato, as propriedades atribuídas a programas genéticos são notavelmente similares àquelas com que os vitalistas dotaram seus hipotéticos fatores vitais;

ironicamente, o programa genético parece ser muito parecido com um fator vital num disfarce mecanicista.[9]

No conceito de "gene egoísta" de Richard Dawkins, os próprios genes ganham vida. São como pequenas pessoas: são tão implacáveis e competitivas como "bem-sucedidos gângsteres de Chicago"; têm o poder de "moldar a matéria", de "criar forma", de "escolher" e até de "aspirar à imortalidade".[10] A retórica de Dawkins é vitalista. Seus genes egoístas são fatores vitais em miniatura.

Entretanto, o fato de a morfogênese biológica não poder ser explicada atualmente de maneira rigorosamente mecanicista não prova que nunca o será. As possibilidades para que se chegue a tal explicação no futuro são analisadas no capítulo seguinte.

1.3 Comportamento

Se os problemas da morfogênese são assustadoramente difíceis, os do comportamento são ainda mais. Primeiro, o instinto. Pense, por exemplo, em como as aranhas conseguem tecer teias sem aprender com outras aranhas.[11] Ou pense no comportamento dos cucos europeus. Os jovens são chocados e criados por aves de outras espécies, e nunca veem seus pais. No final do verão, os cucos adultos migram para seus lares no sul da África. Um mês depois, mais ou menos, os jovens cucos se reúnem e também migram para o sul da África, onde se reúnem aos mais velhos.[12] Eles migram instintivamente e sabem quando migrar; eles identificam instintivamente outros cucos jovens e se reúnem; e instintivamente sabem em que direção devem voar e como encontrar seus *habitats* ancestrais no sul da África, depois de voarem desacompanhados sobre o Estreito de Gibraltar e o Deserto do Saara.

Em segundo lugar, há o problema apresentado pela orientação para metas do comportamento animal. Mesmo que um animal seja impedido, de algum modo, de atingir sua meta, ele pode atingi-la de outro modo. Por exemplo, após ter uma perna amputada, um cão aprende a andar sobre três pernas em vez de quatro. Depois de sofrer um dano cerebral, outro cão recupera gradualmente suas habilidades anteriores. Um terceiro cão tem obstáculos em seu caminho. Mas todos os três cães podem ir de um lugar para outro ao qual desejam ir apesar de perturbações em seus membros, sistema nervoso central e ambiente.

Em terceiro lugar, há o problema do comportamento inteligente; surgem novos padrões de comportamento que não podem ser explicados inteiramente em termos de causas precedentes. Os animais podem ser criativos.

Há um imenso redemoinho de ignorância entre esses fenômenos e as ciências da biologia molecular, da bioquímica, da genética e da neurofisiologia.

Como o comportamento migratório dos jovens cucos pode ser explicado sob a ótica do DNA, da síntese de proteínas e da biologia molecular celular? Obviamente, uma explicação satisfatória exigiria mais do que uma demonstração de que os genes apropriados, contendo sequências básicas e apropriadas do DNA, fossem necessários para esse comportamento, ou que o comportamento dos cucos depende de impulsos elétricos nos nervos; exigiria alguma compreensão das conexões entre sequências específicas de bases do DNA, do sistema nervoso das aves e do comportamento migratório. Atualmente, essas conexões só podem ser proporcionadas pelas mesmas entidades indefinidas que "explicam" todos os fenômenos da morfogênese: programas genéticos, fatores vitais, propriedades de sistemas ou campos morfogenéticos.

Seja como for, a compreensão do comportamento pressupõe a compreensão da morfogênese. Mesmo que todos os comportamentos de um animal relativamente simples, como um verme nematoide, pudessem ser compreendidos em detalhes do ponto de vista da "fiação" e da fisiologia de seu sistema nervoso, ainda haveria o problema de como o sistema nervoso foi, em primeiro lugar, idealizado.

1.4 Evolução

Muito antes de a genética mendeliana ter sido imaginada, criadores de animais e de plantas desenvolveram muitas variedades de plantas cultivadas e de animais domésticos, como rosas damascenas e cães do faraó. O cruzamento seletivo foi a base de seu sucesso. Charles Darwin postulou persuasivamente que um desenvolvimento comparável de raças e variedades ocorria na natureza sob a influência da seleção natural em vez da artificial.

Darwin também acreditava que os hábitos adquiridos pelas plantas e pelos animais podiam ser herdados.[13] A teoria neodarwiniana da evolução concorda com a importância da seleção natural, mas rejeita a herança de hábitos e procura, em lugar disto, explicar a inovação evolutiva sob a ótica das mutações genéticas aleatórias, motivo pela qual ela é neodarwiniana e não darwiniana.

Todos concordam que a mutação e a seleção natural podem levar à formação de variedades ou subespécies. Mas não há acordo geral entre biólogos evolutivos quanto à microevolução gradual dentro de uma espécie poder justificar a origem da própria espécie ou gênero, família ou divisão taxonômica superior. Uma escola de pensamento afirma que toda evolução em larga escala, ou macroevolução, pode ser explicada levando-se em consideração os processos de microevolução de longa duração;[14] a outra escola nega isto, e afirma que saltos importantes ocorrem subitamente no decorrer da evolução.[15] Mas embora as opiniões divirjam quanto à importância relativa de muitas mutações pequenas ou de algumas grandes, há um acordo generalizado quanto ao fato de as mutações serem aleatórias e de que a evolução pode ser explicada por uma combinação entre mutações aleatórias e seleção natural.

Essa teoria é inevitavelmente especulativa. As evidências da evolução estão abertas a várias interpretações. Os oponentes do neodarwinismo podem dizer que as inovações evolutivas não são totalmente explicáveis tendo em vista eventos casuais, mas devidas à atividade de um princípio criativo que a ciência mecanicista não reconhece. Ademais, as próprias pressões da seleção decorrentes do comportamento e das propriedades dos organismos vivos podem depender de fatores internos de organização que são essencialmente não mecanicistas.

Logo, o problema da evolução não pode ser solucionado conclusivamente. Teorias organísmicas envolvem uma extrapolação de ideias organísmicas, assim como a teoria neodarwiniana envolve uma extrapolação de ideias mecanicistas.

1.5 A origem da vida

Este problema da origem da vida é tão insolúvel quanto o da evolução, pelos mesmos motivos. O que aconteceu no passado distante talvez nunca seja conhecido ao certo; provavelmente, haverá sempre uma gama de especulações. Cenários para a origem da vida incluem seu aparecimento espontâneo num caldo primitivo na Terra; a infecção da Terra por microrganismos deliberadamente enviados numa nave espacial por seres inteligentes num planeta de outro sistema solar;[16] e a evolução da vida em cometas contendo materiais orgânicos derivados da poeira interestelar.[17]

Mesmo que as condições sob as quais a vida se originou fossem conhecidas, esta informação não lançaria luzes sobre a natureza da vida. Presumindo que pudesse ser demonstrado, por exemplo, que os primeiros organismos vivos surgiram de agregados químicos não vivos ou "hiperciclos" de processos químicos[18] num caldo primitivo, isso não provaria que eram inteiramente mecanicistas. Os organicistas iriam argumentar que novas propriedades organísmicas surgiram no primeiro sistema vivo justamente quando ele ganhou vida. Os mesmos argumentos se aplicariam mesmo que organismos vivos fossem sintetizados artificialmente a partir de substâncias químicas num tubo de ensaio.

1.6 Mentes

A teoria mecanicista postula que todos os fenômenos da vida, inclusive o comportamento humano, podem, em princípio, ser explicados do ponto de vista da física. É uma forma de materialismo ou de fisicalismo, a teoria de que só existem coisas materiais ou físicas; elas são a única realidade. O materialismo se opõe à visão mais sensata de que a mente afeta corpos e é capaz de interagir com eles.[19]

O materialismo encontra problemas lógicos desde o princípio: tentar explicar atividades mentais sob a ótica da ciência física é circular, pois a própria ciência depende da atividade mental.[20] Este problema torna-se aparente na física moderna em conexão com o papel do observador em processos de mensuração física; os princípios da física "não podem sequer ser formulados sem a referência (embora apenas implicitamente, em algumas versões) às impressões – e portanto à mente – dos observadores" (Bernard D'Espagnat).[21] Como a física pressupõe a mente dos observadores, essas mentes não podem ser explicadas em termos da física.[22]

Entre os filósofos materialistas da mente, a postura mais extremista é chamada de materialismo eliminativo. Esta filosofia afirma que crenças e sentimentos não têm definição coerente e não têm papel na compreensão científica do cérebro. A neurociência do futuro não terá necessidade de conceitos ultrapassados como crenças e sentimentos; ela adotará conceitos anteriormente descartados como o flogístico e forças vitais. A mente será explicada completamente levando-se em consideração a atividade objetivamente mensurável do sistema nervoso.[23]

Outra abordagem materialista ao problema da consciência é admitir que ela existe, mas negando que ela faz alguma coisa. Essa postura é chamada de epifenomenalismo, a alegação de que "eventos mentais são causados por eventos físicos no cérebro, embora os eventos mentais em si não causem nada".[24] Como disse o filósofo Alex Hyslop, "O caso do epifenomenalismo é o caso do materialismo, juntamente com o caso contra o materialismo. O caso do materialismo é o argumento da ciência, de uma ciência triunfante, ou no mínimo firmemente triunfante. O caso contra o materialismo é que há características de nossa experiência consciente que não são explicadas pela ciência".[25]

Na psicologia, a ciência da mente, há diversas escolas de pensamento sobre o relacionamento entre mente e corpo. A solução materialista mais extrema é negar a realidade da mente e presumir que só o corpo é real. Esta foi a postura da escola behaviorista, que dominou a psicologia acadêmica durante boa parte do século XX. Os behavioristas limitaram sua atenção a comportamentos observáveis objetivamente e ignoraram a existência da consciência.[26] Mas o behaviorismo não era uma hipótese científica testável; era uma metodologia.[27] Agora, saiu de moda nos círculos acadêmicos da psicologia, e foi, em boa parte, substituída pela psicologia cognitiva.

Como o behaviorismo, a psicologia cognitiva rejeita a introspecção, mas admite a existência de estados mentais internos, como crença, desejos e motivações. Sua metáfora dominante é o computador. A atividade mental é imaginada como "processamento de informações". Mas as limitações da metáfora do computador estão ficando cada vez mais visíveis, sobretudo por causa do novo reconhecimento do papel das emoções,[28] e a aceitação de que a mente está no corpo e relaciona-se ativamente com o ambiente.[29]

Na década de 1990, o filósofo David Chalmers fez a distinção entre o que chamou de "problemas fáceis" da consciência, como encontrar correlações neurais de sensação – por exemplo, que partes do cérebro ficam ativas durante a percepção visual de objetos em movimento – e o "problema difícil". O problema difícil é, "Por que a percepção de informações sensoriais existe?" Existe uma diferença radical entre a biologia do cérebro e a experiência mental, que inclui a experiência de qualidades, como o vermelho. (Os filósofos da mente chamam essas experiências subjetivas de "qualia".) Chalmers argumenta que, para se levar a sério a consciência, é necessário ir além de uma estrutura rigorosamente materialista.[30]

Ao contrário das psicologias materialistas que predominam nas instituições acadêmicas, outras escolas de psicologia aceitam a experiência subjetiva como seu ponto de partida, mas também reconhecem que nem toda atividade mental é consciente: muitos aspectos do comportamento e da experiência subjetiva dependem da mente subconsciente ou inconsciente. A mente inconsciente também pode ter propriedades que desafiam explicações mecanicistas. Por exemplo, no desenvolvimento dado a esse conceito por Carl Jung, o inconsciente não se confina a mentes individuais, mas proporciona um substrato comum compartilhado por todas as mentes humanas, o inconsciente coletivo:

> Além de nossa consciência imediata, que é de natureza inteiramente pessoal e que consideramos a única psique empírica (mesmo se lhe acrescentarmos o inconsciente pessoal como apêndice), existe um segundo sistema psíquico, de natureza coletiva, universal e impessoal, idêntico em todos os indivíduos. Esse inconsciente coletivo não se desenvolve individualmente, mas é herdado. Ele consiste em formas preexistentes, os arquétipos, que só secundariamente podem se tornar conscientes, conferindo uma forma definida a certos conteúdos psíquicos.[31]

Jung tentou explicar fisicamente a herança do inconsciente coletivo sugerindo que as formas arquetípicas estivessem "presentes no plasma germinal".[32] Mas é duvidoso que qualquer coisa com as propriedades das formas arquetípicas pudesse ser herdado quimicamente na estrutura do DNA ou em qualquer outra estrutura física ou química nos espermatozoides ou nos óvulos. Com efeito, a ideia do inconsciente coletivo faz pouco sentido ao se levar em consideração a atual biologia mecanicista, quaisquer que sejam seus méritos como teoria psicológica.

No entanto, não existe uma razão *a priori* para que as teorias psicológicas devam ficar confinadas à estrutura da teoria mecanicista. Os fenômenos mentais não precisam depender necessariamente das leis conhecidas da física, pois podem depender de princípios ainda não identificados pela ciência.

1.7 Parapsicologia

Em todas as sociedades tradicionais, contam-se histórias de homens e mulheres com poderes aparentemente milagrosos, e tais poderes são aceitos por todas as religiões. Em muitas partes do mundo, são cultivadas capacidades psíquicas dentro de sistemas como o xamanismo, a feitiçaria, o tantra-ioga e o espiritualismo. E mesmo na moderna sociedade ocidental, há relatos persistentes de fenômenos inexplicados, como telepatia, clarividência, precognição, lembranças de vidas passadas, assombrações, *poltergeists*, psicocinese, e assim por diante. Pesquisas mostram que o tipo mais comum de telepatia ocorre em conexão com a tecnologia, como a telepatia telefônica, na qual a pessoa A pensa em B sem qualquer motivo aparente e a pessoa B telefona para A logo em seguida.[33]

Embora os céticos dogmáticos descartem todas essas evidências,[34] a possibilidade de que pelo menos alguns desses eventos ocorrem de fato é uma questão em aberto. Ela só pode ser respondida após um exame das evidências.

O estudo científico de fenômenos alegadamente psíquicos já dura mais de um século. Investigadores desse campo da pesquisa psíquica descobriram alguns casos de fraude, e viram que alguns eventos aparentemente paranormais podem, na verdade, ser explicados por causas normais. Mas ainda resta um número significativo de evidências que parecem desafiar uma explicação levando-se em consideração os princípios físicos conhecidos.[35] Numerosos experimentos projetados para testar a chamada percepção extrassensorial produziram resultados positivos, com a probabilidade contra uma coincidência devida ao acaso de uma em milhares, milhões ou até bilhões.[36]

Se esses fenômenos não podem ser explicados sob a ótica das leis conhecidas da física e da química, do ponto de vista mecanicista eles não deveriam ocorrer.[37] Se ocorrem, há duas abordagens possíveis. A primeira é supor que dependem de fatores causais ou de princípios conectivos não físicos.[38] A segunda é partir da premissa que dependem de leis da física ainda desconhecidas, ou de extensões da teoria quântica,[39] postulando, por exemplo, que os estados mentais têm um papel na determinação dos resultados de processos probabilísticos de alteração física.[40]

1.8 Conclusões

Esse breve apanhado dos principais problemas da biologia mostra que não há muitas esperanças de poderem ser solucionados por uma abordagem exclusivamente mecanicista. No caso da morfogênese e do comportamento animal a questão está aberta. Os problemas da evolução e da origem da vida são insolúveis *per se* e não podem ajudar a decidir-se entre a teoria mecanicista e outras possíveis teorias da vida. A teoria mecanicista incorre em sérias dificuldades filosóficas em conexão com o problema dos limites da explicação física; em relação à psicologia, leva a problemas aparentemente insolúveis; e está em conflito com as evidências aparentes de fenômenos parapsicológicos.

As perspectivas para versões aprimoradas das teorias mecanicista, vitalista e organísmica são discutidas no capítulo seguinte. O ponto de partida é a morfogênese.

Capítulo 2

TRÊS TEORIAS DA MORFOGÊNESE

2.1 Pesquisa descritiva e experimental

A descrição do desenvolvimento pode ser feita de diversas maneiras: a forma externa do animal ou planta em desenvolvimento pode ser desenhada, fotografada ou filmada, proporcionando uma série de imagens das alterações de sua morfologia; sua estrutura interna, incluindo-se aí sua anatomia microscópica, pode ser descrita em estágios sucessivos (Fig. 3); mudanças em quantidades físicas, como peso, volume e taxa de consumo de oxigênio podem ser medidas; e mudanças na composição química do sistema como um todo e de partes dele podem ser analisadas.

A melhoria progressiva das técnicas permite que tais descrições sejam feitas com detalhes cada vez maiores; por exemplo, com o microscópio eletrônico, os processos de diferenciação celular podem ser estudados numa resolução bem maior do que com o microscópio óptico, permitindo a visão de muitas estruturas novas; os métodos de análise de sensibilidade da moderna biologia molecular permitem a medição de mudanças nas concentrações de moléculas específicas, inclusive proteínas e ácidos nucleicos, em amostras muito pequenas de tecidos; por meio de isótopos radioativos ou de anticorpos fluorescentes, estruturas químicas podem ser "rotuladas" e "monitoradas" à medida que o sistema se desenvolve; e técnicas para induzir alterações genéticas em algumas das células dos embriões permitem que seus descendentes geneticamente "marcados" sejam identificados e seu destino seja "mapeado".

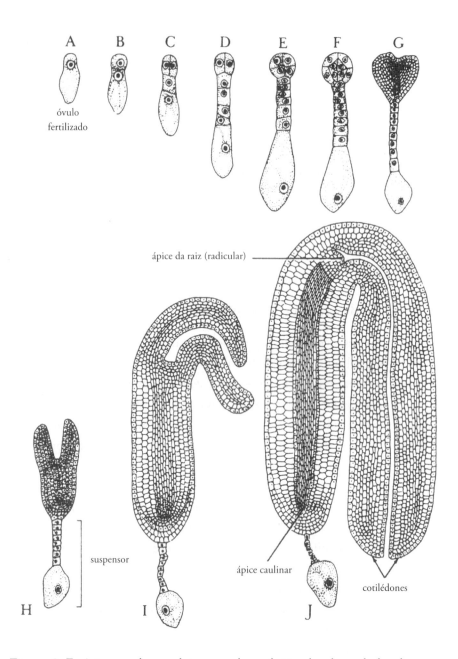

Figura 3 Estágios no desenvolvimento do embrião da planta bolsa-de-pastor, *Capsella bursa-pastoris*. (Segundo Maheshwari, 1950.)

A maioria das pesquisas de biologia celular e de desenvolvimento trata de oferecer descrições factuais por meio dessas técnicas; depois, essas descrições são classificadas e comparadas a fim de se determinar como os vários tipos de mudanças se correlacionam num dado sistema, e de que maneiras sistemas distintos se assemelham uns com os outros. Esses resultados puramente descritivos não podem, em si, levar à compreensão das causas do desenvolvimento, embora possam sugerir hipóteses.[1] Estas podem depois ser investigadas por meio de perturbações experimentais do desenvolvimento: por exemplo, o ambiente pode ser mudado; podem ser aplicados estímulos físicos ou químicos a locais específicos do sistema; partes do sistema podem ser removidas e seu desenvolvimento estudado isoladamente; a reação do sistema à remoção das partes pode ser observada; e os efeitos da combinação de partes distintas podem ser estudados por enxertos e transplantes.

Os principais problemas apresentados por esse tipo de pesquisa foram resumidos na Seção 1.2: o desenvolvimento biológico envolve um aumento na complexidade da forma e da organização que não pode ser explicado sob a ótica do surgimento de uma estrutura pré-formada mas invisível; muitos sistemas em desenvolvimento podem se regular, ou seja, produzir uma estrutura mais ou menos normal caso parte do sistema seja destruída ou removida num estágio suficientemente precoce; muitos sistemas podem regenerar ou substituir partes perdidas; e na reprodução vegetativa e sexual, novos organismos se formam a partir de partes destacadas dos organismos progenitores. Uma importante generalização adicional é que em sistemas em desenvolvimento, o destino das células e dos tecidos é determinado por sua posição dentro do sistema.

As teorias mecanicista, vitalista e organísmica partem desse corpo estabelecido de fatos, em torno dos quais há um consenso geral, mas elas diferem radicalmente em suas interpretações.

2.2 Mecanicismo

A moderna teoria mecanicista da morfogênese atribui um papel de importância primordial ao DNA, por quatro motivos principais. Primeiro, viu-se que muitos casos de diferenças hereditárias entre animais ou plantas de uma dada espécie dependem dos genes, que podem ser "mapeados" e localizados em certos locais de certos cromossomos. Segundo, sabe-se que a base química dos genes é o DNA e que sua especificidade depende da sequência das bases purina e pirimidina no DNA. Terceiro, sabe-se que o DNA consegue agir como a base química da hereditariedade: por um lado, serve de molde para sua própria replicação, devido à especificidade dos pares das bases em suas duas fitas complementares; por outro lado, serve de molde para a sequência dos aminoácidos nas proteínas. Este papel não é desempenhado diretamente; primeiro, uma de suas fitas é "transcrita" para produzir uma molécula de fita única, um RNA "mensageiro" na qual, no processo de síntese de proteínas, a sequência de bases é "lida", três de cada vez. Diferentes triplas de bases especificam diferentes aminoácidos, e assim o código genético é "traduzido" numa sequência de aminoácidos que são ligados para gerar cadeias características de polipeptídeos, que então se dobram para gerar proteínas. Finalmente, as características de uma célula dependem de suas proteínas: seu metabolismo e sua capacidade de síntese química sobre as enzimas, algumas de suas estruturas em proteínas estruturais e as propriedades superficiais que lhe permitem ser "reconhecida" por outras células em proteínas especiais em sua superfície.

Dentro da estrutura mecanicista de pensamento, o problema central do desenvolvimento e da morfogênese é visto como o controle da síntese de proteínas. Nas bactérias, substâncias químicas específicas chamadas indutores podem fazer com que regiões específicas do DNA sejam transcritas em RNA mensageiro, sobre o qual são feitas proteínas-molde específicas. O exemplo clássico é a indução da enzima b-galactosidase pela lactose na *Escherichia coli*. A "ativação" do gene ocorre por meio de um sistema complexo envolvendo uma proteína repressora que bloqueia a transcrição, combinando-se com uma região específica do DNA; sua tendência a fazê-lo é bastante reduzida na presença do indutor químico. Por meio de um processo comparável, repressores químicos específicos podem "desativar" genes.

Em animais e plantas, foi identificada uma série de genes do desenvolvimento que trata da regulação do plano geral do corpo e do número, identidade e padrão das partes do corpo. Geralmente, esses genes são chamados de "caixa de ferramentas genética". A mais surpreendente descoberta da biologia do desenvolvimento na década de 1990 foi que esses genes de caixa de ferramentas são notavelmente similares, ou quase idênticos, em organismos muito diferentes. Por exemplo, as famílias de genes *homeobox* que afetam o padrão do eixo do corpo nas moscas-das-frutas, em camundongos e humanos são muito similares, mas apesar disso as formas corpóreas desses organismos, obviamente, são muito distintas. "A conservação da caixa de ferramentas genética provoca muitas perguntas sobre desenvolvimento e evolução. Como se desenvolvem estruturas tão diferentes quanto o olho composto dos insetos e o olho dos vertebrados, lenticular, se sua formação é controlada por genes tão similares, a ponto de serem intercambiáveis funcionalmente?"[2]

Essa convergência entre a biologia do desenvolvimento e a evolutiva criou um novo campo chamado biologia evolutiva do desenvolvimento (abreviada como "evo-devo").

Muitos dos genes de caixa de ferramentas codificam proteínas que afetam a atividade de outros genes envolvidos no processo de desenvolvimento, e são parte de "caminhos de sinalização". Alguns deles codificam proteínas receptoras nas superfícies das células que se aderem a moléculas específicas que atuam como sinais.

Nos primeiros dias da biologia molecular, o quadro parecia simples e objetivo: um gene era transcrito numa molécula de RNA mensageiro, que codificava uma proteína. Mas o quadro ficou mais complicado. O RNA mensageiro pode ser formado por pedaços transcritos de diferentes regiões do DNA, e depois juntados de um modo específico. Além disso, a síntese das proteínas também é controlada no "nível de tradução"; a síntese de proteínas pode ser ativada e desativada por diversos fatores, mesmo na presença de um RNA mensageiro adequado.

As diferentes proteínas feitas por diferentes tipos de células, portanto, dependem do modo pelo qual a síntese das proteínas é controlado. O único meio mecanicista de compreender esse processo é em termos das influências físicas e químicas sobre as células; os padrões de diferenciação, portanto, devem depender de padrões físicos e químicos no interior do tecido. Estes são gradientes de concentração de substâncias específicas chamadas morfógenos; sistemas de "difusão-reação" com *feedback* químico; gradientes elétricos; oscilações elétricas ou químicas; contatos mecânicos entre células; ou diversos outros fatores ou combinações de fatores diferentes. As células devem, portanto, reagir a essas diferenças de maneiras características. Um modo de pensar nesse problema é considerar que esses fatores físicos ou químicos fornecem "informações posicionais" que as células então "interpretam" de acordo com seu programa genético, "ativando" a síntese de proteínas específicas.[3]

Esses diversos aspectos do problema central do controle da síntese de proteínas acham-se atualmente sob investigação ativa. A maioria dos biólogos espera que a solução deste problema ofereça uma explicação para a morfogênese em termos puramente mecanicistas, ou pelo menos conduza até ela.

Para analisar se tal explicação mecanicista é provável, ou mesmo possível, diversas dificuldades precisam ser levadas em conta, uma a uma:

(i) O papel explanatório do DNA e da síntese de proteínas específicas são seriamente limitados em seu escopo pelo fato de que tanto o DNA quanto as proteínas de espécies distintas podem ser bastante similares. Por exemplo, numa comparação detalhada entre as proteínas humanas e as do chimpanzé, muitas são idênticas, e outras são apenas levemente diferentes: "O sequenciamento de aminoácidos, os métodos imunológico e eletroforético, produzem estimativas concordantes de semelhança genética. Essas abordagens indicam que o polipeptídeo humano médio é mais de 99% idêntico à sua contrapartida no chimpanzé."[4] Comparações entre as sequências não repetidas de DNA (ou seja, as partes que se estima que tenham significância genética) mostram que a diferença global entre as sequências de DNA de humanos e de chimpanzés é de apenas 1,1%. Agora que ambos esses genomas já foram sequenciados, é possível a realização de comparações ainda mais detalhadas, mas, como disse Svante Paabo, diretor do projeto do genoma do chimpanzé, "Não podemos ver nisso o motivo para sermos tão diferentes dos chimpanzés".[5]

Comparações entre espécies relacionadas de perto umas com as outras no gênero *Drosophila* revelaram diferenças *maiores* entre essas espécies de mosca--das-frutas do que entre humanos e chimpanzés. Espécies diferentes de camundongos também são mais dissimilares do que humanos e chimpanzés, levando à conclusão de que "os contrastes entre evolução organísmica e molecular indicam que os dois processos são, em grande parte, independentes um do outro".[6] Se genes e proteínas não explicam as diferenças entre os chimpanzés e nós, o que explica?

Contudo, deixando de lado todos esses problemas, presuma, apenas a título de argumentação, que as diferenças hereditárias entre chimpanzés e humanos serão efetivamente explicadas em termos de pequenas mudanças na estrutura de proteínas, ou de pequenos números de proteínas distintas, ou de mudanças genéticas que afetam o controle da síntese de proteínas (talvez dependentes, até certo ponto, de diferenças de disposição do DNA nos cromossomos), ou combinações desses fatores.

(ii) Dentro do mesmo organismo, surgem padrões distintos de desenvolvimento embora o DNA permaneça o mesmo. Veja, por exemplo, seus braços e pernas: ambos contêm tipos idênticos de células (células musculares, células do tecido conjuntivo, etc.), com proteínas idênticas e DNA idêntico. Assim, as diferenças entre braços e pernas não podem ser atribuídas ao DNA em si; devem ser atribuídas a fatores determinadores de padrões que atuam de maneira diferente no desenvolvimento de braços e pernas. Elas também dão margem a padrões especulares nas pernas e braços esquerdos e direitos. A precisão da disposição dos tecidos – como, por exemplo, a junção dos tendões às partes direitas dos ossos – mostra que esses padrões são estabelecidos em detalhes e com precisão. A teoria mecanicista da vida quer que esses fatores devam ser considerados físicos ou químicos, mas sua natureza é desconhecida.

(iii) Mesmo que fatores físicos ou químicos afetando o crescimento de um braço, a formação de um olho ou o desenvolvimento de uma maçã forem identificados, isso suscita uma questão: como esses fatores foram padronizados? Este problema pode ser ilustrado analisando-se dois casos nos quais morfógenos químicos foram efetivamente isolados e identificados quimicamente.

Primeiro, nos fungos celulares do lodo, células ameboides de vida independente agregam-se sob certas condições para formar uma "lesma" que, após mover-se durante algum tempo, cresce no ar e diferencia-se, tornando-se um caule que sustenta uma massa esporoide (Fig. 4). A agregação dessas células depende de uma substância química relativamente simples, o AMP cíclico (3´,5´-monofosfato de adenosina). Mas no organismo composto, embora a distribuição de AMP cíclico relacione-se com o padrão de diferenciação, "não está claro se o padrão de AMP cíclico é causa ou consequência da diferenciação pré-caule-pré-esporo". Além disso, mesmo que tenha um papel causal na diferenciação, ele não pode, em si, justificar o padrão segundo o qual se distribui, nem o fato de que esse padrão varia de uma espécie para outra: deve haver outros fatores responsáveis por sua distribuição padronizada. Há opiniões bem variadas sobre a possível natureza desses fatores.[7]

Segundo, sabe-se que nas plantas superiores o hormônio auxina (indol-3-yl-ácido acético) tem um papel no controle da diferenciação vascular, como na formação das células da madeira (xilema). Mas então, o que controla a produção e a distribuição da auxina? A resposta parece ser: a própria diferenciação vascular. Provavelmente, a auxina é liberada diferenciando as células xilemas como subproduto da quebra das proteínas que ocorre quando as células cometem suicídio. Assim, o sistema é circular: a auxina ajuda a manter padrões de diferenciação, mas não explica como foram estabelecidos inicialmente.[8]

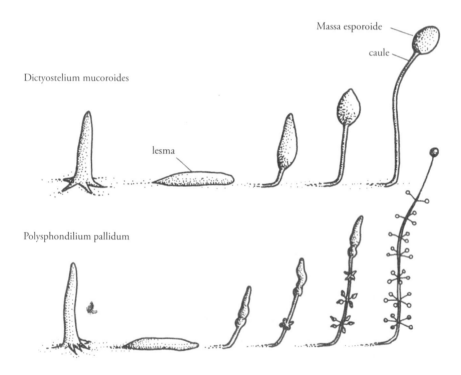

Figura 4 Os estágios de migração e de culminação de duas espécies de fungo do lodo. À esquerda, ficam os organismos compostos recém-desenvolvidos, formados pela agregação de numerosas células ameboides independentes. Estas migram como "lesmas", e depois crescem ascensionalmente, diferenciando-se em caules que têm corpos esporoides. (Segundo Bonner, 1958.)

Entretanto, presuma, apenas a título de argumentação, que seja possível identificar fatores físicos preexistentes que constituem o padrão de distribuição da auxina, ou AMP cíclico, ou de outros morfógenos químicos. Presuma também que as maneiras pelas quais esses fatores de controle são controlados podem ser identificadas, numa série que recua ao óvulo fertilizado ou ao esporo a partir do qual o organismo cresceu.

Agora, surge o problema da regulação: se parte do sistema for removida, essa complicada série de padrões físico-químicos pode ser interrompida. Mas de algum modo, as partes remanescentes do embrião conseguem mudar seu curso usual de desenvolvimento e produzem um adulto mais ou menos normal.

De modo geral, a grande maioria concorda que esse problema é extremamente difícil; está longe de ser entendido, mesmo num esboço. Os apoiadores da teoria mecanicista esperam que ele possa ser resolvido por meio de muito esforço e de modelagem matemática. Vamos presumir, mais uma vez, que seja possível obter-se uma solução mecanicista.

(iv) O problema seguinte é como essa "informação posicional" produz seus efeitos. A possibilidade mais simples é que a "informação posicional" é especificada por um gradiente de concentração de um morfógeno específico, e células expostas a mais do que certa concentração sintetizam um conjunto de proteínas, enquanto células expostas a concentrações abaixo desse limiar sintetizam outro conjunto de proteínas.

Novamente, vamos presumir que os mecanismos segundo os quais a "informação posicional" pode ser "interpretada" possam ser identificados e descritos com detalhes.[9] Agora, ao cabo de uma cadeia de suposições bastante otimistas, chegamos à situação na qual células distintas dispostas num padrão adequado formam proteínas distintas.

$$* \quad * \quad *$$

Até agora, temos visto um conjunto de relacionamentos do tipo um-para-um. um gene é "ativado" por um estímulo específico; o DNA é transcrito no RNA; e o RNA é traduzido por uma sequência de aminoácidos, uma cadeia de polipeptídeos. Mas agora essa simples sequência causal terminou. Como as cadeias de polipeptídeos se dobram nas estruturas tridimensionais características das proteínas? Como as proteínas dão às células suas estruturas características? Como as células se agregam para produzir tecidos com estruturas características? E assim por diante. Estes são os problemas da morfogênese propriamente dita: a síntese de cadeias de polipeptídeos específicos proporciona a base para o maquinário metabólico e os materiais estruturais dos quais depende a morfogênese. As cadeias de polipeptídeos e as proteínas nas quais elas se dobram são, sem dúvida, necessárias para a morfogênese; mas o que efetivamente determina os padrões e estruturas nas quais se combinam as proteínas, células e tecidos? Os mecanicistas presumem que tudo isso pode ser explicado em termos de automontagem. A morfogênese ocorre espontaneamente, desde que as proteínas certas estejam nos lugares certos nos momentos certos e na sequência certa. É como dizer que uma casa pode se construir espontaneamente desde que os materiais de construção certos sejam entregues no local da obra nos momentos certos. Neste estágio crucial, a biologia efetivamente abdica, e o problema da morfogênese é entregue a processos físicos e químicos espontâneos. Na analogia da construção, a atividade dos construtores e o projeto que estão seguindo são necessários, além dos materiais de construção iniciais. Em contraste, a morfogênese precisa depender de processos físicos espontâneos movidos por fluxos de energia espontâneos, e os sistemas precisam se auto-organizar. Mas, como?

A dobra de proteínas é um bom exemplo. As cadeias de polipeptídeos dobram-se espontaneamente, dentro das condições certas, em proteínas de estrutura tridimensional característica. Algumas proteínas podem ser levadas a desdobrar e depois, alterando-se as condições, a se dobrar novamente em tubos de ensaio. Logo, a dobra da proteína não depende de nenhuma propriedade misteriosa das células vivas.

As subunidades de proteínas podem se agregar em condições de tubo de ensaio para formar estruturas normalmente produzidas dentro de células vivas; por exemplo, subunidades da proteína tubulina juntam-se em longas estruturas semelhantes a varas, chamadas microtúbulos.[10] Estruturas ainda mais complexas, como os ribossomos, são formadas pela agregação espontânea de diversos componentes das proteínas e do RNA. Moléculas de lipídeos podem se reunir em tubos de ensaio para formar estruturas semelhantes a membranas.

Quando essas estruturas sofrem autoajustes espontâneos, assemelham-se a cristais; muitas delas podem, com efeito, ser consideradas cristalinas ou semicristalinas. Assim, em princípio, elas não representam um problema maior ou menor do que a cristalização normal; presume-se que está presente o mesmo tipo de processo físico.

Entretanto, de modo algum os processos morfogenéticos como um todo podem ser considerados tipos de cristalização. Eles precisam envolver uma série de outros fatores físicos; por exemplo, as forças de tensão superficial devem influenciar as formas assumidas pelas membranas. E depois, alguns dos padrões podem surgir de flutuações estatisticamente aleatórias; exemplos simples da aparência da "ordem pelas flutuações" foram estudados do ponto de vista da termodinâmica irreversível ou do não equilíbrio em sistemas inorgânicos.[11] Alguns processos de padronização podem ser modelados matematicamente pela teoria dos sistemas complexos.[12]

No entanto, a teoria mecanicista não sugere apenas que os processos físicos tenham um papel na morfogênese; ela assevera que a morfogênese é inteiramente explicável sob a ótica da física. O que significa isso? Se tudo que se pode observar é *definido* como sendo explicável fisicamente, em princípio, só porque ocorre, então deve sê-lo por definição. Mas isso não significa necessariamente que possa ser explicado do ponto de vista das leis *conhecidas* da física.

Em relação à morfogênese biológica, uma explicação completa seria obtida caso um biólogo, equipado com toda a sequência do genoma de um organismo, e uma descrição detalhada do estado físico e químico do óvulo fertilizado, e do ambiente no qual ele se desenvolveu, pudesse *prever* em termos das leis fundamentais da física (p. ex., a teoria do campo quântico, as equações do eletromagnetismo, a segunda lei da termodinâmica, etc.) primeiro, a estrutura tridimensional de todas as proteínas que o organismo iria produzir; segundo, as propriedades enzimáticas e as demais propriedades dessas proteínas; terceiro, todo o metabolismo do organismo; quarto, a natureza e as consequências de todos os tipos de informação posicional que surgiriam durante seu desenvolvimento, quinto, a estrutura de suas células, tecidos e órgãos e a forma do organismo como um todo; finalmente, no caso de um animal, seu comportamento instintivo.

Se todas essas predições pudessem ser feitas com sucesso, e se, além disso, o curso dos processos de regulação e de regeneração também pudesse ser previsto *a priori*, isso seria, com efeito, uma demonstração conclusiva de que organismos vivos são plenamente explicáveis levando-se em consideração as leis conhecidas da física. Como disse T. H. Huxley em 1867, "O objeto final da fisiologia é deduzir os fatos da morfologia, por um lado, e os da ecologia do outro, a partir das leis das forças moleculares da matéria"[13] (Seção 1.1).

Mas, naturalmente, isso não poderia ser feito no século XIX, nem pode ser feito hoje, apesar de todas as descobertas da biologia molecular e das centenas de bilhões de dólares gastos nelas. Portanto, não há maneira de demonstrar que tal explicação é possível. Pode não ser.

Logo, quando a teoria mecanicista afirma que todos os fenômenos da morfogênese são, em princípio, explicáveis do ponto de vista das leis conhecidas da física, ela pode muito bem estar errada: atualmente, tão pouco é conhecido que parece não haver base sólida para uma crença firme na adequação das leis conhecidas para explicar todos os fenômenos. Mas, de qualquer modo, essa é uma teoria testável; seria refutada pela descoberta de uma nova lei da física. Se, por outro lado, a teoria mecanicista afirma que organismos vivos obedecem tanto a leis conhecidas quanto desconhecidas da natureza, então ela seria irrefutável; seria simplesmente uma declaração geral de fé na possibilidade de uma explicação. Ela não seria oposta ao organicismo e ao vitalismo; ela incluiria ambos.

Na prática, a teoria mecanicista da vida não é tratada como uma teoria científica rigorosamente definida e refutável; com efeito, serve para proporcionar uma justificativa para o método conservador de trabalho dentro da estrutura estabelecida de pensamento oferecida pela física e pela química atualmente existentes. Embora costume se imaginar que ela postula que os organismos vivos são, em princípio, plenamente explicáveis em termos das leis conhecidas da física, se fosse descoberta uma nova lei da física a teoria mecanicista poderia facilmente ser modificada para incluí-la. Se esta teoria modificada da vida seria chamada mecanicista ou não, seria questão de definição.

Como tão pouco se sabe sobre os fenômenos da morfogênese e do comportamento, não pode ser descartada a possibilidade de que pelo menos alguns deles dependem de um fator ou fatores causais ainda não reconhecidos pela física. Na abordagem mecanicista, esta questão é simplesmente posta de lado. Mesmo assim, permanece inteiramente aberta.

2.3 Vitalismo

O vitalismo assevera que os fenômenos da vida não podem ser plenamente compreendidos sob a ótica de leis físicas derivadas apenas do estudo de sistemas inanimados, mas que há um fator causal adicional nos organismos vivos. Uma declaração típica de uma posição vitalista do século XIX foi feita pelo químico Liebig em 1844. Ele disse que embora os químicos já pudessem produzir todo tipo de substância orgânica, e que no futuro iriam produzir muitas mais, a química nunca estaria em posição de criar um olho ou uma folha. Além das causas já identificadas do calor, da afinidade química e da força formativa de coesão e de cristalização, "nos corpos vivos há ainda uma quarta causa que domina a força de coesão e combina os elementos de novas maneiras, para que ganhem novas qualidades – formas e qualidades que não aparecem, exceto no organismo".[14]

Ideias deste tipo, embora amplamente divulgadas, eram vagas demais para proporcionar uma alternativa efetiva à teoria mecanicista. Só no início do século XX é que as teorias neovitalistas foram apresentadas com mais detalhes. Em relação à morfogênese, o trabalho mais importante foi o do embriologista Hans Driesch.

Driesch não negou que muitas características dos organismos vivos poderiam ser entendidas em termos físico-químicos. Ele conhecia bem as descobertas da fisiologia e da bioquímica, e o potencial para futuras descobertas:

> Há muitos compostos químicos específicos no organismo, pertencentes a diferentes classes do sistema químico, e parcialmente conhecidos em sua constituição, parcialmente desconhecidos. Mas esses que ainda não são conhecidos provavelmente serão conhecidos um dia no futuro próximo, e certamente não há impossibilidade teórica quanto à descoberta da constituição da albumina [proteína] e de como "fabricá-la".[15]

Ele sabia que enzimas ("fermentos") catalisavam reações bioquímicas e que isso podia ser feito em tubos de ensaio: "Não há objeção a considerarmos quase todos os processos metabólicos no organismo como devidos à intervenção de fermentos ou de materiais catalíticos, e a única diferença entre fermentos orgânicos e inorgânicos é o caráter muito complexo destes e o grau bastante elevado de sua especificação."[16] Ele sabia que genes mendelianos eram entidades materiais localizadas nos cromossomos, e que provavelmente eram compostos químicos com estrutura específica.[17] Ele imaginava que muitos aspectos da regulação metabólica e da adaptação fisiológica poderiam ser compreendidos segundo parâmetros físico-químicos,[18] e que, em geral, havia "muitos processos no organismo... que seguem teleologicamente ou deliberadamente numa base fixa, como uma máquina".[19] Suas opiniões sobre esses assuntos foram confirmadas pelos progressos subsequentes da fisiologia, da bioquímica e da biologia molecular. Obviamente, Driesch não foi capaz de antever os detalhes dessas descobertas, mas as considerava possíveis e de modo algum incompatíveis com o vitalismo.

Em relação à morfogênese, ele considerava que "deve ser aceito que uma máquina, tal como entendemos a palavra, pode muito bem ser a força motora da organogênese em geral, se apenas existisse o desenvolvimento normal, ou seja, não perturbado, e se o ato de tirarmos partes do nosso sistema levasse a um desenvolvimento fragmentado".[20] Mas, na verdade, em muitos sistemas embriônicos a remoção de parte do embrião é seguida de um processo de regulação, no qual os tecidos remanescentes se reorganizam e passam a produzir um organismo adulto de forma mais ou menos normal.

A teoria mecanicista precisa tentar justificar o desenvolvimento em termos de complexas interações físicas ou químicas entre as partes do embrião. Driesch dizia que o fato de existir a regulação tornava inconcebível qualquer sistema semelhante a uma máquina, pois o sistema era capaz de se manter íntegro e produzir um resultado final típico, enquanto nenhum sistema complexo, tridimensional e semelhante a uma máquina poderia se manter íntegro após uma remoção arbitrária de partes.

Este argumento está aberto à objeção de que pode ser, ou será em algum momento futuro, invalidado pelos progressos da tecnologia. Pelo menos, porém, não parece ter sido refutado até o momento. Por exemplo, embora alguns sistemas computadorizados possam responder apropriadamente a certos tipos de distúrbio funcional, eles o fazem com base numa estrutura fixa. Eles não podem regenerar sua própria estrutura física; se, por exemplo, partes do computador forem destruídas aleatoriamente, elas não podem ser regeneradas pela própria máquina, e nem o sistema pode continuar a funcionar normalmente após a remoção arbitrária das partes. O outro item de tecnologia moderna que pode parecer relevante é o holograma, dos quais podem ser removidas peças mas que ainda podem dar origem a uma imagem tridimensional completa. Mas, significativamente, o holograma não é uma máquina: é um padrão de interferência num campo.

Driesch acreditava que fatos como a regulação, a regeneração e a reprodução mostravam que havia alguma coisa em organismos vivos que se mantinha íntegra, embora partes do organismo pudessem ser removidas; essa coisa atuaria no sistema físico, mas não seria parte dele. Ele chamou esse fator causal não físico de *enteléquia*. Ele afirmou que a enteléquia organizava e controlava processos físico-químicos durante a morfogênese. Os genes eram responsáveis por proporcionar os *meios* materiais da morfogênese – as substâncias químicas que seriam organizadas – mas a organização em si era devida à enteléquia. É claro que a morfogênese poderia ser *afetada* por mudanças genéticas que alterassem o meio da morfogênese, mas isso não provaria que ela poderia ser *explicada* simplesmente em termos de genes e das substâncias químicas a que deram origem.

Analogamente, o sistema nervoso proporcionaria o meio para as ações de um animal, mas a enteléquia organizaria a atividade do cérebro, usando-o como instrumento, tal como o pianista toca o piano. Mais uma vez, o comportamento pode ser afetado por danos ao cérebro, assim como a música tocada pelo pianista é afetada por um dano ao piano; mas isto prova apenas que o cérebro é um meio necessário para o comportamento, assim como o piano é um meio necessário para o pianista.

Enteléquia é uma palavra grega cuja raiz (*en-telos*) indica alguma coisa que leva sua finalidade ou meta em si mesma; ela "contém" a meta para a qual se dirige um sistema sob seu controle. Assim, se um caminho normal de desenvolvimento for perturbado, o sistema pode atingir a mesma meta de maneira diferente. Driesch considerou que o desenvolvimento e o comportamento estariam sob o controle de uma hierarquia de enteléquias, as quais, em última análise, derivariam de, e estariam subordinadas à enteléquia geral do organismo.[21] Tal como ocorre em qualquer sistema hierárquico, como um exército, é possível a ocorrência de erros e as enteléquias podem se comportar "estupidamente", como o fazem nos casos de super-regeneração, quando um órgão supérfluo é produzido.[22] Mas essas estupidezes não contestam a existência da enteléquia, assim como erros militares não contestam o fato de que soldados são seres inteligentes.

Driesch descreveu a enteléquia como uma "multiplicidade intensiva", um fator causal não espacial que, apesar disso, atuava no espaço. Ele enfatizou que era um fator natural (e não metafísico ou místico) que atuava sobre processos físico-químicos. Não era uma forma de energia, e sua ação não contradizia a segunda lei da termodinâmica ou a lei da conservação de energia. Então, como atuava?

Driesch escreveu na era da física clássica, quando costumava-se pensar que todos os processos físicos eram plenamente determinísticos, em princípio totalmente previsíveis em termos de energia, momento, etc. Mas ele considerou que os processos físicos não poderiam ser completamente determinados, pois do contrário a enteléquia não energética não poderia atuar sobre eles. Por isso, concluiu que, pelo menos em organismos vivos, os processos microfísicos não eram plenamente determinados pela causalidade física, embora, na média, mudanças físico-químicas obedecessem a leis estatísticas. Ele sugeriu que a enteléquia atuava afetando o *andamento* detalhado dos processos microfísicos, suspendendo-os e reativando-os sempre que necessário para seus propósitos:

> Essa faculdade de suspensão temporária de ação inorgânica deve ser considerada a mais essencial característica ontológica da enteléquia... A enteléquia, segundo nossa visão, é incapaz de remover qualquer tipo de "obstáculo" à ocorrência... pois tal remoção exigiria energia, e a enteléquia é não energética. Admitimos apenas que a enteléquia pode liberar a ocorrência daquilo que *ela própria* impediu que ocorresse, aquilo que ela suspendeu até aquele instante.[23]

Embora essa ousada proposição de um indeterminismo físico em organismos vivos fosse completamente inaceitável do ponto de vista da física determinista clássica, parece muito menos inconveniente à luz da teoria quântica. Uns vinte anos após as especulações de Driesch sobre o indeterminismo em organismos vivos, Heisenberg enunciou o princípio da incerteza, e em pouco tempo ficou claro que posições e momentos de eventos microfísicos só poderiam ser previstos em termos de probabilidades. Por volta de 1928, o físico *sir* Arthur Eddington foi capaz de especular que a mente influencia o corpo afetando a configuração de eventos quânticos no cérebro por meio de uma influência causal na probabilidade de sua ocorrência. "A menos que traia seu nome, a probabilidade pode ser modificada de formas que as entidades físicas ordinárias não admitiriam."[24] Ideias comparáveis foram propostas pelo neurofisiologista *sir* John Eccles, que resumiu sua sugestão nestes termos:

> A hipótese neurofisiológica é que a "vontade" modifica a atividade temporal da rede neuronal exercendo "campos de influência" espaço-temporais que se tornam efetivos por meio dessa singular função de detecção do córtex

cerebral ativo. Deve ser enfatizado que a "vontade" ou "influência da mente" tem, em si, certo caráter padronizado espaço-temporal para permitir essa eficácia operacional.[25]

Diversas propostas similares foram apresentadas por físicos e por parapsicólogos[26] (Seção 1.7).

Uma teoria vitalista da morfogênese pode ser resumida da seguinte maneira: o genoma especifica todas as proteínas que o organismo pode fazer. Mas a organização das células, tecidos e órgãos, e a coordenação do desenvolvimento do organismo como um todo, são determinadas pela enteléquia. Esta é herdada de forma não material de membros passados da mesma espécie; não é um tipo de matéria ou de energia, embora atue sobre os sistemas físico-químicos do organismo sob seu controle. Esta ação é possível pois a enteléquia atua influenciando processos probabilísticos.

Essa teoria não é vaga, e talvez possa ser testada experimentalmente; mas parece fundamentalmente insatisfatória simplesmente por ser vitalista. A enteléquia é essencialmente não física por definição; embora ela pudesse, *ex hypothesi*, atuar sobre sistemas materiais proporcionando um conjunto de variáveis que estão ocultos, do ponto de vista da teoria quântica, ainda assim seria uma ação de improvável sobre improvável. O mundo físico e a enteléquia não física nunca poderiam ser explicados ou compreendidos um em sua relação com o outro.

Esse dualismo, inerente a todas as teorias vitalistas, parece particularmente arbitrário à luz da descoberta da autoformação de estruturas tão complexas quanto ribossomos e vírus, indicando uma diferença de grau, e não de tipo, da cristalização. Embora a auto-organização de organismos vivos como um todo seja mais complexa que a de ribossomos e vírus, há similaridade suficiente para sugerir que, mais uma vez, há uma diferença de grau. Seja como for, isto é o que tanto os mecanicistas quanto os organicistas preferem pensar.

Possivelmente, teríamos de aceitar uma teoria vitalista se não fosse concebível nenhuma outra explicação satisfatória para os fenômenos da vida. No início do século XX, quando o vitalismo parecia ser a única alternativa à teoria mecanicista, ela ganhou considerável apoio apesar de ser essencialmente dualista. Mas a teoria organísmica incorpora muitos aspectos do vitalismo numa perspectiva mais ampla, e, com efeito, é superior.

2.4 Organicismo

As teorias organicistas da morfogênese desenvolveram-se sob diversas influências: algumas vieram de sistemas filosóficos, especialmente os de Alfred North Whitehead e Jan Christian Smuts; algumas da física moderna, especialmente do conceito de campo; outras da psicologia da Gestalt, ela própria muito influenciada pelo conceito de campos físicos; e algumas do vitalismo de Driesch.[27] Essas teorias tratam dos mesmos problemas que Driesch considerava insolúveis em termos mecanicistas – regulação, regeneração e reprodução – mas enquanto Driesch propunha a enteléquia não física para justificar as propriedades de integridade e de direcionamento exibidas pelos organismos em desenvolvimento, os organicistas propunham *campos* morfogenéticos (ou embriônicos, ou de desenvolvimento).

Essa ideia foi apresentada de forma independente por Alexander Gurwitsch na Rússia em 1922,[28] por Hans Spemann na Alemanha em 1924 e por Paul Weiss na Áustria em 1926.[29] Todos eram biólogos desenvolvimentistas de renome, e Spemann recebeu o Prêmio Nobel em 1935 por seu trabalho na embriologia. No entanto, além de declararem que os campos morfogenéticos tinham um papel importante no controle da morfogênese, nenhum deles especificou como esses campos funcionariam. A terminologia do campo foi adotada rapidamente por outros biólogos desenvolvimentistas, mas continuou pouco definida, embora tenha servido para sugerir analogias entre propriedades de organismos vivos e sistemas eletromagnéticos inorgânicos. Por exemplo, se um magneto de ferro for cortado em duas partes, produzem-se dois magnetos inteiros, cada um com seu próprio campo magnético. Se dois magnetos forem reunidos com a orientação certa, formam um único magneto com um campo magnético unificado. Analogamente, o campo morfogenético deveria justificar a "inteireza" de partes destacadas de organismos que eram capazes de formar novos organismos, e a capacidade de partes de organismos formarem um todo unificado quando unidos.

O biólogo britânico Conrad Hal Waddington sugeriu uma extensão da ideia do campo morfogenético para levar em consideração o aspecto temporal do desenvolvimento. Ele chamou esse novo conceito de *creodo* [*chreode*] (do grego *chre*, é necessário, e *hodos*, rota ou caminho) e ilustrou-o por meio de uma simples "paisagem epigenética" tridimensional (Fig. 5).[30]

Neste modelo, o caminho seguido pela bola ao rolar para baixo corresponde à história de desenvolvimento de uma parte específica de um óvulo. À medida que o embrião se forma, uma série ramificada de caminhos alternativos são representados pelos vales. Estes correspondem aos caminhos de desenvolvimento dos diversos tipos de órgãos, tecidos e células. No organismo, estes são bem distintos; por exemplo, o rim e o fígado têm estruturas definidas e não se transformam um no outro por meio de uma série de formas intermediárias. O desenvolvimento é *canalizado* rumo a pontos finais definidos. Mudanças genéticas ou perturbações ambientais podem afastar o curso do desenvolvimento (representado pelo caminho seguido pela bola) do vale e fazê-la subir pela colina próxima, mas, a menos que seja empurrado para cima do limiar e na direção de outro vale, o processo de desenvolvimento vai tornar a encontrar seu curso. Ele não vai retornar ao ponto do qual partiu, mas para uma posição posterior no caminho canalizado de mudança. Isto representa a regulação.

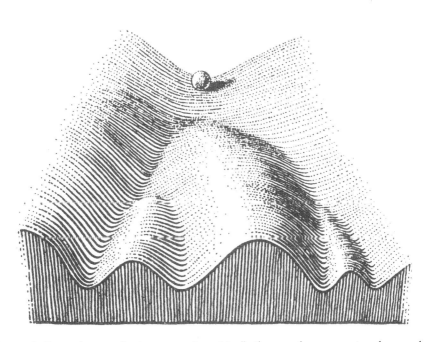

Figura 5 Parte de uma "paisagem epigenética", ilustrando o conceito do creodo como um caminho canalizado de mudança. (De Waddington, 1957. Reproduzido por cortesia de George Allen & Unwin, Ltd.)

O conceito de creodo é muito similar ao do campo morfogenético, mas torna explícita a dimensão do tempo que neste último é apenas implícita.

Esses dois conceitos foram levados mais adiante pelo matemático René Thom como parte de uma tentativa abrangente de criar uma teoria matemática que envolvesse morfogênese, comportamento e linguagem.[31] Sua principal preocupação foi encontrar um formalismo matemático apropriado para esses problemas, que até então haviam resistido a um tratamento matemático. O objetivo final era produzir modelos matemáticos que correspondessem o mais de perto possível aos processos de desenvolvimento. Esses modelos seriam topológicos, qualitativos e não quantitativos, e não dependeriam de nenhum esquema específico de explicação causal:

> Uma característica essencial de nosso uso de modelos locais é que eles nada implicam sobre a "natureza suprema da realidade"; mesmo que esta chegue a ser revelada por uma análise de indescritível complexidade, apenas uma parte de sua manifestação, dita "observável", é relevante para a descrição macroscópica do sistema. O espaço de fase de nosso modelo dinâmico é definido usando-se apenas esses observáveis e sem referência a estruturas subjacentes mais ou menos caóticas.[32]

Os modelos matemáticos de Thom eram dinâmicos no moderno sentido matemático da palavra.[33] Sistemas dinâmicos movem-se na direção de *atratores*, e Thom conectou explicitamente seus modelos à ideia dos creodos de Waddington, com finalidades ou metas em cuja direção os sistemas se desenvolvem.[34]

O problema dessa abordagem é que ela é essencialmente descritiva; pouco faz para *explicar* a morfogênese. É, com efeito, o caso de todas as teorias organísmicas da morfogênese. Compare, por exemplo, os atratores de Thom e os creodos de Waddington com a enteléquia de Driesch. Todos incluem a ideia de que o desenvolvimento é guiado ou canalizado no espaço e no tempo por alguma coisa que não pode ser tida como confinada a um lugar e momento específicos; todos entendem que isso inclui em si, de algum modo, a finalidade ou meta do processo de desenvolvimento, e portanto oferecem um modo de pensar sobre a regulação e a regeneração. A principal diferença é que Driesch tentou dizer como esse processo poderia funcionar na prática, enquanto Waddington e Thom não o fizeram. O conceito do creodo era, portanto, menos sujeito a ataques porque mantinha-se muito vago.[35] Na verdade, Waddington considerava os conceitos dos creodos e o dos campos morfogenéticos "essencialmente uma conveniência descritiva".[36] Como vários outros organicistas, ele negava que estivesse sugerindo a atuação de algo que não fossem causas físicas conhecidas.[37]

Contudo, nem todos os organicistas expressam essa negação; alguns deixam a questão em aberto. Essa atitude explicitamente descompromissada é ilustrada pela discussão do campo morfogenético apresentada pelo biólogo desenvolvimentista Brian Goodwin:

> Um aspecto do campo é que as forças elétricas podem afetá-lo. Foram encontrados organismos que se desenvolvem e se regeneram com interessantes e significativos padrões de campo elétrico, mas eu não desejaria sugerir que o campo morfogenético é essencialmente elétrico. Substâncias químicas também podem afetar a polaridade e outros aspectos espaciais de organismos que se desenvolvem; e, mais uma vez, não gostaria de chegar à conclusão de que o campo morfogenético tem natureza essencialmente química ou bioquímica. Minha posição é que sua investigação deve prosseguir sob a premissa de que pode ser qualquer uma, ou todas, ou nenhuma dessas coisas; mas que, malgrado o agnosticismo sobre sua natureza material, ele tem um papel primordial no processo de desenvolvimento.[38]

A amplitude desse conceito torna-o o mais promissor ponto de partida para uma detalhada teoria organísmica da morfogênese. Mas é claro que se os campos morfogenéticos forem considerados plenamente explicáveis levando-se em conta os princípios físicos conhecidos, nada representam exceto uma ambígua terminologia superposta a uma sofisticada versão da teoria mecanicista. Só se for presumido que eles têm um papel causal, atualmente não identificado pela física, é que será possível desenvolver uma teoria testável. Esta possibilidade é discutida nos capítulos seguintes.

Explorar a natureza dos campos morfogenéticos assume uma nova urgência diante da moderna biologia evolutiva desenvolvimentista. Com a ascensão da biologia molecular entre as décadas de 1960 e 1990, o conceito de campo morfogenético foi eclipsado pelos genes. Mas à medida que as limitações da abordagem molecular ficaram cada vez mais aparentes, os campos ressurgiram como conceito central para a compreensão do desenvolvimento. A formação de estruturas inteiras como asas ou antenas nas moscas-das-frutas pode ser "ativada" ou "desativada" por mutações nos genes "caixa de ferramentas". O campo morfogenético comporta-se como um todo, e as chaves genéticas agora são chamadas de "genes seletores de campos".[39] O desenvolvimento é "modular".[40]

Num contexto evolutivo, os campos morfogenéticos assumem um papel explanatório ainda mais importante. Como Scott Gilbert e seus colegas disseram:

> Caminhos homólogos de desenvolvimento... são vistos em numerosos processos embriônicos, e são encontrados em regiões discretas, os campos morfogenéticos. Esses campos (que exemplificam a natureza modular de embriões em desenvolvimento) são propostos para a mediação entre genótipo e fenótipo. Assim como a célula (e não seu genoma) funciona como a unidade de estrutura e de função orgânica, o campo morfogenético (e não os genes ou células) é visto como uma unidade importante de ontogenia [desenvolvimento] cujas mudanças causam mudanças na evolução.[41]

Então, o que são esses campos, e como funcionam? Estas perguntas não podem ser respondidas sem antes observarmos a questão maior da causação da forma.

Capítulo 3

AS CAUSAS DA FORMA

3.1 O problema da forma

Não é imediatamente óbvio que a forma representaria um problema. O mundo à nossa volta está repleto de formas; identificamo-las a cada ato de percepção. Mas nos esquecemos facilmente de que existe um vasto abismo entre esse aspecto da nossa experiência, que simplesmente tomamos por líquido e certo, e os fatores quantitativos com que a física se ocupa: massa, momento, energia, temperatura, pressão, carga elétrica, etc.[1]

As relações entre os fatores quantitativos da física podem ser expressas matematicamente, e mudanças físicas podem ser descritas por meio de equações. A construção dessas equações é possível porque as quantidades fundamentais da física são conservadas segundo os Princípios de Conservação de Massa e Energia, do Momento, da Carga Elétrica, etc.: a quantidade total de massa e energia, de momento, de carga elétrica, etc., antes de uma mudança física específica é igual à quantidade total posterior. Mas a forma não entra nessas equações: ela não é um vetor ou quantidade escalar, nem se conserva. Se um maço de flores for lançado numa fornalha e reduzir-se a cinzas, a quantidade total de matéria e de energia mantém-se a mesma, mas a forma das flores simplesmente desaparece.

Quantidades físicas podem ser medidas com instrumentos com elevado grau de precisão. Mas as formas não podem ser medidas numa escala quantitativa, nem precisam sê-lo, mesmo por cientistas. Nesse contexto, entende-se que a palavra "forma" inclui não apenas a aparência da superfície ou dos limites de um sistema, como também sua estrutura interna. Um botânico não mede a diferença entre duas espécies no mostrador de um instrumento; nem um entomologista identifica borboletas por meio de uma máquina, nem o anatomista o faz com os ossos ou o histologista com as células. Todas essas formas são identificadas diretamente. Depois, espécimes de plantas são preservados em herbários, borboletas e ossos em armários e células em lâminas de microscópio. Como formas, elas são simplesmente o que são; não podem ser reduzidas a qualquer outra coisa.

A descrição e a classificação das formas é o principal interesse de muitos ramos da ciência; mesmo numa ciência física como a química, um objetivo importante é a elucidação das formas de moléculas, representadas diagramaticamente em "fórmulas estruturais" bidimensionais ou modelos tridimensionais do tipo "palito e bolinha".

Exceto nos mais simples, as formas dos sistemas só podem ser representadas visualmente, seja por fotografias, desenhos, diagramas ou modelos. Não podem ser representadas matematicamente. Nem os métodos topológicos mais avançados são desenvolvidos o suficiente para proporcionarem fórmulas matemáticas de uma girafa ou de um carvalho, digamos.[2]

Se a mera descrição de qualquer forma estática, exceto a mais simples, representa um problema matemático de complexidade espantosa, a descrição da mudança de forma – ou morfogênese – é ainda mais difícil. Este é o tema da "teoria da catástrofe" de René Thom, que classifica e descreve em termos gerais os possíveis tipos de mudança de forma, ou "catástrofe". Ele aplica essa teoria aos problemas da morfogênese construindo modelos matemáticos nos quais a finalidade ou meta de um processo morfogenético, a forma final, é representada por um atrator dentro de um campo morfogenético. Ele postula que todo objeto, ou forma física, pode ser representado por tal atrator que toda morfogênese "pode ser descrita pelo desaparecimento dos atratores que representam as formas iniciais, e sua substituição por captura pelos atratores que representam as formas finais".[3]

Para desenvolver modelos topológicos que correspondem a determinados processos morfogenéticos, são encontradas fórmulas por uma combinação de tentativa e erro e suposições inspiradas. Se uma expressão matemática fornece soluções em demasia, devem ser introduzidas restrições; e se uma função for restrita demais, usa-se uma função mais generalizada. Com métodos como estes, Thom esperava ser possível, mais cedo ou mais tarde, desenvolver expressões topológicas, que correspondem em detalhes a processos morfogenéticos reais. Mesmo assim, provavelmente esses modelos não permitiriam a elaboração de predições quantitativas. Sua principal virtude talvez fosse chamar a atenção para analogias formais entre diversos tipos de morfogênese.[4]

À primeira vista, o formalismo matemático da Teoria da Informação pode parecer preferível a essa abordagem topológica. Mas, na verdade, a Teoria da Informação tem escopo severamente limitado. Originalmente, ela foi desenvolvida por engenheiros de telefonia em conexão com a transmissão de mensagens de uma fonte, por meio de um canal, até um receptor; tratava primariamente de entender como as características de um canal influenciam a quantidade de informação que pode ser transmitida num dado tempo. Um dos resultados básicos é que, num sistema fechado, não pode ser transmitida mais informação ao receptor do que havia na fonte, embora a forma da informação possa ser mudada: dos pontos e traços do código Morse para palavras, por exemplo. O conteúdo de informação de um evento não é definido por aquilo que aconteceu, mas apenas com relação ao que poderia ter acontecido. Para essa finalidade, geralmente são usados símbolos binários, e neste caso o conteúdo de informação de um padrão é determinado descobrindo-se quantas decisões sim ou não são necessárias para especificar qual classe específica de um padrão ocorreu, dentro de um número conhecido de classes.

Na biologia, essa teoria tem alguma relevância no estudo quantitativo da transmissão de impulsos por fibras nervosas; em escala menor, tem efeito sobre a transmissão de uma sequência de bases no DNA dos pais para o DNA da prole, embora mesmo um caso tao simples como este possa ser seriamente enganador, pois nos organismos vivos acontecem coisas que não acontecem em fios telefônicos: genes mutantes, partes de cromossomos que passam por inversões, translocações, etc. Mas a Teoria da Informação não é relevante para a morfogenética biológica: ela só se aplica à transmissão de informações em sistemas fechados, e não pode justificar um aumento no conteúdo de informação durante esse processo.[5] Organismos em desenvolvimento não são sistemas fechados, e à medida que se desenvolvem aumenta a complexidade da forma e da organização. Embora os biólogos costumem falar de "informação genética" e "informação posicional" como se esses termos tivessem um significado bem definido, isto é ilusório: eles só tomam emprestado o jargão da Teoria da Informação e deixam de lado seu rigor.

No entanto, mesmo que fosse possível fazer, por qualquer método, modelos matemáticos extraordinariamente detalhados de processos morfogenéticos, e mesmo que eles dessem margem a predições que estejam de acordo com evidências experimentais, restaria saber a que correspondem esses modelos. Na verdade, a mesma questão é suscitada na correspondência entre modelos matemáticos e observações empíricas em qualquer ramo da ciência.

Uma resposta é dada pelo misticismo matemático do tipo pitagórico: o universo depende de uma ordem matemática fundamental que, de algum modo, dá origem a todos os fenômenos empíricos; essa ordem transcendente só é revelada e se torna compreensível pelos métodos da matemática. Embora essa atitude raramente seja defendida abertamente, influencia fortemente a ciência moderna, e costuma ser encontrada de maneira mais ou menos disfarçada entre matemáticos e físicos.[6]

Alternativamente, a correspondência pode ser explicada pela tendência da mente em buscar e encontrar ordem na experiência: as estruturas organizadas da matemática, criações da mente humana, são superpostas à experiência, e aquelas que não se encaixam são descartadas; logo, por um processo semelhante à seleção natural, as fórmulas matemáticas que se encaixam melhor são mantidas. Sob esta ótica, a atividade científica só se preocupa com o desenvolvimento e teste empírico de modelos matemáticos de aspectos mais ou menos isolados e definíveis do mundo; ela não pode levar a nenhuma compreensão fundamental da realidade.

Contudo, em relação ao problema da forma, há uma abordagem diferente que não requer nem a aceitação do misticismo pitagórico, nem o abandono da possibilidade de explicação. Se devemos entender as formas das coisas, elas não precisam ser explicadas em termos de *números*, mas sim em termos de *formas* mais fundamentais. Platão considerava que as formas do mundo dos sentidos e da experiência eram como reflexos imperfeitos de Formas ou Ideias transcendentes, arquetípicas. Mas essa doutrina, fortemente influenciada pelo misticismo dos pitagóricos, não conseguiu explicar como as Formas eternas se relacionavam com o mundo mutável dos fenômenos. Aristóteles acreditava que esse problema poderia ser superado considerando imateriais as formas das coisas, e não transcendentes: formas específicas eram inerentes à alma dos seres vivos e, na verdade, eram a *causa* de assumirem suas formas características.

No sistema de Driesch, explicitamente baseado no de Aristóteles, as formas específicas dos organismos vivos eram causadas por um agente não energético, a enteléquia. Os campos morfogenéticos e os creodos dos biólogos organísmicos têm papel similar na orientação de processos morfogenéticos para que cheguem a formas finais específicas. Mas até agora sua natureza tem permanecido obscura.

Esta obscuridade pode ser devida, em parte, à tendência platônica de pensar demasiadamente em termos organísmicos,[7] o que fica bem claro no sistema filosófico de Whitehead. Este postulou que todos os eventos reais envolviam aquilo que ele chamava de Objetos Eternos; coletivamente, estes constituíam o mundo das possibilidades, que incluía todas as formas possíveis; de fato, lembram muito as Formas platônicas.[8] É claro, porém, que um conceito metafísico dos campos morfogenéticos como aspectos das Formas platônicas ou de Objetos Eternos teria pouco valor para a ciência experimental. Só se forem considerados como entidades físicas que têm efeitos físicos é que poderão ajudar a proporcionar uma compreensão científica da morfogênese.

A filosofia organísmica abrange tanto a biologia quanto a física; logo, se presumirmos que os campos morfogenéticos têm um papel causal na morfogênese biológica, eles deveriam ter também um papel causal na morfogênese de sistemas mais simples, como cristais e moléculas. Tais campos não são aceitos nas atuais teorias da física. Portanto, é importante considerar até que ponto essas teorias existentes são capazes de explicar a morfogênese de sistemas puramente químicos. Se forem capazes de oferecer uma explicação adequada, então a ideia de campos morfogenéticos é desnecessária; mas se não forem, o caminho continua aberto para uma nova hipótese da causação da forma através dos campos morfogenéticos, tanto nos sistemas biológicos quanto nos não biológicos.

3.2 Forma e energia

Na física newtoniana, toda causação era vista em termos de energia, o princípio do movimento e da mudança.

Todas as coisas móveis têm energia – a energia cinética de corpos em movimento, da vibração térmica e da radiação eletromagnética – e essa energia pode fazer com que outras coisas se movam. Coisas estáticas também têm energia – energia potencial – em função de sua tendência a se moverem; só são estáticas porque estão restritas por forças que se opõem a essa tendência.

Imaginava-se que a atração gravitacional dependesse de uma força que atuava a distância fazendo com que corpos se movessem, ou dando-lhes a tendência ao movimento, uma energia potencial. Contudo, não se apresentava nenhuma razão para a existência dessa força de atração em si.

Efeitos gravitacionais, bem como eletromagnéticos, são hoje explicados sob a ótica de *campos*. Embora fosse suposto que as forças newtonianas surgissem de algum modo inexplicável dos corpos materiais e deles se espalhassem pelo espaço, na física moderna os campos são primários; estão por trás dos corpos materiais e do espaço entre eles.

Este cenário fica complicado pelo fato de haver vários tipos de campos. Primeiro, o campo gravitacional, que na Teoria Geral da Relatividade de Einstein é equivalente ao espaço-tempo, e é curvo na presença de matéria. Segundo, o campo eletromagnético, no qual as cargas elétricas se localizam e pelo qual as radiações eletromagnéticas se propagam como perturbações vibratórias. Pela teoria quântica, essas perturbações são fótons semelhantes a partículas associadas a discretos quanta de energia. Terceiro, na teoria da matéria do campo quântico, as partículas subatômicas são quanta de excitação de campos materiais. Cada tipo de partícula tem seu próprio campo: um próton é um quantum do campo próton-antipróton, um elétron é um quantum do campo elétron-pósitron, e assim por diante.

Nessas teorias, os fenômenos físicos são explicados por uma combinação de campos e de energia, não exclusivamente em termos de energia. Assim, embora a energia possa ser considerada a causa da mudança, a *ordenação* da mudança depende da estrutura espacial dos campos. Essas estruturas têm efeitos físicos, mas não são, em si, um tipo de energia; atuam como causas "geométricas" ou espaciais. A diferença radical entre esta ideia e o conceito de causação exclusivamente energética é ilustrada pelo contraste entre as teorias da gravidade de Newton e de Einstein: segundo Newton, a Lua move-se ao redor da Terra porque é puxada para ela por uma força de atração; segundo Einstein, ela o faz porque o próprio espaço no qual ela se move é curvo.

O entendimento moderno da estrutura dos sistemas químicos depende dos conceitos da mecânica quântica e do eletromagnetismo; os efeitos gravitacionais são muito pequenos em comparação a eles e podem ser ignorados. As maneiras pelas quais os átomos podem se combinar são dadas pela equação de Schrödinger da mecânica quântica, que permite que as órbitas dos elétrons sejam calculadas em termos de probabilidades; na teoria da matéria segundo o campo quântico, essas órbitas podem ser consideradas estruturas do campo elétron-pósitron. Mas como elétrons e núcleos atômicos têm carga elétrica, também estão associados com padrões espaciais dentro do campo eletromagnético, e por isto dotados de energia potencial. Nem todos os possíveis arranjos espaciais de um dado número de átomos terão a mesma energia potencial, e apenas o arranjo com a menor energia potencial será estável, pelos motivos indicados na Fig. 6. Se um sistema está num estado que tem energia superior à dos possíveis estados alternativos, um deslocamento mínimo (digamos, devido à agitação térmica) fará com que ele passe para outro estado (A). Se está num estado com energia inferior à das alternativas possíveis, após pequenos deslocamentos ele vai regressar a esse estado, que por isso é estável (B). Um sistema também pode existir temporariamente num estado que não é o mais estável, desde que não se desloque acima do nível de uma "barreira" (C); quando isto acontece, ele vai passar para um estado mais estável, com menos energia.

Essas considerações energéticas determinam qual é o estado mais estável de uma estrutura química, mas não justificam suas características espaciais, que na Fig. 6 são representadas pelas encostas nas quais a esfera rola e que atuam como barreiras, confinando-a. Elas dependem de padrões espaciais dados pelos campos da matéria e do eletromagnetismo.

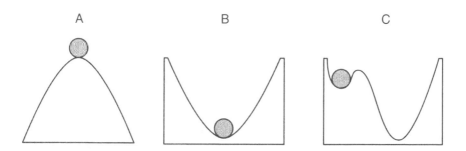

Figura 6 Representação diagramática de estados (A) instáveis, (B) estáveis e (C) parcialmente estáveis.

De acordo com a segunda lei da termodinâmica, processos espontâneos dentro de um sistema fechado tendem a um estado de equilíbrio; quando isso ocorre, diferenças iniciais de temperatura, pressão, etc., entre diferentes partes do sistema tendem a desaparecer. Em linguagem técnica, a entropia de um sistema macroscópico fechado mantém-se a mesma ou aumenta.

A importância dessa lei costuma ser exagerada em textos populares; o termo entropia, em particular, é tratado como se fosse sinônimo de "desordem". Com isso, a complexidade crescente de organização que ocorre na evolução e desenvolvimento de organismos vivos parece contradizer o princípio da entropia crescente. Essa confusão surge do entendimento errôneo das limitações da termodinâmica clássica. Primeiro, ela se aplica apenas a sistemas fechados, enquanto organismos vivos são sistemas abertos, trocando matéria e energia com seu ambiente. Segundo, ela lida apenas com as inter-relações entre o calor e outras formas de energia; ela é relevante para os fatores energéticos que afetam as estruturas químicas e biológicas, mas não explica a existência mesma dessas estruturas. E em terceiro, a definição técnica de entropia tem pouca relação com qualquer concepção não técnica de desordem; mais exatamente, não lida com o tipo de ordem inerente às estruturas específicas de sistemas químicos e biológicos. De acordo com a terceira lei da termodinâmica, na temperatura de zero absoluto as entropias de todos os sólidos cristalinos puros são iguais a zero. Do ponto de vista da termodinâmica, estão perfeitamente "organizados", pois não há desordem causada pela agitação térmica. Mas todos estão igualmente ordenados: não há diferença em entropia entre um simples cristal de sal e um cristal de uma macromolécula complexa como a hemoglobina. Decorre disto que a maior complexidade estrutural desta última não é mensurável sob a ótica da entropia.

O contraste entre "ordem" no sentido de estrutura química ou biológica e "ordem" termodinâmica devida a desigualdades de temperatura, etc., num sistema grande contendo inúmeros átomos e moléculas é ilustrado pelo processo da cristalização. Se uma solução de um sal for posta num prato dentro de um recipiente frio e fechado, o sal se cristaliza quando a solução esfria. Inicialmente, seus íons constituintes se redistribuem aleatoriamente na solução, mas, à medida que a cristalização acontece, eles se tornam organizados com grande regularidade dentro dos cristais, e os próprios cristais se desenvolvem, tornando-se estruturas macroscopicamente simétricas. Do ponto de vista morfológico, houve um considerável aumento da ordem; mas do ponto de vista termodinâmico, houve uma redução da "ordem", um aumento da entropia, devido à equalização da temperatura entre a solução e seu ambiente e à liberação de calor durante o processo de cristalização.

De modo similar, quando um embrião animal cresce e se desenvolve, há um aumento da entropia do sistema termodinâmico consistente do embrião e do ambiente do qual ele extrai seu alimento e para o qual ele libera calor e produtos excretórios. A segunda lei da termodinâmica serve para enfatizar essa dependência dos organismos vivos em fontes externas de energia, mas nada faz para explicar suas formas específicas.

Em termos muito gerais, forma e energia têm uma relação mutuamente inversa: a energia é o princípio da mudança, mas uma forma ou estrutura só pode existir enquanto tiver certa estabilidade e resistência à mudança. Esta oposição fica clara na relação entre os estados de matéria e temperatura. Sob condições suficientemente frias, as substâncias existem em formas cristalinas, nas quais os arranjos das moléculas mostram um elevado grau de regularidade e de ordem. Quando a temperatura aumenta, em certo ponto a energia térmica faz com que a forma cristalina se desintegre; o sólido derrete. No estado líquido, as moléculas se organizam em padrões transitórios, que se movem e se alteram continuamente. As forças entre as moléculas criam uma tensão superficial que confere formas simples ao líquido como um todo, como em gotas esféricas. Com um aumento ainda maior da temperatura, o líquido evapora; no estado gasoso, as moléculas são isoladas e se comportam de maneira mais ou menos independente entre si. Com temperaturas ainda mais elevadas, as próprias moléculas se desintegram em átomos, e se a temperatura for ainda maior, até os átomos se fragmentam para formar uma mistura gasosa de elétrons e núcleos atômicos – um plasma.

Quando essa sequência se inverte, surgem estruturas mais complexas e organizadas com a redução da temperatura, primeiro as mais estáveis e por último as menos estáveis. Com o resfriamento do plasma, os elétrons se congregam ao redor de núcleos atômicos em suas órbitas apropriadas. Com a temperatura abaixando mais, os átomos se reúnem em moléculas. Quando o gás se condensa em gotículas, entram em jogo forças supramoleculares. Finalmente, quando o líquido se cristaliza, estabelece-se um grau elevado de ordem supramolecular.

Essas formas aparecem espontaneamente. Elas não podem ser explicadas em termos de energia externa exceto negativamente, no sentido de que podem surgir e persistir apenas abaixo de certa temperatura. Elas só podem ser explicadas em termos de energia interna se entendermos que, dentre todos os arranjos estruturais possíveis, só aquele com a menor energia potencial será estável; portanto, esta será a estrutura que tenderá a ser assumida espontaneamente.

3.3 As estruturas dos cristais

A mecânica quântica pode descrever em detalhes as órbitas eletrônicas e os estados de energia do mais simples sistema químico, o átomo de hidrogênio. Com átomos mais complicados e moléculas simples, seus métodos não são mais tão precisos; a complexidade dos cálculos torna-se formidável. Com moléculas complexas e cristais, é impossível um cálculo detalhado. As estruturas das moléculas e os arranjos atômicos em cristais podem ser descobertos empiricamente por métodos químicos e cristalográficos; essas estruturas podem, na verdade, ser mais ou menos preditas pelos químicos e cristalografistas com base em leis empíricas. Mas isso é muito diferente de apresentar uma explicação fundamental das estruturas químicas por meio da equação de onda de Schrödinger.

É importante registrar esta séria limitação da mecânica quântica. É claro que ela ajuda a proporcionar uma compreensão qualitativa ou semiquantitativa das ligações químicas e de certos aspectos dos cristais, como a diferença entre isolantes e condutores elétricos. Mas ela não permite sequer que se predigam as formas e propriedades de moléculas simples e cristais a partir dos primeiros princípios. A situação fica ainda pior quando se chega ao estado líquido, do qual ainda não existe nenhum relato quantitativo satisfatório. E é ilusório imaginar que a mecânica quântica, de forma detalhada ou rigorosa, explica as formas e propriedades de moléculas mais complexas e de agregados macromoleculares estudados pelos bioquímicos e biólogos moleculares, para não falar da complexidade muito maior da forma e das propriedades até da mais simples célula viva.

Tão difundida é a suposição de que a química proporciona uma base firme para a compreensão mecanicista da vida, que talvez seja necessário enfatizar sobre quais bases muito frágeis da teoria física se apoia a química. Nas palavras de Linus Pauling:

Podemos acreditar no físico teórico que nos diz que todas as propriedades das substâncias devem ser calculáveis por métodos conhecidos – a solução da equação de Schrödinger. Na verdade, porém, vimos que durante os trinta anos desde que a equação de Schrödinger foi descoberta, foram feitos apenas alguns cálculos de mecânica quântica, não empíricos, das propriedades das substâncias nas quais o químico está interessado. O químico ainda precisa confiar no experimento para obter a maioria das informações sobre as propriedades das substâncias.[9]

Nos cinquenta anos desde que esse trecho foi publicado, houve importantes melhorias nos métodos aproximados de cálculo disponíveis para os químicos quânticos, bem como grandes progressos no poder da computação. Agora, é possível computar algumas das propriedades químicas de moléculas simples como o monóxido de carbono (CO) e, com métodos mais aproximados, diversas propriedades quantitativas de moléculas como o metano (CH_4) e a amônia (NH_3).[10] Mas ainda é certo que os químicos ainda dependem de observações empíricas, e não de cálculos, para obter a maioria das informações sobre as propriedades e estruturas das moléculas.

Mesmo assim, pode ser argumentado que os cálculos detalhados poderiam ser feitos em princípio. Mas até presumindo, a título de argumento, que esses cálculos pudessem de fato ser feitos, não se pode saber de antemão se eles estariam *corretos*, ou seja, que concordariam com as observações empíricas. Assim, atualmente, não existe evidência para a premissa convencional de que moléculas químicas complexas e estruturas biológicas possam ser plenamente explicadas em termos da teoria física existente.

As razões para a dificuldade, se não a impossibilidade, de se predizer a forma de uma estrutura química complexa com base nas propriedades de seus átomos constituintes podem ser melhor compreendidas com uma ilustração simples. Imagine tijolos elementares que podem ser juntados uns aos outros, um de cada vez, pela extremidade ou de lado (Fig. 7). Com dois tijolos, as combinações possíveis serão $2^2 = 4$ combinações possíveis; com três, $2^3 = 8$; com quatro, $2^4 = 16$; com cinco, $2^5 = 32$; com dez, $2^{10} = 1.024$; com vinte, $2^{20} = 1.048.576$; com 30, $2^{30} = 1.073.741.824$; e assim por diante. O número de possibilidades fica imenso.

Num sistema químico, os diversos arranjos de átomos possíveis têm energia potencial distinta em função das interações elétricas, além de outras interações, entre eles; o sistema tende espontaneamente a assumir a estrutura com a menor energia potencial. Num sistema simples com poucas estruturas possíveis, uma pode ter uma energia claramente menor do que as outras; na Fig. 8A isto é representado pelo mínimo no fundo do "poço potencial"; outras possibilidades, menos estáveis, são representadas por mínimos locais do lado do "poço". Em sistemas de maior complexidade, o número de estruturas possíveis aumenta (Figs. 8B, C, D); com isso, a chance de haver uma única estrutura de energia mínima diminui.

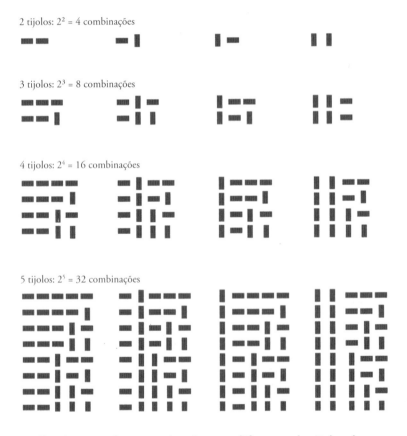

Figura 7 Possíveis combinações de números diferentes de tijolos de construção que podem ser unidos pelas extremidades ou pelas laterais.

Na situação representada pela Fig. 8D, várias estruturas diferentes são igualmente estáveis do ponto de vista energético. Se o sistema assumisse ao acaso qualquer uma dessas possíveis estruturas, ou se ele oscilasse entre elas, não haveria problema. Mas se ele invariavelmente assumisse apenas uma dessas estruturas, isso indicaria que algum fator que não a energia estaria, de algum modo, determinando que essa estrutura em particular foi a realizada, e não as outras possibilidades. Atualmente, a física não conhece um fator assim.

Embora os químicos, cristalografistas e biólogos moleculares não possam realizar os cálculos detalhados necessários para predizer a estrutura ou estruturas de energia mínima de um sistema *a priori*, eles podem usar diversos métodos aproximados em combinação com dados empíricos sobre as estruturas de substâncias similares. De modo geral, esses cálculos não permitem a predição de estruturas únicas (exceto nos sistemas mais simples), mas apenas uma gama

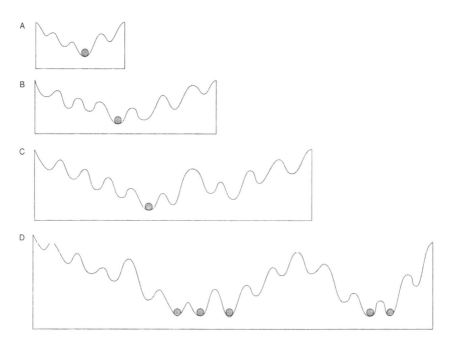

Figura 8 Representação diagramática das possíveis estruturas de sistemas de complexidade crescente. Em A existe uma estrutura única de energia mínima, mas em D várias estruturas possíveis e diferentes têm a mesma estabilidade.

de estruturas possíveis com energias mínimas mais ou menos iguais. Logo, esses resultados aproximados apoiam a ideia de que as considerações energéticas são insuficientes para explicar a estrutura singular de um sistema químico complexo. Mas esta conclusão sempre pode ser evitada reafirmando-se que a estrutura estável singular precisa ter energia inferior a de qualquer outra estrutura possível. Esta afirmação nunca poderia ser adulterada, pois na prática apenas se pode usar métodos de cálculo aproximados; a estrutura singular que efetivamente se tornou real poderia, portanto, ser sempre atribuída a efeitos energéticos sutis, refratários a cálculos.

A discussão de Pauling, apresentada a seguir, ilustra a situação com relação à estrutura de cristais inorgânicos:

> Substâncias iônicas simples como os halogênios alcalinos têm poucas escolhas para estruturas; e existem muito poucos arranjos iônicos relativamente estáveis correspondendo à fórmula $M^+ X^-$, e os diversos fatores que influenciam a estabilidade do cristal são lançados uns contra os outros, sem que um fator encontre necessariamente expressão clara na decisão entre os arranjos do cloreto de sódio e do cloreto de césio. Para uma substância complexa como a mica, $KAl_3Si_3O_{10}(OH)_2$, ou a zunita, $Al_{13}Si_5O_{20}(OH)_{18}Cl$, por outro lado, muitas estruturas concebíveis podem ser sugeridas, diferindo apenas levemente na natureza e na estabilidade, e pode-se esperar que a mais estável dessas estruturas possíveis, aquela efetivamente assumida pela substância, vá refletir em suas diversas características os fatores diferentes que são importantes para a determinação da estrutura de cristais iônicos. Descobriu-se que é possível formular um conjunto de regras sobre a estabilidade de cristais iônicos complexos... Essas regras foram obtidas em parte por indução a partir das estruturas conhecidas em 1928, e em parte por dedução das equações da energia cristalina. Sua derivação não é rigorosa e sua aplicação não é universal, mas têm sido úteis como critério para avaliar o provável acerto de estruturas reportadas para cristais complexos e como auxílio para uma investigação de cristais por raios X, permitindo a sugestão de estruturas razoáveis para testes experimentais.[11]

Como disse John Maddox, editor de *Nature*, em 1988: "Um dos escândalos permanentes das ciências físicas é que ainda é impossível predizer a estrutura até dos mais simples sólidos cristalinos a partir de sua composição química".[12]

Houve imensos progressos no poder da computação desde 1988, mas ainda é válido dizer que a maioria das predições de estruturas de cristais depende de se conhecer as estruturas de substâncias similares. Com o emprego de diversas aproximações, hoje é possível fazer melhores predições *a priori*, mas elas ainda enfrentam o inevitável problema de múltiplas estruturas de energia mínima. Uma análise publicada em 2004 resumiu a situação desta maneira: "O principal problema não parece ser tanto a geração de estruturas cristalinas estáveis, mas a seleção de uma ou mais estruturas possíveis a partir de muitos candidatos quase equienergéticos. Por exemplo, até para uma molécula simples como o benzeno, com apenas uma estrutura cristalina conhecida sob pressão normal, os cálculos produzem pelo menos 30 estruturas cristalinas possíveis".[13]

Uma série de seminários – os Crystal Structure Prediction Workshops – organizados pelo Cambridge Crystallographic Data Centre em 1999, 2001, 2004 e 2007, foram idealizados para avaliar os atuais métodos de cálculo. Equipes competidoras receberam as fórmulas moleculares de diversas substâncias químicas orgânicas simples, devendo predizer "às cegas" quais seriam suas estruturas cristalinas. Os organizadores conheciam as verdadeiras estruturas dos cristais, mas estas não tinham sido publicadas. Em 2004, os resultados "não foram marcados por sucessos espetaculares". Mas "muitos grupos encontraram a estrutura experimental em algum lugar de sua lista de possíveis estruturas de baixa energia. Logo, os métodos atuais são capazes, se não de predizer as estruturas experimentais *a priori*, de ao menos proporcionar um conjunto de estruturas como possíveis polimorfos".[14]

No concurso de 2007, houve um progresso importante: uma equipe predisse corretamente a estrutura de todas as quatro moléculas do teste. A equipe usou um processo de dois estágios para selecionar as três estruturas de energia mínima mais prováveis, uma das quais era a correta. Mas as moléculas envolvidas eram bem pequenas, contendo entre oito e 33 átomos.[15]

3.4 As estruturas das proteínas

A gama de estruturas possíveis torna-se imensa em moléculas grandes, especialmente proteínas. Até uma proteína pequena como a insulina contém quase 800 átomos, e as maiores têm centenas de milhares de átomos. As cadeias de polipeptídeos se retorcem, giram e se dobram em complicadas formas tridimensionais (Fig. 9). Em condições nas quais um dado tipo de proteína fica estável, ela se dobra numa estrutura única.

Em numerosos estudos experimentais, proteínas foram levadas a se desdobrar em diversos graus mudando seu ambiente químico; depois, elas se dobram e voltam à sua estrutura normal quando são postas novamente em condições

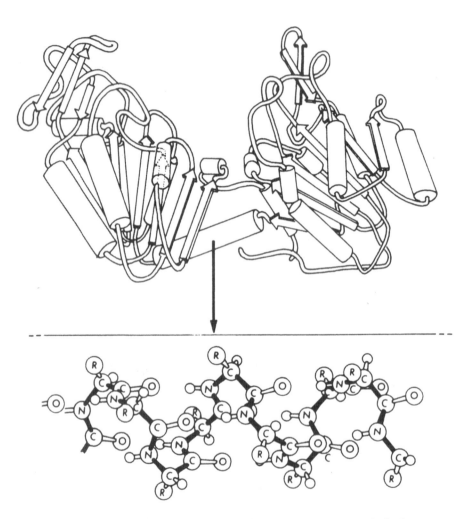

Figura 9 Acima: A estrutura da enzima fosfoglicerato quinase, isolada de músculos de cavalos; as hélices alfa são representadas por cilindros e as fitas beta por setas.
Abaixo: A estrutura detalhada de uma região de hélice alfa. (Segundo Banks *et al.*, 1979.)

apropriadas. Apesar de começar com estados iniciais diferentes e de seguir diferentes "caminhos" de dobra, elas atingem no final o mesmo ponto estrutural.[16]

Esse ponto final estável deve ser uma estrutura de energia mínima. Mas isso não prova que seja a única estrutura possível com energia mínima; pode haver muitas outras estruturas possíveis com a mesma energia mínima. Na verdade, cálculos para predizer a estrutura tridimensional de proteínas, partindo da sequência linear de aminoácidos codificados pelo DNA, produzem muitas soluções. Na literatura sobre dobra de proteínas, isso é conhecido como "o problema múltiplo-mínimo".[17]

Numa série contínua de seminários sobre predição de estruturas de proteínas, realizada sob a égide do Lawrence Livermore National Laboratory da Califórnia, equipes do mundo todo tentam predizer a estrutura tridimensional de proteínas trabalhando às cegas, como no Crystal Structure Workshops. Essas avaliações são chamadas de Critical Assessment of Techniques for Protein Structure Prediction (CASP) [Avaliação Crítica de Técnicas de Predição de Estruturas de Proteínas]. De longe, as predições mais precisas são baseadas num conhecimento detalhado de proteínas similares, um método chamado de modelagem comparativa. Os concursos CASP costumavam incluir uma categoria *ab initio*, implicando que as predições começavam dos primeiros princípios, mas no CASP6 em 2004, o nome da categoria foi mudado: "Esse nome implica que não há base em estruturas conhecidas para a construção de modelos. Na prática, a maioria dos métodos usados para esses alvos faz amplo uso de informações estruturais disponíveis, tanto na idealização de funções de pontuação para distinguir entre predições corretas e incorretas, e na escolha de fragmentos que são incorporados ao modelo. Por essa razão, a categoria foi renomeada como novas dobras".[18]

Mesmo assim, até com o uso do conhecimento de proteínas similares o problema múltiplo-mínimo não desaparece. Esta foi a situação em 2004: "Como na predição da estrutura de cristais... é sério o problema de se selecionar a mais estável estrutura terciária dentre muitas formas quase equienergéticas".[19]

Há motivos persuasivos para pensar que a proteína em si não "testa" todos esses mínimos até encontrar o certo:

Se a cadeia explorasse todas as configurações possíveis ao acaso, fazendo rotações nas diversas ligações simples da estrutura, levaria tempo demais para atingir a configuração nativa. Por exemplo, se os resíduos individuais de uma cadeia de polipeptídeos não dobrada só podem existir em dois estados, o que é uma subestimativa grosseira, então o número de possíveis conformações geradas aleatoriamente é de 10^{45} para uma cadeia de 150 resíduos de amino-ácidos (embora, naturalmente, a maioria delas deva ser impossível em termos estéricos). Se cada conformação pudesse ser explorada com a frequência de uma rotação molecular (10^{12} seg^{-1}), uma estimativa generosa, levaria aproxi-madamente 10^{26} anos para se examinar todas as conformações possíveis. Como a síntese e a dobra de uma cadeia de proteínas como a da ribonuclease ou do lisozima pode se dar em cerca de dois minutos, fica claro que todas as conformações não são realizadas no processo de dobra. Em vez disso, parece--nos que, em resposta a interações locais, a cadeia de peptídeos é direcionada ao longo de diversos caminhos de baixa energia possíveis (em número rela-tivamente pequeno), provavelmente passando por estados intermediários únicos, rumando para a conformação com a mais baixa energia livre. (C. B. Anfinsen e H. A. Scheraga)[20]

Mas o processo de dobra pode não apenas ser "direcionado" ao longo de certos caminhos, como também pode ser direcionado para uma conformação espe-cífica de energia mínima, em vez de quaisquer outras conformações possíveis com a mesma energia mínima.

Esta discussão leva à conclusão geral de que as teorias existentes da física podem ser incapazes de explicar as estruturas singulares de cristais e moléculas complexas; elas permitem sugerir diversas estruturas possíveis de energia mínima, mas não há evidências de que possam justificar o fato de que uma e não outra dessas estruturas possíveis será realizada. Portanto, é concebível que algum fator que não a energia "seleciona" uma possibilidade e com isso deter-mina a estrutura específica adotada pelo sistema.[21] A hipótese que será desen-volvida agora baseia-se na ideia de que essa "seleção" é produzida por um novo tipo de causação, ainda não identificada pelos físicos, através da ação de cam-pos morfogenéticos.

3.5 Causação formativa

A hipótese da causação formativa propõe que os campos morfogenéticos têm um papel causal no desenvolvimento e manutenção das formas dos sistemas em todos os níveis de complexidade. Esta causação sugerida da forma por campos morfogenéticos é chamada de causação formativa, a fim de distingui--la do tipo energético de causação com o qual a física já lida tão bem.[22] Embora os campos morfogenéticos só possam produzir seus efeitos em conjunto com processos energéticos, não são, em si, energéticos.

A ideia de causação formativa não energética fica mais fácil de se compreender com o auxílio de uma analogia arquitetônica. Para se construir uma casa, são necessários tijolos e outros materiais de construção, bem como os construtores que colocam no lugar os materiais e o projeto arquitetônico que determina a forma da casa. Os mesmos construtores, com a mesma quantidade de trabalho e usando a mesma quantidade de materiais de construção poderiam produzir uma casa de forma diferente com um projeto diferente. Assim, o projeto pode ser considerado uma causa da forma específica da casa, embora não seja, naturalmente, a única causa: ela nunca poderia ser construída sem os materiais de construção e a atividade dos construtores. De modo similar, um campo morfogenético específico é uma causa da forma específica assumida por um sistema, embora ele não possa atuar sem "tijolos" adequados e sem a energia necessária para colocá-los no lugar.

A intenção com esta analogia não é sugerir que o papel causativo dos campos morfogenéticos depende de um desígnio consciente, mas apenas enfatizar que nem toda causação precisa ser energética. O projeto de uma casa não é um tipo de energia. É, com efeito, um tipo de informação. Mesmo quando é desenhado sobre um papel, ou quando finalmente se realiza na forma de uma casa, não pesa nada e nem tem energia própria. Se o papel for queimado ou a casa demolida, não haverá mudança mensurável na quantidade total de massa e energia; o projeto simplesmente desaparece. Do mesmo modo, segundo a hipótese da causação formativa, os campos morfogenéticos não são energéticos em si; mesmo assim, têm um papel causal na determinação das formas dos sistemas aos quais estão associados. Se um sistema estivesse associado a um campo morfogenético diferente, ele iria se desenvolver de maneira diferente.[23] Esta hipótese é testável empiricamente em casos nos quais os campos morfogenéticos atuando em sistemas podem ser alterados (Seções 5.6, 7.4, 7.6, 7.9, 11.2 e 11.4).

Os campos morfogenéticos podem ser considerados análogos aos campos conhecidos da física no sentido de que são capazes de organizar mudanças físicas, embora não possam ser observados diretamente. O campo gravitacional e o eletromagnético são estruturas espaciais invisíveis, intangíveis, inaudíveis, insípidas e inodoras; só são detectáveis graças a seus respectivos efeitos, gravitacional e eletromagnético. Para justificar o fato de que os sistemas físicos influenciam-se mutuamente a distância e sem qualquer conexão material aparente entre eles, esses campos hipotéticos são dotados da propriedade de atravessar o espaço vazio, ou mesmo constituí-lo. Em certo sentido, são não materiais; mas em outro sentido, são aspectos da matéria, pois são conhecidos graças a seus efeitos sobre sistemas materiais. De fato, a definição científica de matéria foi simplesmente ampliada para levá-los em consideração. Do mesmo modo, os campos morfogenéticos são estruturas especiais detectáveis apenas por meio de seus efeitos morfogenéticos sobre sistemas materiais; eles também podem ser considerados aspectos da matéria se a definição de matéria for ampliada ainda mais para incluí-los.

Embora apenas a morfogênese de sistemas biológicos e de sistemas químicos complexos tenha sido discutida nas Seções anteriores, a hipótese da causação formativa aplica-se a sistemas biológicos e físicos em todos os níveis de complexidade. Como cada tipo de sistema tem sua própria forma característica, cada um deve ter um tipo específico de campo morfogenético; logo, deve haver um tipo de campo morfogenético para prótons; outro para átomos de nitrogênio; outro para moléculas de água; outro para cristais de cloreto de sódio; outro para as células musculares das minhocas; outro para os rins de carneiros; outro para elefantes; outro para faias; e assim por diante.

Segundo a teoria organísmica, sistemas ou "organismos" são organizados hierarquicamente em todos os níveis de complexidade.[24] Na discussão atual, esses sistemas serão referidos como unidades mórficas. O adjetivo mórfico (da raiz grega *morphe* = forma) enfatiza o aspecto de estrutura, e a palavra unidade, a inteireza do sistema. Neste sentido, sistemas químicos e biológicos são formados por hierarquias de unidades mórficas: um cristal, por exemplo, contém moléculas, que contêm átomos, que contêm partículas subatômicas. Cristais, moléculas, átomos e partículas subatômicas são unidades mórficas, assim como animais e plantas, órgãos, tecidos, células e organelas. Exemplos simples desse tipo hierárquico de organização podem ser visualizados diagramaticamente como uma "árvore" ou como uma série de "caixas chinesas" (Fig. 10).

Uma unidade mórfica de nível elevado deve, de algum modo, coordenar a disposição das partes, ou módulos, dos quais é composta. Ela o faz por

As causas da forma

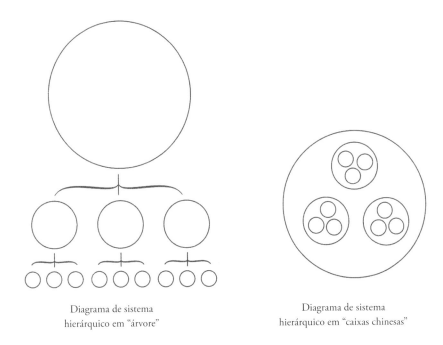

Diagrama de sistema
hierárquico em "árvore"

Diagrama de sistema
hierárquico em "caixas chinesas"

Figura 10 Formas alternativas de representar um sistema hierárquico simples.

meio da influência de seu campo morfogenético sobre os campos morfogenéticos de unidades mórficas de níveis inferiores. Logo, os campos morfogenéticos, como as próprias unidades mórficas, são essencialmente hierárquicos em sua organização.

O modo pelo qual os campos morfogenéticos podem atuar sobre os sistemas sob sua influência será discutido no capítulo seguinte; e a questão sobre sua origem e o que lhes dá sua estrutura específica é discutida no Capítulo 5.

Capítulo 4

CAMPOS MORFOGENÉTICOS

4.1 Germes morfogenéticos

A morfogênese não ocorre no vácuo. Ela só pode começar a partir de um sistema já organizado que serve de *germe morfogenético*. Durante a morfogênese, uma nova unidade mórfica de nível mais elevado passa a existir ao redor desse germe, sob a influência de um campo morfogenético específico. E como este campo se associa ao germe morfogenético no início?

A resposta pode ser que assim como a associação entre sistemas materiais e campos gravitacionais depende de sua massa, e com campos eletromagnéticos de sua carga elétrica, a associação entre sistemas e campos morfogenéticos depende de sua forma. Logo, um germe morfogenético fica cercado por um campo morfogenético específico por causa de sua forma característica.

O germe morfogenético é parte do sistema-que-existirá. Portanto, parte do campo morfogenético do sistema corresponde a ele. No entanto, o resto do campo ainda não está "ocupado" ou "preenchido"; ele contém a *forma virtual* do sistema final, que só se realiza quando todas as suas partes materiais assumiram seus lugares apropriados. Então, o campo morfogenético coincidirá com a forma real do sistema.

Esses processos estão representados no diagrama da Fig. 11A. As áreas pontilhadas indicam a forma virtual e as linhas sólidas a forma real do sistema. O campo morfogenético pode ser imaginado como uma estrutura que cerca ou na qual o germe morfogenético se incrusta, contendo a forma final virtual;

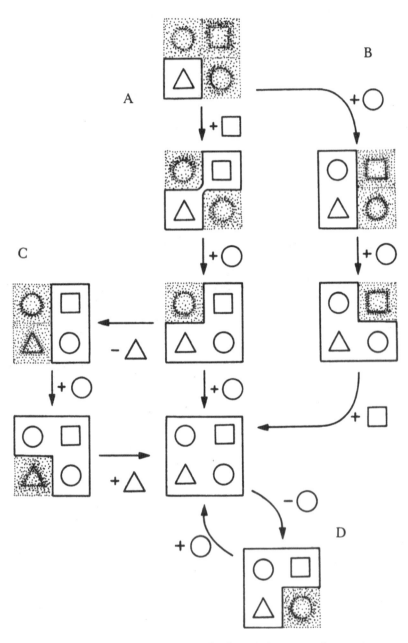

Figura 11 Representação diagramática do desenvolvimento de um sistema a partir de um germe morfogenético (triângulo) pelo creodo normal, A. Um caminho morfogenético alternativo é representado por B, regulação por C e regeneração por D. A forma virtual dentro do campo morfogenético é indicada pela área pontilhada.

então, este campo organiza eventos dentro de sua esfera de influência de maneira tal que a forma virtual torna-se real.

Na ausência das unidades mórficas que constituem as partes do sistema final, este campo é indetectável; ele só se revela por meio de seus efeitos organizadores sobre as partes quando elas ficam sob sua influência. Uma analogia aproximada é a das "linhas de força" no campo magnético em torno de um ímã; essas estruturas espaciais são reveladas quando partículas capazes de serem magnetizadas, como limalha de ferro, são introduzidas nas proximidades. Entretanto, o campo magnético existe mesmo na ausência das limalhas de ferro; de modo análogo, o campo morfogenético em torno de um germe morfogenético existe como estrutura espacial mesmo que ainda não tenha se concretizado na forma final do sistema. No entanto, campos morfogenéticos diferem radicalmente dos campos eletromagnéticos no sentido de que estes últimos dependem do estado *concreto* do sistema – da distribuição e movimento de partículas carregadas – enquanto os campos morfogenéticos correspondem ao estado *potencial* de um sistema em desenvolvimento e já estão presentes antes que ele assuma sua forma final.[1]

Na Fig. 11A, há vários estágios intermediários entre o germe morfogenético e a forma final. A forma final também poderia ser atingida por um caminho morfogenético diferente (Fig. 11B), mas se um caminho específico costuma ser seguido, este pode ser considerado um caminho de mudança canalizado, ou creodo (cf. Fig. 5).

Se o sistema em desenvolvimento for danificado pela remoção de uma de suas partes, ainda assim pode conseguir atingir a forma final (Fig. 11C). Isto representa a regulação.

Depois que a forma final for concretizada, a associação contínua entre o campo morfogenético e o sistema cuja forma corresponde a ele tenderá a estabilizar este último. Quaisquer desvios do sistema para longe dessa forma deverão ser corrigidos com sua atração de volta para o campo. E se parte do sistema for removida, a forma final tenderá a ser realizada novamente (Fig. 11D). Isso representa a regeneração.

O tipo de morfogênese mostrado na Fig. 11 é essencialmente *agregador*: unidades mórficas antes separadas reúnem-se numa unidade mórfica de nível mais elevado. Outro tipo de morfogênese é possível quando a unidade mórfica que serve de germe morfogenético já faz parte de uma outra unidade mórfica de nível mais elevado. A influência do novo campo morfogenético leva a uma *transformação* na qual a forma da unidade mórfica de nível mais elevado é substituída pela forma da nova unidade. Muitas das morfogêneses químicas são agregadoras, enquanto as morfogêneses biológicas costumam envolver uma combinação de processos transformadores e agregadores. Exemplos são analisados nas Seções seguintes.

4.2 Morfogênese química

As morfogêneses agregadoras ocorrem progressivamente em sistemas inorgânicos com a redução da temperatura: quando o plasma esfria, as partículas subatômicas agregam-se em átomos; sob temperaturas mais baixas, os átomos agregam-se em moléculas; depois, as moléculas se condensam em líquidos; finalmente, os líquidos se cristalizam.

No estado de plasma, os átomos de hidrogênio se dividem em elétrons e em núcleos atômicos puros. Os núcleos podem ser considerados os germes morfogenéticos dos átomos; estão associados com os campos morfogenéticos atômicos, que contêm as órbitas virtuais dos elétrons. Em certo sentido, essas órbitas não existem, mas em outro elas têm uma realidade que é revelada no plasma que se resfria, quando são concretizadas pela captura de elétrons.

Elétrons que foram capturados por órbitas atômicas podem ser novamente afastados delas pela influência de energia externa ou adentrando uma órbita virtual de menor energia potencial. Neste último caso, eles perdem um discreto *quantum* de energia que é irradiado como um fóton. Em átomos com muitos elétrons, cada órbita pode conter apenas dois elétrons (com *spins* opostos); logo, num plasma que se resfria, as órbitas virtuais com as menores energias potenciais preenchem-se primeiro com elétrons, depois as órbitas com energias um pouco maiores, e assim por diante, até a forma atômica completa ter se concretizado ao redor do germe morfogenético do núcleo.

Os átomos são, por sua vez, os germes morfogenéticos das moléculas, e as moléculas menores, os germes de moléculas maiores. Reações químicas envolvem a agregação de átomos e moléculas em moléculas maiores – como, por exemplo, na formação de polímeros – ou a fragmentação de moléculas em outras menores, ou em átomos e íons, que podem então se agregar a outros, como na combustão, por exemplo: sob a influência da energia externa, as moléculas fragmentam-se em átomos e íons que então se combinam com os do oxigênio para formar moléculas pequenas e simples como H_2O e CO_2. Essas mudanças químicas envolvem a concretização de formas virtuais associadas aos átomos e moléculas que atuam como germes morfogenéticos.

A ideia de que moléculas têm formas virtuais antes de se tornarem concretas é ilustrada por um fato familiar: compostos totalmente novos podem antes ser "desenhados" com base em princípios de combinação química determinados empiricamente e depois sintetizados efetivamente por químicos orgânicos. Essas sínteses de laboratório são feitas passo a passo; em cada etapa, uma forma molecular específica serve de germe morfogenético para a síntese da próxima forma virtual, terminando com a forma da molécula totalmente nova.

Se parece artificial pensar em reações químicas como processos morfogenéticos, é preciso lembrar que boa parte do efeito de catalisadores, tanto inorgânicos como orgânicos, depende de sua morfologia. As enzimas, por exemplo, os catalisadores específicos das diversas reações da bioquímica, proporcionam superfícies, ranhuras, fendas ou bacias nas quais as moléculas reagentes se encaixam com uma especificidade que costuma ser comparada à de um par fechadura-chave. O efeito catalítico das enzimas depende, em grande parte, do modo como elas acolhem as moléculas reagentes nas posições relativas apropriadas para que ocorra a reação. Em soluções livres, as colisões fortuitas das moléculas ocorrem em todas as orientações possíveis, muitas das quais impróprias.

Os detalhes das morfogêneses químicas são vagos, em parte por conta de sua rapidez, em parte porque as formas intermediárias podem ser muito instáveis, e também porque as mudanças finais consistem em saltos quânticos probabilísticos de elétrons entre as órbitas que constituem as ligações químicas. A forma virtual da futura molécula é delineada no campo morfogenético associado ao germe morfogenético atômico ou molecular; quando o outro átomo ou molécula se aproxima com a orientação apropriada, a forma da molécula produzida é concretizada por meio de saltos quânticos de elétrons para órbitas que existiam antes apenas como formas virtuais; ao mesmo tempo, libera-se energia, geralmente como movimento térmico. Nesse processo, o papel do campo morfogenético é energeticamente passivo mas morfologicamente ativo, por assim dizer; ele cria estruturas virtuais que depois são concretizadas quando unidades mórficas de nível inferior "se encaixam" ou "se ajustam" a elas, liberando energia nesse processo.

Qualquer tipo de átomo ou molécula pode participar de muitos tipos diferentes de reação química, e portanto servem de germe potencial para muitos campos morfogenéticos diferentes. Podem ser imaginados como possibilidades "flutuando" à sua volta. Contudo, o átomo ou molécula não assumirá seu papel como germe de um campo morfogenético específico enquanto um átomo ou molécula reagente apropriado não se aproximar dele, talvez em função de um efeito eletromagnético ou de outro efeito exercido sobre ele.

A morfogênese de cristais é diferente da morfogênese de átomos e moléculas porque um padrão específico de arranjos atômicos ou moleculares é repetido indefinidamente. O germe morfogenético é proporcionado pelo próprio padrão. Sabe-se muito bem que a adição de "sementes" ou "núcleos" do tipo apropriado de cristal acelera muito a cristalização de líquidos super-resfriados ou soluções supersaturadas. Na ausência dessas sementes ou núcleos, os germes morfogenéticos do cristal só surgem quando os átomos ou moléculas assumem por acaso suas posições relativas apropriadas, em função da agitação térmica. Quando o germe está presente, as formas virtuais de repetições da estrutura de grade dada pelo campo morfogenético estendem-se para além da superfície do cristal em formação. Átomos ou moléculas livres e apropriadas que se aproximam dessas superfícies são capturados e "encaixados" na posição; novamente, há a liberação de energia térmica nesse ato.

A semeadura ou nucleação de líquidos super-resfriados ou de soluções supersaturadas também pode ser realizada, embora de forma menos efetiva, com pequenos fragmentos de substâncias não relacionadas; por exemplo, os químicos costumam raspar as paredes de tubos de ensaio para semear soluções com fragmentos de vidro. Esses fragmentos oferecem superfícies que facilitam o posicionamento relativo apropriado dos átomos e moléculas que formam o verdadeiro germe morfogenético do cristal. Em seu efeito morfogenético, tais sementes assemelham-se aos catalisadores de reações químicas.

Todos os tipos de morfogênese química considerados até agora são essencialmente agregadores. As transformações são menos comuns em sistemas não vivos. Mas os cristais, por exemplo, às vezes se transformam em outras formas cristalinas, como no caso de cristais de carbono, na forma de grafite, que se transformam em diamantes sob elevada temperatura e pressão. As moléculas também sofrem transformações, como no caso da dobra das proteínas e das mudanças reversíveis de forma que ocorrem quando certas enzimas se ligam às moléculas cuja reação elas catalisam.[2]

O fato de as proteínas dobrarem bem mais depressa do que seria de se esperar caso encontrem sua forma final por meio de uma busca aleatória indica que sua dobra segue caminhos específicos, ou um número limitado de caminhos (Seção 3.4). Esses "caminhos canalizados de mudança" podem ser considerados creodos. Para que o processo de dobra tenha início, segundo as ideias desenvolvidas na Seção 4.1 acima, é preciso haver a presença de um germe morfogenético, e este germe já deve ter a estrutura tridimensional característica que terá na forma final da proteína. Na verdade, a existência de tais pontos de partida morfogenéticos já foi sugerida na literatura sobre dobra de proteínas:

> A extrema rapidez da redobra torna essencial que o processo ocorra ao longo de um número limitado de caminhos... Torna-se necessário postular a existência de um número limitado de eventos iniciadores permitidos no processo de dobra. Tais eventos, geralmente chamados de nucleações, ocorrem com maior probabilidade em partes da cadeia de polipeptídeo que pode participar em equilíbrio conformativo entre arranjos aleatórios e estabilizados cooperativamente... Além disso, é importante enfatizar que as sequências de aminoácidos das cadeias de polipeptídeos destinadas a serem o tecido das moléculas de proteínas só fazem sentido funcional quando estão no arranjo tridimensional que as caracteriza na molécula de proteína nativa. Parece razoável sugerir que porções de uma cadeia de proteínas que possa servir de local de nucleação para dobra sejam aquelas que podem "lampejar" para dentro e para fora da conformação que ocupam na proteína final, e que formarão uma estrutura relativamente rígida, estabilizada por um conjunto de interações cooperativas. (C. B. Anfinsen)[3]

Esses "locais de nucleação" agiriam como germes morfogenéticos através de sua associação com o campo morfogenético da proteína, que então canalizaria o caminho da dobra para a forma final característica.

4.3 Campos morfogenéticos como "estruturas de probabilidades"

As órbitas de elétrons ao redor de um núcleo atômico podem ser consideradas estruturas do campo morfogenético do átomo. Essas órbitas podem ser descritas por soluções da equação de Schrödinger. Entretanto, de acordo com a mecânica quântica, as órbitas precisas dos elétrons não podem ser especificadas, mas apenas as probabilidades de se encontrar elétrons em certos pontos; as órbitas são consideradas como distribuições de probabilidades no espaço. No contexto da hipótese da causação formativa, este resultado sugere que, assim como essas estruturas nos campos morfogenéticos dos átomos devem ser vistas como distribuições espaciais de probabilidades, de modo geral os campos morfogenéticos não são definidos precisamente, mas dados por distribuições de probabilidades.[4] Será presumido que este é, de fato, o caso, e as estruturas de campos morfogenéticos serão doravante referidas como *estruturas de probabilidades*.[5] Uma explicação para a natureza probabilística desses campos será sugerida na Seção 5.4.

A ação do campo morfogenético de uma unidade mórfica sobre os campos morfogenéticos de suas partes, que são unidades mórficas de níveis inferiores (Seção 3.5), pode ser imaginada sob a ótica da influência dessa estrutura de probabilidades de nível superior sobre estruturas de probabilidades de nível inferior; o campo de nível superior modifica as estruturas de probabilidades dos campos de nível inferior. Consequentemente, durante a morfogênese, o campo de nível superior modifica a probabilidade de eventos probabilísticos nas unidades mórficas de nível inferior sob sua influência.[6]

No caso de átomos livres, eventos eletrônicos ocorrem com as probabilidades dadas pelas estruturas de probabilidade não modificadas dos campos morfogenéticos atômicos. Mas quando os átomos ficam sob influência do campo morfogenético de nível superior de uma molécula, essas probabilidades são modificadas de modo a enfatizar a probabilidade de eventos que conduzem à concretização da forma final, enquanto a probabilidade de outros eventos é diminuída. Logo, os campos morfogenéticos das moléculas restringem o número possível de configurações atômicas que seriam esperadas com base em cálculos feitos a partir das estruturas de probabilidades dos átomos livres. E eis o que se encontra: no caso de dobra de proteínas, por exemplo, a rapidez do processo indica que o sistema não explora as incontáveis configurações concebíveis nas quais os átomos poderiam ter se arranjado (Seção 3.4).

De modo análogo, os campos morfogenéticos de cristais restringem o grande número de arranjos possíveis que seriam permitidos pelas estruturas de probabilidades de suas moléculas constitutivas; assim, um padrão específico de arranjo molecular é adotado quando a substância se cristaliza, e não qualquer outra estrutura concebível.

Portanto, os campos morfogenéticos de cristais e moléculas são estruturas de probabilidades, no mesmo sentido que as órbitas eletrônicas dos campos morfogenéticos dos átomos são estruturas de probabilidades. Esta conclusão está de acordo com a suposição convencional de que não há diferença em espécie entre a descrição de sistemas atômicos simples pela mecânica quântica e uma descrição potencial pela mecânica quântica de formas mais complexas. Mas, diferentemente da hipótese da causação formativa, a teoria convencional procura explicar sistemas complexos de baixo para cima, por assim dizer, sob a ótica das propriedades mecânicas quânticas dos átomos.

A diferença entre essas duas abordagens pode ser vista com mais clareza num contexto histórico. A própria teoria quântica foi elaborada primariamente em conexão com as propriedades de sistemas simples como os átomos de hidrogênio. Com o tempo, foram introduzidos novos princípios fundamentais a fim de explicar observações empíricas como aquelas da estrutura fina do espectro de luz emitido por átomos. Os números quânticos originais caracterizando as órbitas eletrônicas discretas foram suplementados por outro conjunto referente ao momento angular, e depois outro referente ao *spin*. Esta é considerada uma propriedade irredutível das partículas, assim como a carga elétrica, e tem sua própria lei de conservação. Na física das partículas nucleares, fatores ainda mais irredutíveis, como "estranheza" e "charme", além de outras leis de conservação, foram introduzidos de forma mais ou menos *ad hoc* para justificar observações que não podiam ser explicadas sob o ponto de vista dos fatores quânticos já aceitos. Ademais, a descoberta de grande número de novas partículas subatômicas levou à postulação de um número ainda maior de novos tipos de campo material.

Se tantos princípios físicos e campos físicos novos foram introduzidos para justificar as propriedades de átomos e de partículas subatômicas, a suposição convencional de que nenhum dos novos princípios ou campos físicos novos entram em jogo em níveis de organização acima do nível atômico parece claramente arbitrária. Ela é, na verdade, pouco mais do que uma relíquia do atomismo do século XIX; agora que os átomos não são mais considerados indivisíveis e finais, sua justificativa teórica original desapareceu. Do ponto de vista da hipótese da causação formativa, embora o conjunto atual da teoria quântica, desenvolvido em conexão com as propriedades de átomos e de partículas subatômicas, lance muita luz sobre a natureza dos campos morfogenéticos, ele não pode ser extrapolado para descrever os campos morfogenéticos de sistemas mais complexos. Não há motivo para que consideremos que os campos morfogenéticos de átomos devam ter uma posição privilegiada na ordem da natureza; são simplesmente os campos de unidades mórficas num nível específico de complexidade.

4.4 Processos probabilísticos na morfogênese biológica

Existem muitos exemplos de processos físicos cujos resultados espaciais são probabilísticos. De modo geral, mudanças envolvendo a ruptura de uma simetria ou homogeneidade são indeterminadas; exemplos ocorrem nas fases de transição entre os estados gasoso e líquido, e entre os estados líquido e sólido. Se, por exemplo, um balão esférico cheio de vapor for resfriado abaixo do ponto de saturação na ausência de gradientes externos de temperatura e gravidade, o líquido vai condensar-se primeiro nas paredes, mas a distribuição final do líquido será imprevisível, e quase nunca simétrica esfericamente.[7] Do ponto de vista termodinâmico, as quantidades relativas de líquido e vapor podem ser previstas, mas não a sua distribuição espacial. Na cristalização de uma substância sob condições uniformes, a distribuição espacial e o número e tamanho dos cristais não podem ser preditos; em outras palavras, se o mesmo processo for repetido sob condições idênticas, a cada vez o resultado espacial terá detalhes diferentes.

As formas dos próprios cristais, embora tenham simetria definida, podem ser indeterminadas; flocos de neve, que têm milhares de formas diferentes, são um exemplo familiar.[8]

Nas "estruturas dissipativas" de sistemas físicos e químicos macroscópicos que estão longe do equilíbrio termodinâmico, flutuações aleatórias podem dar margem a padrões espaciais, como por exemplo células de convecção num líquido aquecido ou faixas coloridas em soluções nas quais está ocorrendo uma reação de Zhabotinski. As descrições matemáticas de casos como "ordem pelas flutuações", pelos métodos do desequilíbrio termodinâmico, mostram analogias notáveis com as transições de fase.[9]

Esses exemplos de indeterminismo espacial são extraídos de processos físicos e químicos bem simples. Nas células vivas, os sistemas físico-químicos são bem mais complexos do que quaisquer outros encontrados no campo inorgânico, e incluem muitas transições de fase potencialmente indeterminadas e processos termodinâmicos em desequilíbrio. No protoplasma, há fases cristalinas, líquidas e lipídicas em inter-relação dinâmica; depois, há vários tipos de macromolécula que se reúnem em agregados cristalinos ou semicristalinos; membranas lipídicas, que como "cristais líquidos" flutuam no limite entre os estados líquido e sólido, como os sóis e géis coloidais; potenciais elétricos entre membranas que flutuam de forma imprevisível; e "compartimentos", contendo diferentes concentrações de íons inorgânicos e de outras substâncias, separados por membranas entre as quais essas substâncias se movem probabilistica-mente.[10] Com tal complexidade, o número de padrões de mudança energeti-camente possíveis deve ser enorme, e portanto há um vasto escopo para a operação de campos morfogenéticos através da imposição de padrões sobre esses processos probabilísticos.

Isso não significa que *todas* as formas de organismos vivos são determina-das pela causação formativa. Alguns padrões podem surgir por processos alea-tórios.[11] Outros podem ser plenamente explicados sob a ótica das configurações de energia mínima: por exemplo, a forma esférica de células de óvulos que flutuam livremente (como, p. ex., os do ouriço-do-mar) pode ser plenamente explicada levando-se em consideração a tensão superficial da membrana da célula. *sir* D'Arcy Thompson, em seu clássico ensaio *On Growth and Form* ["Do Crescimento e da Forma", 1917], sugeriu que muitos aspectos da mor-fogênese biológica poderiam ser explicados sob o ponto de vista das forças físicas: por exemplo, o plano da divisão celular em termos de tensão superficial, que tenderia a produzir uma área de superfície mínima. Mas há muitas exce-ções, e essas interpretações simples não tiveram muito sucesso.[12] São necessárias outras explicações, como campos morfogenéticos. Deve ser novamente enfa-tizado que esses campos não atuam isoladamente, mas junto com as causas energéticas e químicas estudadas por biofísicos e bioquímicos.

Um exemplo do modo como os campos morfogenéticos poderiam operar dentro das células é apresentado pelo posicionamento dos microtúbulos, pequenas estruturas semelhantes a varetas formadas pela agregação espontânea de subunidades de proteínas. Os microtúbulos desempenham um papel importante como microscópicos "andaimes" dentro de células animais e vegetais: eles guiam e orientam processos como a divisão celular (as fibras dos fusos na mitose e meiose são formadas por microtúbulos), e a deposição padronizada de material da parede das células em células vegetais diferenciadoras; eles também servem de "esqueleto" intracelular, mantendo formatos celulares específicos, como em radiolarianos.[13] Se a distribuição espacial dos microtúbulos for responsável pelo padrão de muitos processos e estruturas diferentes nas células, então o que controla a distribuição espacial dos microtúbulos? Se outros padrões de organização forem responsáveis,[14] o problema é simplesmente levado a um estágio anterior: o que controla os próprios padrões de organização? Mas não podemos empurrar indefinidamente o problema, pois o desenvolvimento envolve um aumento na diversidade e organização espaciais que não pode ser explicado do ponto de vista dos padrões ou estruturas precedentes; mais cedo ou mais tarde, alguma outra coisa precisa explicar o surgimento do padrão no qual os microtúbulos se agregam.

Na hipótese atual, esse padrão deve-se à ação de campos morfogenéticos específicos. Esses campos aumentam notavelmente a probabilidade de agregação dos microtúbulos em disposições apropriadas, direta ou indiretamente, pelo estabelecimento de um padrão precedente de organização. Obviamente, a atividade padronizadora dos campos depende da presença de uma solução supersaturada de subunidades de microtúbulos dentro da célula, e de condições físicas e químicas apropriadas para sua agregação: estas são condições necessárias para a formação de microtúbulos, mas não são em si suficientes para explicar o padrão no qual aparecem os microtúbulos.

Pode ser lançada a objeção de que a ação sugerida da causação formativa na padronização dos processos probabilísticos nas células é impossível porque levaria a uma violação local da segunda lei da termodinâmica. Mas esta objeção não é válida. A segunda lei da termodinâmica refere-se apenas a grupos muito grandes de partículas, e não a processos numa escala microscópica. Ademais, aplica-se apenas a sistemas fechados: uma região de uma célula não é um sistema fechado, nem o são, naturalmente, os organismos vivos.

Nos organismos vivos, como no âmbito químico, os campos morfogenéticos são organizados hierarquicamente: os das organelas – por exemplo, o núcleo da célula, os mitocôndrios e cloroplastos – agem organizando processos físico-químicos dentro delas; esses campos estão sujeitos aos campos celulares de níveis superiores; os campos das células, aos dos tecidos; os dos tecidos, aos dos órgãos; e os dos órgãos ao campo morfogenético do organismo como um todo. Em cada nível, os campos atuam organizando processos que, de outro modo, seriam indeterminados. No nível celular, por exemplo, o campo morfogenético organiza a cristalização de microtúbulos e de outros processos necessários para a coordenação da divisão celular. Mas os planos onde as células se dividem podem ser indeterminados na ausência de um campo de nível superior: por exemplo, em calos vegetais decorrentes de ferimentos, as células se proliferam de maneira mais ou menos aleatória, formando uma massa caótica.[15]

Num tecido organizado, por sua vez, uma das funções do campo morfogenético do tecido pode ser a imposição de um padrão sobre os planos da divisão celular, controlando assim a forma de crescimento do tecido como um todo. O desenvolvimento dos tecidos pode, em si mesmo, ser inerentemente indeterminado em muitos sentidos, como revelado quando são isolados artificialmente e crescem numa cultura de tecidos;[16] sob condições normais, essa indeterminação é restringida pelo campo de nível superior do órgão. De fato, em cada nível dos sistemas biológicos, como em sistemas químicos, as unidades mórficas em isolamento comportam-se de forma mais indeterminada do que quando fazem parte de uma unidade mórfica de nível superior. O campo morfogenético de nível superior restringe e padroniza seu indeterminismo intrínseco.

4.5 Germes morfogenéticos em sistemas biológicos

No nível celular, os germes das transformações morfogenéticas devem ser unidades mórficas de nível inferior dentro das células: elas poderiam ser organelas, agregados macromoleculares, estruturas citoplasmáticas ou membranosas ou os núcleos das células. Em muitos casos, os núcleos podem desempenhar bem esse papel. Mas como tantos tipos diferentes de células diferenciadas podem ser produzidos no mesmo organismo, se os núcleos devem funcionar como germes morfogenéticos, eles devem ser capazes de assumir diferentes padrões de organização nos diferentes tipos de células: a diferenciação de uma célula deve ser precedida pela diferenciação de seu núcleo, devido a mudanças em sua membrana, ou ao arranjo de seus cromossomos, ou às associações entre proteínas e ácidos nucleicos dentro dos cromossomos, ou nos nucléolos, ou em outros componentes. Tais mudanças poderiam ser produzidas direta ou indiretamente pela ação do campo morfogenético de nível superior do tecido diferenciador. Há, com efeito, consideráveis evidências de que muitos tipos de diferenciação celular são precedidas por mudanças nos núcleos. A sugestão apresentada aqui diverge da interpretação usual dessas mudanças com relação à sua importância não ser simplesmente química, devida à produção de tipos especiais de RNA mensageiro, mas, além disso, morfogenética: os núcleos modificados podem servir de germes com os quais os campos morfogenéticos específicos das células diferenciadas estão associados.[17]

Há pelo menos um processo de morfogênese celular no qual o núcleo não pode ser o germe morfogenético: na divisão nuclear. Ela perde sua identidade como estrutura separada quando a membrana nuclear se rompe e desaparece.[18] Os cromossomos dobrados e altamente espiralados ficam alinhados na região equatorial do fuso mitótico e um conjunto completo move-se para cada polo do fuso. Então, novas membranas nucleares se desenvolvem ao redor de cada conjunto de cromossomos para formar os núcleos-filhas. Os germes morfogenéticos desses processos devem ser estruturas extranucleares ou organelas, e são necessários dois deles. Nos animais, os centríolos, organelas em forma de barril cujas paredes são formadas por microtúbulos, podem parecer os candidatos mais prováveis para esse papel, uma vez que estão localizados perto dos polos dos fusos das células em divisão, mas plantas superiores não têm centríolos. Em ambos os casos, "centros organizadores de microtúbulos" podem ser responsáveis pelo desenvolvimento dos polos dos fusos; os centríolos podem ser meros "passageiros" com a garantia de partição igualitária em células-filhas por associação com esses centros.[19] Os centríolos servem de centros organizadores, ou germes morfogenéticos, para o desenvolvimento de cílios e flagelos, e este pode ser seu papel primário.

O desenvolvimento de tecidos e de órgãos costuma envolver mudanças tanto transformadoras quanto agregadoras. Na morfogênese, os germes morfogenéticos precisam ser grupos de células que estão presentes no começo do processo morfogenético; elas não podem ser essas células especializadas que só aparecem depois que o processo teve início. Logo, os germes morfogenéticos devem ser células relativamente pouco especializadas, que passam por poucas mudanças. Nas plantas superiores, tais células estão presentes, por exemplo, nas zonas apicais dos meristemas ou pontas de crescimento.[20] Nos brotos, o estímulo da florescência transforma os meristemas de forma a darem origem a flores, e não a folhas; as zonas apicais, devidamente modificadas pelo estímulo da florescência, são os germes morfogenéticos para a formação de flores. Nos embriões animais, os embriologistas identificaram muitos "centros organizadores" que exercem um papel crucial no desenvolvimento de tecidos e órgãos; um exemplo é a crista ectodérmica apical na extremidade de membros em desenvolvimento.[21] Esses "centros organizadores" podem ser os germes com os quais os principais campos morfogenéticos ficaram associados.

Tanto no campo químico quanto no biológico, os germes morfogenéticos podem ser sugeridos, ou mesmo efetivamente identificados. Entretanto, muita coisa ainda permanece obscura, especialmente o motivo para a forma específica de cada campo morfogenético e para o modo pelo qual ele fica associado a seu germe. A análise desses problemas no capítulo seguinte leva a uma hipótese mais completa da causação formativa que, embora surpreendente e pouco familiar, provavelmente é menos difícil de se compreender.

Capítulo 5

A INFLUÊNCIA DE FORMAS PASSADAS

5.1 A constância e a repetição das formas

Frequentemente, quando átomos surgem, elétrons preenchem as mesmas órbitas ao redor do núcleo; átomos se combinam repetidamente para produzir as mesmas formas moleculares; sempre, moléculas se cristalizam nos mesmos padrões; sementes de uma dada espécie dão origem, ano após ano, a plantas da mesma aparência; geração após geração, aranhas tecem os mesmos tipos de teia. Formas aparecem repetidamente, e a cada vez, cada forma é mais ou menos a mesma que nas versões anteriores. Desse fato depende nossa capacidade de reconhecer, identificar e dar nomes às coisas.

Essa constância e repetição não representariam um problema se princípios ou leis físicas imutáveis determinassem singularmente todas as formas. Essa premissa está implícita na teoria convencional da causação da forma. Esses princípios físicos fundamentais são considerados temporariamente anteriores às formas efetivas das coisas: teoricamente, a forma pela qual uma substância química recém-sintetizada vai se cristalizar deveria ser calculável antes que surgissem seus cristais pela primeira vez; do mesmo modo, os efeitos de determinada mutação no DNA de um animal ou planta sobre a forma do organismo deveriam ser passíveis de previsão. Mas tais cálculos nunca foram feitos; essa confortável suposição não foi testada, e, na prática, é intestável.

Em contrapartida, segundo a hipótese da causação formativa, as leis conhecidas da física não determinam exclusivamente as formas de sistemas químicos e biológicos complexos. Essas leis permitem uma gama de possibilidades, dentre as quais as causas formativas fazem escolhas. A associação repetitiva do mesmo tipo de campo morfogenético e um dado tipo de sistema físico-químico explica a constância e a repetição de formas. Mas, o que determina a forma específica do campo morfogenético?

Uma resposta possível é que os campos morfogenéticos são eternos. Eles são simplesmente um fato, e não são explicáveis sob o ponto de vista de qualquer outra coisa. Logo, mesmo antes deste planeta surgir, já existiam em estado latente os campos morfogenéticos de todas as substâncias químicas, cristais, animais e plantas que já existiram na Terra, ou que chegarão a existir no futuro.

Esta resposta é essencialmente platônica, ou mesmo aristotélica, pois Aristóteles acreditava na eterna fixidez de formas específicas. Difere da teoria física convencional na medida em que essas formas não seriam previsíveis em termos de causação energética; mas concorda com ela ao presumir que por trás de todo fenômeno empírico há princípios organizadores preexistentes.

A outra resposta possível é radicalmente diferente. Formas químicas e biológicas são repetidas, mas não por serem determinadas por leis imutáveis ou formas eternas, e sim por causa de uma *influência causal de formas similares anteriores*. Essa influência exigiria uma ação através do espaço *e do tempo* diferente de qualquer tipo conhecido de ação física.

Nesta visão, a forma singular adotada por um sistema não seria determinada fisicamente antes de sua primeira aparição. Contudo, seria repetida, pois a própria forma do primeiro sistema determinaria a forma adotada por sistemas similares subsequentes. Imagine, por exemplo, que de várias formas diferentes possíveis, P, Q, R, S..., todas igualmente prováveis do ponto de vista energético, um sistema adota a forma R na primeira ocasião. Depois, em ocasiões subsequentes, sistemas similares também vão adotar a forma R por conta de uma influência transespacial e transtemporal exercida pelo primeiro desses sistemas.

Neste caso, o que determina a forma na primeira ocasião? Não há resposta científica a ser dada: a questão diz respeito a eventos únicos e energeticamente indeterminados que, *ex hypothesi*, depois de terem ocorrido não se repetem, pois eles mesmos influenciam todos os eventos similares subsequentes. A ciência só pode lidar com regularidades, com coisas que são repetíveis. A escolha inicial de uma forma específica pode ser atribuída ao acaso; ou à criatividade inerente à matéria; ou a um agente criativo transcendente. Mas não há um modo experimental pelo qual essas possibilidades diferentes podem ser distinguidas umas das outras. Uma decisão entre elas só poderia ser tomada com base metafísica. Essa questão é discutida no capítulo final deste livro; porém, para o propósito atual, não importa qual dessas possibilidades é a preferida. A hipótese da causação formativa trata apenas da *repetição* das formas, e não das razões para seu aparecimento inicial.

Esse novo modo de pensar é pouco familiar, e leva a territórios inexplorados. Mas só com sua exploração é que pode haver alguma esperança de se chegar a uma nova compreensão científica da forma e da organização em geral, e de organismos vivos em particular. A alternativa a prosseguir seria retornar ao ponto de partida; a escolha iria se reduzir novamente àquela entre a fé inquestionável em futuras explicações mecanicistas e um organicismo metafísico ou platônico.

Na discussão a seguir, propõe-se que essa hipotética influência transespacial e transtemporal passa por campos morfogenéticos, e que é uma característica essencial da causação formativa.

5.2 A possibilidade geral de conexões causais transtemporais

Embora a hipótese da causação formativa proponha um novo tipo de conexão causal transtemporal, ou diacrônica, que até agora não foi reconhecido pela ciência, a possibilidade de "ação a distância" no tempo já foi apreciada em termos gerais por diversos filósofos. Não parece haver uma razão *a priori* para excluí-la. John Mackie, por exemplo, escreveu o seguinte:

> Embora nos satisfaçamos com relações contíguas de causa e efeito, e consideremos a "ação a distância" sobre uma lacuna espacial ou temporal intrigante, não a descartamos. Nosso conceito comum de causação não requer, absolutamente, a contiguidade; ela não faz parte do nosso conceito de causação, de modo a tornar "C causou E sobre uma lacuna espacial, ou temporal, ou espacial e temporal, sem elos intermediários" uma contradição em termos.[1]

Além disso, do ponto de vista da filosofia da ciência, nada impede a apreciação de novos tipos de conexão causal:

A teoria científica em geral não pressupõe nenhum modo específico de conexão causal entre eventos, apenas que é possível encontrar leis e hipóteses, expressadas em termos de algum modelo, que satisfazem os critérios de inteligibilidade, confirmação e falseabilidade. Em cada caso, o modo de conexão causal é mostrado pelo modelo, e muda com as mudanças fundamentais do modelo. (Mary Hesse)[2]

No entanto, embora o novo tipo de conexão causal proposto na hipótese da causação formativa pareça possível em princípio, a plausibilidade dessa hipótese só pode ser avaliada após se testar empiricamente predições deduzidas a partir dela.

5.3 Ressonância mórfica

A ideia de um processo pelo qual as formas de sistemas prévios influenciam a morfogênese de sistemas similares subsequentes é difícil de se expressar sob a ótica de conceitos existentes. A única forma de proceder é por meio de analogia.

A analogia física que parece mais apropriada é a da *ressonância*. A ressonância energética ocorre quando uma força alternada atuando sobre um sistema coincide com sua frequência natural de vibração. Exemplos incluem a vibração "simpática" de cordas esticadas em resposta a ondas sonoras apropriadas; a sintonia de um rádio na frequência das ondas de rádio emitidas por transmissores; a absorção de ondas luminosas de certas frequências por átomos e moléculas, resultando em seu característico espectro de absorção; e a resposta de elétrons e núcleos atômicos na presença de campos magnéticos à radiação eletromagnética em Ressonância de Spin Eletrônico e Ressonância Magnética Nuclear. Ponto comum a todos esses tipos de ressonância é o princípio da seletividade: diante de uma mistura de vibrações, por mais complicada que seja, os sistemas só respondem a frequências específicas.

Um efeito ressonante de forma sobre forma através do espaço e do tempo iria se assemelhar à ressonância energética em sua seletividade, mas não poderia ser explicado do ponto de vista dos tipos conhecidos de ressonância, nem envolveria uma transmissão de energia. Para distingui-lo da ressonância energética, este processo será chamado de *ressonância mórfica*.

A ressonância mórfica é análoga à ressonância energética num ponto adicional: ela ocorre entre sistemas vibratórios. Átomos, moléculas, cristais, organelas, células, tecidos, órgãos e organismos são formados por partes que estão em incessante oscilação, e todos têm seus próprios padrões característicos de vibração e ritmo interno; as unidades mórficas são dinâmicas, não estáticas.[3] Mas enquanto a ressonância energética depende apenas da especificidade da resposta a determinadas frequências, a estímulos "unidimensionais",[4] a ressonância mórfica depende de padrões de vibração tridimensionais. Pela ressonância mórfica, a forma de um sistema, inclusive sua estrutura interna e suas frequências vibratórias características, tornam-se *presentes* para um sistema subsequente com forma similar; o padrão espaço-temporal daquele *superpõe-se* a este.

A ressonância mórfica dá-se através de campos morfogenéticos e com efeito dá origem às suas estruturas características. Não apenas um campo morfogenético específico influencia a forma de um sistema (como discutido no capítulo anterior), como também a forma desse sistema influencia o campo morfogenético e, por meio deste, faz-se presente para sistemas similares subsequentes.

5.4 A influência do passado

A ressonância mórfica não é energética, e os próprios campos morfogenéticos não são nem um tipo de massa, nem energia. Portanto, não parece haver razão *a priori* para que deva obedecer às leis aplicáveis aos movimentos dos corpos, partículas e ondas. Em especial, não precisa ser atenuada por separação espacial ou temporal entre sistemas similares; pode ser tão efetivo a 10.000 quilômetros de distância quanto a um centímetro, a um século ou a uma hora entre eles.

A premissa de que a ressonância mórfica não é atenuada pelo tempo ou pelo espaço será adotada como hipótese de trabalho provisória, com base na simplicidade.

Também será presumido, com base na simplicidade, que a ressonância mórfica só ocorre desde o *passado*; que apenas unidades mórficas que já existiram de fato são capazes de exercer uma influência mórfica sobre o presente. A ideia de que sistemas *futuros*, que ainda não existem, podem ser capazes de exercer uma influência causal "recuando" no tempo pode até ser concebível logicamente;[5] mas só se houvesse uma evidência empírica persuasiva da influência física de unidades mórficas futuras é que seria necessário levar a sério esta possibilidade.[6]

Contudo, presumindo que a ressonância mórfica só se dá desde unidades mórficas passadas, e que ela não é atenuada pelo lapso de tempo ou pela distância, como ela ocorre? O processo pode ser visualizado com a ajuda de diversas metáforas distintas. A influência mórfica de um sistema passado pode tornar-se presente para um sistema similar subsequente passando "além" do espaço-tempo e depois "reentrando" onde e quando surgisse um padrão de vibração similar. Ou ele poderia estar conectado através de outras "dimensões". Ou poderia passar por um "túnel" do espaço-tempo e emergir inalterado na presença de um sistema similar subsequente. Ou a influência mórfica de sistemas passados pode simplesmente estar presente por toda parte. Entretanto, é provável que esses diversos modos de abordar a ressonância mórfica não fossem distinguíveis uns dos outros em termos experimentais. Todos teriam a mesma consequência: as formas de sistemas passados tornar-se-iam automaticamente presentes para sistemas similares subsequentes. A ressonância mórfica levaria ao reforço da similaridade.

Uma implicação imediata dessa hipótese é que um dado sistema poderia ser influenciado por *todos* os sistemas passados com forma e padrão vibratório similares. *Ex hypothesi*, a influência desses sistemas passados não é atenuada pela separação temporal ou espacial. No entanto, a capacidade de sistemas passados influenciarem sistemas subsequentes poderia ser enfraquecida ou exaurida pela ação; eles poderiam ter apenas um potencial limitado de influência despendido na ressonância mórfica. Essa possibilidade é discutida na Seção 5.5 a seguir. Antes, porém, levemos em consideração a possibilidade do seu potencial de ação não ser reduzido dessa maneira, com a consequência de que as formas de todos os sistemas passados influenciarão todos os sistemas similares subsequentes (Fig. 12). Este postulado tem várias consequências importantes:

(i) O primeiro sistema com determinada forma influencia o segundo desses sistemas, e depois tanto o primeiro e o segundo influenciam o terceiro, e assim por diante, cumulativamente. Nesse processo, a influência direta de um sistema sobre qualquer sistema subsequente dilui-se progressivamente com o tempo; embora seu efeito absoluto não diminua, seu efeito *relativo* declina com o aumento do número total de sistemas passados similares (Fig. 12).

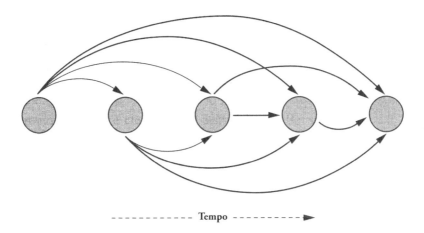

Figura 12 Diagrama ilustrando a influência cumulativa de sistemas passados sobre sistemas similares subsequentes pela ressonância mórfica.

(ii) As formas das unidades mórficas, mesmo as químicas mais simples, são variáveis: partículas subatômicas estão em incessante movimento vibratório, e átomos e moléculas estão sujeitos a deformações por colisão mecânica e por campos elétricos e magnéticos. Unidades mórficas biológicas são mais variáveis ainda; mesmo que células e organismos tenham a mesma constituição genética e desenvolvam-se sob as mesmas condições, não são iguais em todos os sentidos. Pela ressonância mórfica, as formas de todos os sistemas similares passados tornam-se presentes para um sistema subsequente de forma similar. Mesmo presumindo que as diferenças de tamanho absoluto estão ajustadas (ver Seção 6.3 adiante), muitas dessas formas vão diferir umas das outras nos detalhes. Logo, não vão coincidir exatamente entre si quando forem superpostas pela ressonância mórfica. O resultado será um processo de *média automática*, pelo qual aquelas características que a maioria dos sistemas passados tem em comum serão reforçadas. Entretanto, essa forma "média" não será nitidamente definida dentro do campo morfogenético, mas cercada por um "embaçamento" devido ao efeito de variantes menos comuns. Este processo pode ser visualizado mais facilmente pela analogia com as "fotografias compostas", feitas pela superposição das imagens fotográficas de diversos indivíduos. Como resultado da superposição, as características comuns são reforçadas; mas em função das diferenças entre as imagens individuais, as fotografias "médias" não são nitidamente definidas (Figs. 13 e 14).

Figura 13 Retratos fotográficos de três irmãs, de frente e de perfil, com os compostos correspondentes. Essas imagens foram criadas por Francis Galton, que inventou a técnica de fotografia composta há mais de um século. (De Pearson, 1924. Reproduzidos por cortesia da Cambridge University Press.)

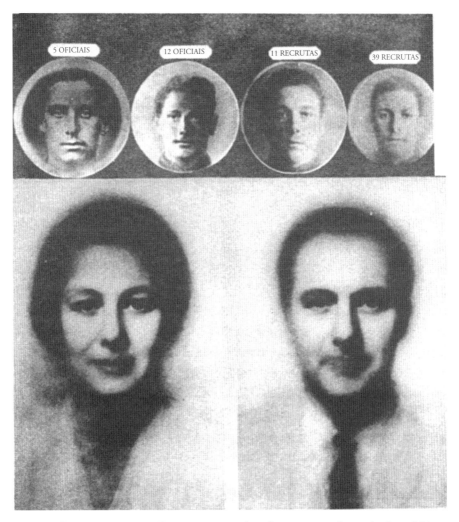

Figura 14 Acima: Fotografias compostas de oficiais e membros do Royal Engineers, por Francis Galton. (De Pearson, 1924. Reproduzidos por cortesia da Cambridge University Press.)

Abaixo: Fotografias compostas de 30 mulheres e 45 homens, membros da equipe de funcionários do John Innes Institute, Noruega. (Reproduzidos por cortesia do John Innes Institute.)

(iii) A média automática de formas passadas vai resultar numa distribuição espacial de probabilidades dentro do campo morfogenético, ou, em outras palavras, numa *estrutura de probabilidades* (Seção 4.3). A estrutura de probabilidades de um campo morfogenético determina o estado provável de um sistema específico sob sua influência, de acordo com os estados *reais* de todos os sistemas similares no passado; a forma mais provável que o sistema vai assumir é aquela que já ocorreu com mais frequência.

(iv) Nos primeiros estágios do histórico de uma forma, o campo morfogenético será relativamente mal definido e bastante influenciado por variantes individuais. Com o passar do tempo, a influência cumulativa de inúmeros sistemas anteriores vai conferir uma estabilidade sempre crescente ao campo; quanto mais provável tornar-se o tipo médio, mais provável sua repetição no futuro. Em outras palavras: no início, a bacia de atração do campo morfogenético será relativamente rasa, mas tornar-se-á mais profunda à medida que aumentar o número de sistemas que contribuem para a ressonância mórfica. Ou então, usando outra metáfora, pela repetição a forma criará uma fenda, e quanto mais a forma se repetir, mais profunda será a fenda.

(v) O grau de influência que um dado sistema exerce sobre sistemas similares subsequentes deve depender do seu tempo de sobrevivência: um sistema que existe durante um ano pode ter mais influência do que aquele que se desintegra após um segundo. Logo, a média automática pode ser "pesada" a favor de formas prévias de maior duração.

(vi) No início de um processo morfogenético, o germe morfogenético entra em ressonância mórfica com sistemas passados similares que fazem parte de unidades mórficas de nível superior: logo, torna-se associado com o campo morfogenético da unidade mórfica de nível superior (Seção 4.1). Seja o germe morfogenético representado pela unidade mórfica F e a forma final para a qual o sistema é atraído por D-E-F-G-H. Os estágios intermediários da morfogênese serão mostrados na Fig. 15. Agora, não só o germe morfogenético e os estágios intermediários entrarão em ressonância mórfica com a forma final de sistemas similares anteriores, como os estágios intermediários também entrarão em ressonância mórfica com estágios intermediários similares E-F, D-E-F, etc. em morfogêneses similares anteriores. Desse modo, esses estágios serão estabilizados pela ressonância mórfica, resultando num creodo.

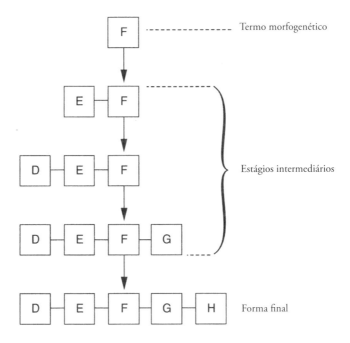

Figura 15 Diagrama representando estágios na morfogênese agregadora da unidade mórfica D-E-F-G-H a partir do germe morfogenético F.

Quanto mais frequentemente esse caminho de morfogênese for percorrido, mais esse creodo será reforçado. Levando-se em consideração o modelo da "paisagem morfogenética" (Fig. 5), o vale do creodo será aprofundado quanto mais frequente a passagem do desenvolvimento por ele.

5.5 Implicações de uma ressonância mórfica atenuada

A discussão na Seção anterior baseou-se na premissa de que a influência mórfica de um determinado sistema não se esgota em sua ação sobre sistemas similares subsequentes, embora seu efeito *relativo* se dilua com o aumento do número de sistemas similares. A possibilidade alternativa de que essa influência de algum modo se esgota será analisada.

Se tal esgotamento ocorrer, só será detectável se o ritmo de exaustão for muito rápido. Analise primeiro o caso extremo no qual a influência de um sistema é despendida pela ressonância mórfica apenas com um sistema subsequente. Se o número de sistemas similares aumenta com o tempo, então a maioria deles não será influenciada pela ressonância mórfica de sistemas similares anteriores (Fig. 16A). Consequentemente, eles estarão livres para assumir formas diferentes por "acaso" ou "criatividade"; as formas desses sistemas podem, portanto, variar bastante.

Depois, considere o caso no qual cada sistema pode influenciar dois sistemas subsequentes. Na situação representada na Fig. 16B, a maioria, mas não todas as formas subsequentes, seria estabilizada pela ressonância mórfica. Se cada sistema influenciasse três sistemas subsequentes, todos seriam estabilizados; a instabilidade da forma só apareceria se o número de sistemas similares subsequentes aumentasse ainda mais rapidamente, como numa explosão

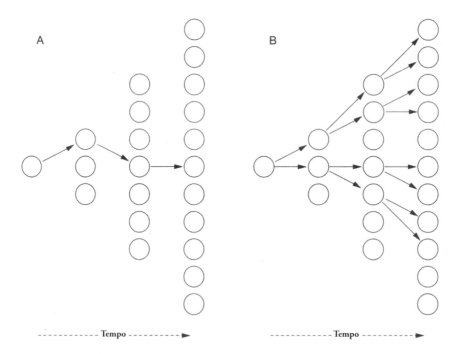

Figura 16 Diagrama ilustrando situações nas quais a influência de sistemas prévios se exaure pela ressonância mórfica com apenas um sistema subsequente (A) e dois sistemas subsequentes (B).

populacional. E se cada sistema influenciasse muitos sistemas subsequentes, esse ritmo lento, mas finito de exaustão de influência mórfica seria praticamente indetectável.

A título de simplicidade, será presumido que a influência mórfica de sistemas sobre sistemas similares subsequentes *não* se esgota; mas esta presunção é provisória. A questão poderia até ser investigada empiricamente, pelo menos para se distinguir entre um ritmo rápido de exaustão da influência mórfica, por um lado, e um ritmo lento ou zero por outro.

5.6 Um teste experimental com cristais

Segundo a teoria convencional, as formas únicas de sistemas químicos e biológicos deveriam ser previsíveis sob a ótica dos princípios da mecânica quântica, do eletromagnetismo, da causação energética, etc., antes de surgirem pela primeira vez. Em contrapartida, segundo a hipótese da causação formativa, formas únicas não serão previsíveis de antemão, mas apenas uma gama de formas possíveis. Desse modo, em princípio, o fracasso da teoria convencional em dar origem a predições únicas seria uma evidência contra ela e a favor da hipótese da causação formativa. Mas na prática esse fracasso nunca seria conclusivo: apenas cálculos aproximados são viáveis, e portanto defensores desta teoria sempre serão capazes de argumentar que predições únicas talvez fossem possíveis se cálculos mais refinados fossem realizados no futuro.

Felizmente, a hipótese da causação formativa difere da teoria convencional num segundo aspecto importante. Segundo esta última, as leis que dão origem a uma forma na primeira ocasião, ou na centésima, ou na bilionésima, deveriam operar exatamente do mesmo modo, pois presume-se que sejam imutáveis. A mesma expectativa decorre de teorias que buscam explicar formas empiricamente observáveis sob a ótica das formas arquetípicas eternas ou de verdades matemáticas transcendentais. Mas de acordo com a hipótese da causação formativa, a forma de um sistema depende da influência mórfica cumulativa de sistemas similares anteriores. Portanto, essa influência será mais forte na bilionésima ocasião do que na milésima ou na décima. Se esse aspecto cumulativo da causação formativa pudesse ser demonstrado empiricamente, a hipótese poderia ser distinguida tanto da teoria convencional quanto de teorias dos tipos platônico e pitagórico.

No caso das unidades mórficas que existem há longo tempo – bilhões de anos no caso do átomo de hidrogênio – o campo morfogenético estará tão bem estabelecido que será efetivamente imutável. Até os campos de unidades mórficas que se originaram há algumas décadas podem estar sujeitos à influência de tantos sistemas passados que quaisquer incrementos nessa influência serão pequenos demais para serem detectáveis. Mas com formas novas, pode muito bem ser possível detectar experimentalmente uma influência mórfica cumulativa.

Seja uma substância química orgânica recém-sintetizada, que nunca existiu antes. Segundo a hipótese da causação formativa, sua forma cristalina não será previsível, e ainda não existirá um campo morfogenético para essa forma. Mas depois de sua primeira cristalização, a forma de seus cristais influenciará cristalizações subsequentes por ressonância mórfica, e quanto mais for cristalizado, maior será essa influência. Assim, na primeira ocasião, a substância pode não se cristalizar prontamente; mas nas ocasiões seguintes, a cristalização deve ocorrer mais e mais facilmente, à medida que um número maior de cristais passados contribuir para seu campo morfogenético por meio da ressonância mórfica.

Na verdade, químicos que sintetizaram substâncias totalmente novas costumam ter grande dificuldade para fazer com que essas substâncias se cristalizem. Mas com o passar do tempo, essas substâncias tendem a se cristalizar com facilidade crescente. Às vezes, passam-se muitos anos antes que surjam os primeiros cristais. A turanose, por exemplo, um tipo de açúcar, foi considerada um líquido por décadas, mas depois de sua primeira cristalização na década de 1920, formou cristais no mundo todo.[7] Mais notáveis ainda são os casos nos quais um tipo de cristal aparece, sendo substituído depois por outro. O xilitol, por exemplo, um álcool de açúcar usado como adoçante em gomas de mascar, foi preparado em 1891 e considerado um líquido até 1942, quando uma forma, fundida a 61°C, cristalizou-se. Vários anos depois, surgiu outra forma, com um ponto de fusão de 94°C, e depois disto a primeira forma não foi mais produzida.[8]

Cristais do mesmo composto que existe em outras formas são chamados polimorfos. Em muitos casos, eles podem existir, como calcita e aragonita, ambos formas cristalinas do carbonato de cálcio, ou como grafite e diamante, ambos formas cristalinas do carbono. Às vezes, porém, como no caso do xilitol,

A INFLUÊNCIA DE FORMAS PASSADAS

a aparência de um novo polimorfo pode substituir um antigo. Este princípio é ilustrado pelo relato a seguir, extraído de um manual de cristalografia, sobre o aparecimento espontâneo e inesperado de um novo tipo de cristal:

> Há aproximadamente dez anos, uma empresa estava administrando uma fábrica que produzia grandes cristais isolados de tartarato de etilenodiamina a partir de soluções aquosas. Dessa fábrica saíam os cristais para outra, situada a muitos quilômetros dali, onde eram cortados e polidos para uso industrial. Um ano depois da inauguração da fábrica, os cristais postos nos tanques de crescimento começaram a crescer de maneira errada; cristais de alguma outra coisa aderiram a eles – algo que cresceu mais depressa ainda. Em pouco tempo, a aflição espalhou-se para a outra fábrica: os cristais cortados e polidos adquiriram a moléstia em suas superfícies...
>
> O material desejado era tartarato *anídrico* de etilenodiamina, e o material indesejado revelou-se como o *monoidrato* dessa substância. Durante os três anos de pesquisa e desenvolvimento, e mais um ano de manufatura, não se formou nenhuma semente do monoidrato. Depois disso, ele parecia estar em toda parte. (A. Holden e P. Singer)[9]

Estes autores sugerem que em outros planetas, tipos de cristais comuns na Terra talvez não tenham aparecido ainda, e acrescentam: "Talvez, em nosso próprio mundo, muitas outras espécies sólidas possíveis ainda sejam desconhecidas, não pela falta de seus ingredientes, mas simplesmente porque sementes adequadas ainda não ganharam uma aparência".[10]

A substituição de um polimorfo por outro é um problema recorrente na indústria farmacêutica. Por exemplo, o antibiótico ampicilina foi cristalizado inicialmente como um monoidrato, com uma molécula de água de cristalização por molécula de ampicilina. Na década de 1960, começou a se cristalizar como tri-hidrato, com forma cristalina diferente, e, apesar de esforços persistentes, nunca mais se conseguiu fazer o monoidrato.[11]

O Ritonavir, droga contra a Aids produzida pelos Laboratórios Abbot, foi introduzido no mercado em 1996. Estava no mercado havia dezoito meses quando, durante a produção, os engenheiros químicos descobriram um polimorfo desconhecido anteriormente. Ninguém descobriu o que teria causado a mudança, e a equipe da Abbot não conseguiu encontrar um modo de deter a formação do novo polimorfo. Poucos dias após a sua descoberta, ele dominava as linhas de produção. Embora os dois polimorfos tivessem a mesma fórmula química, sua dessemelhança estrutural fazia diferença para os pacientes. A segunda forma tinha metade da solubilidade da primeira, e por isso os pacientes que tomavam as doses normalmente prescritas não absorviam quantidades suficientes do remédio. A Abbot precisou tirar o Ritonavir do mercado.

A empresa criou um programa de emergência para tentar obter novamente o polimorfo original. Acabaram conseguindo produzir novamente a primeira forma, mas não conseguiam fazê-lo de modo confiável, e obtinham misturas das duas formas. Finalmente, a empresa decidiu reformular o remédio na segunda forma polimórfica como cápsula de gel líquido contendo o remédio numa forma solúvel. A empresa gastou centenas de milhões de dólares tentando recuperar o primeiro polimorfo, e perdeu um valor estimado em 250 milhões de dólares no ano em que o remédio foi retirado.[12]

A incapacidade de controlar alguns tipos de cristalização é um sério desafio para os químicos. "A perda do controle é perturbadora, de fato, e pode até levar a questionar o critério de reprodutibilidade como condição para a aceitação de um fenômeno como sendo digno de investigação científica."[13] A reprodutibilidade completa seria esperada sob a premissa de que todas as leis da natureza são eternas, as mesmas em todos os tempos e em todos os lugares. Mas polimorfos que desaparecem deixam claro que a química não é alheia ao tempo. É histórica e evolutiva, como a biologia. O que acontece agora depende do que aconteceu antes.

A explicação mais óbvia para o desaparecimento de polimorfos é que as novas formas eram termodinamicamente mais estáveis, e portanto apareciam em preferência às formas mais antigas. Ao competirem umas com as outras, as novas formas venceram. Antes do surgimento das novas formas, não havia competição; depois que surgiram, apareceram em laboratórios do mundo todo, e as formas mais antigas desapareceram. Um químico norte-americano, Charles P. Saylor, comentou: "Foi como se as sementes de cristalização, como poeira, tivessem sido levadas pelo vento de um confim ao outro da Terra".[14]

Não há dúvidas de que pequenos fragmentos de cristais anteriores podem atuar como "sementes" ou "núcleos", facilitando o processo de cristalização a partir de uma solução supersaturada. É por isso que os químicos sempre presumiram que a difusão de novos processos de cristalização depende da transferência de sementes de um laboratório para outro, como uma espécie de infecção. Nossa história favorita no folclore da química é que essas sementes são levadas ao redor do planeta de laboratório em laboratório por cientistas migrantes, especialmente químicos com barbas, que podem "abrigar núcleos para quase todos os processos de cristalização", nas palavras de um professor de engenharia química na Cambridge University.[15] Como alternativa, supõe--se que as sementes de cristais tenham sido lançadas à atmosfera como partículas microscópicas de poeira, e depois assentado em pratos de cristalização onde catalisaram a cristalização da nova substância.

Portanto, a formação de novos tipos de cristais proporciona um meio de testar a hipótese da ressonância mórfica. Segundo a suposição convencional, cristais não deveriam formar-se mais depressa num laboratório da Austrália depois de terem sido produzidos num laboratório da Inglaterra caso se exclua rigorosamente a visita de membros do laboratório inglês, e se as partículas de poeira forem filtradas da atmosfera. Se, de fato, eles se formam mais depressa, então este resultado favorece a ressonância mórfica.

Os efeitos da ressonância mórfica poderiam ser investigados comparando--se a cristalização de diversas substâncias químicas recém-sintetizadas – digamos, de quatro delas. A taxa com que os cristais se formam é determinada sob condições padronizadas. Depois, um desses quatro compostos é selecionado aleatoriamente, feito em grandes quantidades e cristalizado repetidamente. Agora, num laboratório diferente, situado a centenas de quilômetros, os quatro compostos são cristalizados novamente sob as mesmas condições padronizadas de antes. A hipótese da causação formativa prediria que o composto selecionado aleatoriamente deveria se cristalizar agora mais depressa do que antes, e que a taxa de cristalização dos outros três não mudaria, ou mudaria pouco.

Outros experimentos com cristais são discutidos no Apêndice A e nas Seções A.2 e A.3. Exemplos de experimentos que podem ser feitos com sistemas biológicos são discutidos nas Seções 7.4, 7.6, 7.9, 11.2 e 11.4.

Capítulo 6

CAUSAÇÃO FORMATIVA E MORFOGÊNESE

6.1 Morfogênese sequencial

Depois que partículas subatômicas se agregam em átomos, os átomos podem se combinar em moléculas e as moléculas em cristais. Os cristais retêm suas formas indefinidamente, desde que a temperatura se mantenha abaixo do seu ponto de fusão. Em contrapartida, nos organismos vivos os processos morfogenéticos continuam indefinidamente nos ciclos infinitamente repetidos de crescimento e reprodução.

Os organismos vivos mais simples consistem em células únicas, cujo crescimento é seguido da divisão, e a divisão pelo crescimento. Assim, os germes morfogenéticos dos creodos da divisão devem aparecer dentro das formas finais das células plenamente desenvolvidas; e as células recém-divididas servem de pontos de partida para os creodos do crescimento e do desenvolvimento celular.

Nos organismos multicelulares, esses ciclos continuam apenas em algumas das células, como por exemplo nas linhas de germes celulares, nas células do caule e nas células meristemáticas. Outras células, ou mesmo tecidos e órgãos inteiros, desenvolvem uma variedade de estruturas especializadas que passam por pequenas mudanças morfogenéticas adicionais: elas param de crescer, embora retenham a capacidade de se regenerar após algum dano; mais cedo ou mais tarde, morrem. Com efeito, podem ser mortais precisamente porque param de crescer.[1]

O desenvolvimento de organismos multicelulares ocorre por meio de uma série de estágios controlados por uma sucessão de campos morfogenéticos. Primeiramente, os tecidos embriônicos desenvolvem-se sob o controle de campos embriônicos primários. Depois, mais cedo (no desenvolvimento por "mosaico") ou mais tarde (no desenvolvimento "regulativo"), regiões diferentes recaem sob a influência de campos secundários: nos membros, olhos, ouvidos, etc., dos animais; nas folhas, pétalas, estames, etc., das plantas. De modo geral, a morfogênese produzida pelos campos primários não é espetacular, mas é de importância fundamental porque estabelece as diferenças características entre células de diversas regiões, permitindo-lhes atuar como germes morfogenéticos dos campos dos órgãos. Depois, nos tecidos que se desenvolvem sob sua influência, aparecem germes de campos subsidiários, campos que controlam a morfogênese de estruturas do órgão como um todo; numa folha, a lâmina, estípulos, pecíolos, etc.; num olho, a córnea, a íris, o cristalino, etc. E depois, entram em cena campos morfogenéticos de nível ainda mais baixo: por exemplo, aqueles da diferenciação vascular na lâmina de uma folha e os da diferenciação de células estomáticas e capilares em sua superfície.

Esses campos podem ser, e o foram, investigados experimentalmente estudando-se a capacidade dos organismos em desenvolvimento regularem-se após algum dano a diferentes regiões do tecido embriônico, e após tecido de enxertia ter sido levado de uma região para outra. Tanto nos embriões animais quanto nas zonas meristemáticas das plantas, enquanto tem lugar a diferenciação dos tecidos cada região comporta-se com autonomia crescente; o sistema como um todo perde a capacidade de se regular, mas as regulações locais ocorrem nos órgãos em desenvolvimento enquanto campos secundários, mais numerosos, suplantam os campos embriônicos primários.[2]

6.2 A polaridade dos campos morfogenéticos

A maioria das unidades mórficas biológicas é polarizada pelo menos numa direção. Seus campos morfogenéticos, contendo formas virtuais polarizadas, automaticamente vão assumir as orientações apropriadas caso seus germes morfogenéticos também sejam intrinsecamente polarizados; mas, se não forem, primeiro é preciso impor-lhes uma polaridade. Por exemplo, as células esféricas de ovos da alga *Fucus* não têm polaridade inerente, e seu desenvolvimento só pode começar depois que elas foram polarizadas por um dentre vários estímulos direcionais, como a luz, gradientes químicos e correntes elétricas; na ausência de um desses estímulos, a polaridade é adotada ao acaso, presumivelmente devido a flutuações aleatórias.

Quase todos os organismos multicelulares são polarizados na direção do broto para a raiz ou da cabeça para a cauda, muitos também numa segunda direção (ventridorsal) e alguns nas três direções (cabeça-cauda, ventridorsal e esquerda-direita). Estes últimos, por conseguinte, são assimétricos e potencialmente capazes de existir em formas que são imagens especulares umas das outras; por exemplo, a maioria das pessoas tem o coração do lado esquerdo, mas em algumas ele fica do lado direito. Na condição conhecida como *situs inversus totalis*, a posição de todos os órgãos do peito e do abdômen é invertida.

Estruturas com simetria bilateral ocorrem necessariamente em formas à direita e à esquerda, como as mãos (direita e esquerda). Essas formas especulares têm a mesma morfologia, e presume-se que tenham se desenvolvido sob a influência do mesmo campo morfogenético. O campo simplesmente assume a orientação do germe morfogenético ao qual está associado. Portanto, sistemas anteriores da mão esquerda e da mão direita influenciam tanto sistemas de mão direita quanto de mão esquerda por meio de ressonância mórfica.

Esta interpretação é apoiada por alguns fatos bem conhecidos da bioquímica. As moléculas de aminoácidos e de açúcares são assimétricas e podem existir tanto na forma esquerda quanto direita da mão. Contudo, nos organismos vivos, todos os aminoácidos das proteínas são esquerdos, enquanto a maioria dos açúcares são direitos. A perpetuação dessas assimetrias químicas é possível graças às estruturas assimétricas das enzimas que catalisam a síntese das moléculas. Na natureza, a maioria dos aminoácidos e açúcares raramente ocorre fora de organismos vivos, se é que o faz. Portanto, essas formas assimétricas específicas deveriam contribuir preponderantemente, pela ressonância mórfica, para os campos morfogenéticos das moléculas. Mas quando são sintetizadas artificialmente, obtém-se proporções iguais de formas esquerdas e direitas, indicando que os campos morfogenéticos não têm orientação intrínseca.

6.3 O tamanho dos campos morfogenéticos

As dimensões de unidades mórficas atômicas e moleculares específicas são mais ou menos constantes; o mesmo pode ser dito das redes cristalinas, embora elas se repitam indefinidamente para gerar cristais de tamanhos diferentes. Unidades mórficas biológicas são mais variáveis: não apenas há diferenças entre células, órgãos e organismos, como também as próprias unidades mórficas individuais mudam de tamanho ao crescer. Se a ressonância mórfica ocorre a partir de sistemas passados com formas similares mas tamanhos diferentes, e se um campo morfogenético específico deve manter-se associado a um sistema em crescimento, então as formas devem ser capazes de "aumentar de escala" ou "diminuir de escala" no campo morfogenético. Assim, suas características essenciais não podem depender das posições absolutas, mas sim relativas, de seus componentes, e das taxas relativas de vibração. Uma analogia simples pode ser dada pela gravação musical reproduzida por uma fita em velocidades diferentes: ela permanece identificável apesar das alterações absolutas nos timbres e ritmos porque as relações entre as notas e os ritmos permanecem as mesmas.

Embora os campos morfogenéticos possam ser ajustáveis em tamanho absoluto, a gama dentro da qual o tamanho de um sistema pode variar é limitada por importantes barreiras físicas. Nos sistemas tridimensionais, mudanças na área da superfície e no volume variam respectivamente com o quadrado e o cubo das dimensões lineares. Este simples fato significa que sistemas biológicos não podem ser ampliados ou diminuídos indefinidamente sem se tornarem instáveis.[3]

6.4 A crescente especificidade da ressonância mórfica durante a morfogênese

A ressonância energética não é um processo do tipo "tudo ou nada": um sistema ressoa em resposta a uma gama de frequências que são mais ou menos próximas de sua frequência natural, embora a resposta máxima ocorra apenas quando a frequência coincide com a sua própria. De modo análogo, a ressonância mórfica pode estar mais ou menos "afinada", ocorrendo com maior especificidade quando as formas dos sistemas passados e presentes são mais similares.

Quando um germe morfogenético entra em ressonância mórfica com as formas de incontáveis sistemas anteriores de nível superior, essas formas não coincidem exatamente, mas dão origem a uma estrutura de probabilidades. Quando ocorrem os primeiros estágios da morfogênese, as estruturas se realizam em locais específicos dentro das regiões dadas pela estrutura de probabilidades. Agora, o sistema tem uma forma mais desenvolvida e melhor definida, e consequentemente irá se assemelhar mais às formas de alguns sistemas similares anteriores do que a outras; a ressonância mórfica dessas formas será mais específica e por isso mais efetiva. E com o processo de desenvolvimento, a seletividade da ressonância mórfica vai aumentar ainda mais.

Uma ilustração bastante geral desse princípio é dada pelo desenvolvimento de um organismo a partir de um óvulo fertilizado. Os primeiros estágios da embriologia costumam se assemelhar aos de muitas outras espécies, e até de famílias e ordens. Com o desenvolvimento, as características particulares da ordem, da família, do gênero e, finalmente, da espécie, tendem a aparecer sequencialmente, e as diferenças relativamente menores que distinguem cada organismo dos demais indivíduos da mesma espécie costumam aparecer por último.

Essa ressonância mórfica cada vez mais específica tenderá a canalizar o desenvolvimento na direção de variantes específicas da forma final, expressadas em organismos prévios. O caminho detalhado de desenvolvimento será afetado por fatores tanto genéticos quanto ambientais: um organismo com uma constituição genética específica tenderá a se desenvolver de modo a entrar em ressonância mórfica específica com indivíduos anteriores dotados da mesma constituição genética; e efeitos ambientais sobre o desenvolvimento tenderão a levar o organismo a sofrer a influência mórfica específica de organismos anteriores que se desenvolveram no mesmo ambiente.

Unidades mórficas similares anteriores que fizeram parte do mesmo organismo terão um efeito ainda mais específico. No desenvolvimento das folhas de uma árvore, por exemplo, as formas das folhas anteriores da mesma árvore tendem a dar uma contribuição particularmente significativa para o campo morfogenético, tendendo a estabilizar a forma característica da folha dessa árvore em particular.

6.5   A manutenção e a estabilidade das formas

Ao final de um processo de morfogênese, a forma efetiva de um sistema coincide com a forma virtual dada pelo campo morfogenético. A associação contínua entre o sistema e seu campo revela-se com mais clareza no fenômeno da regeneração. A restauração da forma do sistema após pequenos desvios da forma final é menos óbvia, mas não menos importante: seu campo morfogenético estabiliza continuamente a unidade mórfica. Nos sistemas biológicos, e, até certo grau, em sistemas químicos, essa manutenção da forma permite que as unidades mórficas persistam, embora suas partes constituintes mudem quando são "vencidas" e substituídas. O campo morfogenético em si persiste, graças à influência contínua das formas de sistemas similares anteriores.

Uma característica interessante e incomum da ressonância mórfica atuando sobre um sistema com uma forma persistente é que esta ressonância vai incluir uma contribuição dos estados passados do próprio sistema. Como um sistema se assemelha mais consigo mesmo no passado do que com qualquer outro sistema anterior, essa autorressonância será bastante específica. Pode, na verdade, ser de importância fundamental para a manutenção da própria identidade do sistema.

A matéria não pode mais ser imaginada como partículas sólidas como pequenas bolas de bilhar que duram ao longo do tempo. Os sistemas materiais são estruturas dinâmicas que se recriam constantemente. Na hipótese atual, a persistência das formas materiais depende de uma realização continuamente repetida do sistema sob a influência de seu campo morfogenético; ao mesmo tempo, o campo morfogenético é recriado continuamente pela ressonância mórfica de formas similares anteriores. As formas mais similares e que, por conseguinte, terão o maior efeito serão as do próprio sistema no passado imediato. Esta conclusão parece ter implicações físicas profundas: a ressonância preferencial de um sistema consigo mesmo no passado imediato poderia ajudar a explicar sua persistência não apenas no tempo, como num determinado lugar.[4]

6.6 Um comentário sobre o "dualismo" físico

Todas as unidades mórficas existentes de fato podem ser consideradas *formas de energia*. Por um lado, suas estruturas e padrões de atividade dependem dos campos morfogenéticos com os quais estão associados, e sob cuja influência passaram a existir. Por outro lado, sua própria existência e sua capacidade de interagir com outros sistemas materiais deve-se à ligação de energia entre elas. Mas embora esses aspectos de forma e de energia possam ser separados conceitualmente, na realidade estão sempre associados uns com os outros. Nenhuma unidade mórfica pode ter energia sem forma, e nenhuma forma material pode existir sem energia.

Essa "dualidade" física de forma e energia que fica clara com a hipótese da causação formativa tem muito em comum com a chamada dualidade onda-partícula da teoria quântica.

Segundo a hipótese da causação formativa, há uma diferença apenas de grau entre a morfogênese dos átomos e a das moléculas, cristais, células, tecidos, órgãos e organismos. Se o "dualismo" é definido de modo tal que as órbitas dos elétrons nos átomos envolvem uma dualidade de ondas e partículas, ou de forma e energia, então o mesmo acontece com as formas complexas das unidades mórficas de nível superior; mas se aquelas não forem consideradas dualísticas, então estas tampouco o serão.[5]

Apesar da similaridade, há, naturalmente, uma diferença de tipo entre a hipótese da causação formativa e a teoria convencional. Esta não proporciona uma compreensão fundamental da causação das formas, a menos que se suponha que as equações ou "estruturas matemáticas" que as descrevem têm um papel causal; se for assim, há a implicação de um dualismo muito misterioso entre a matemática e a realidade. A hipótese da causação formativa supera este problema considerando as formas de sistemas anteriores como as causas de formas similares subsequentes. Do ponto de vista convencional, esta cura pode parecer pior do que a doença, pois exige uma ação ao longo do tempo e do espaço, diferente de qualquer ação física conhecida. Entretanto, essa proposição não é metafísica e sim física, e pode ser testada experimentalmente.

Se essa hipótese é apoiada pela evidência experimental, então não apenas pode permitir que os diversos campos materiais da teoria do campo quântico sejam interpretados sob a ótica dos campos morfogenéticos, como também pode levar a uma nova compreensão de outros campos físicos.

No campo morfogenético de um átomo, um núcleo atômico nu, cercado por órbitas virtuais, serve de "atrator" morfogenético para elétrons. Talvez a chamada atração elétrica entre o núcleo e os elétrons pudesse ser considerada um aspecto desse campo morfogenético atômico. Quando a forma final do átomo tornou-se concreta pela captura de elétrons, ele não atua mais como "atrator" morfogenético e, na terminologia elétrica, é neutro. Assim, não é inconcebível que os campos eletromagnéticos possam ser derivados dos campos morfogenéticos dos átomos.

De maneira comparável, é até possível interpretar as forças nucleares forte e fraca sob a ótica dos campos morfogenéticos dos núcleos atômicos e das partículas nucleares.

Os campos morfogenéticos fazem parte da categoria mais ampla dos *campos mórficos*, que também incluem campos comportamentais e sociais (Capítulo 9). Boa parte desse resumo da hipótese da causação formativa aplica-se aos campos mórficos em geral, e não apenas aos campos morfogenéticos.

6.7 Um resumo da hipótese da causação formativa

(i) Além dos tipos de causação energética conhecidos pela física, e além da causação devida às estruturas dos campos físicos conhecidos, um tipo adicional de causação é responsável pelas formas de todas as unidades mórficas materiais (partículas subatômicas, átomos, moléculas, cristais, agregados semicristalinos, organelas, células, tecidos, órgãos, organismos). A forma, no sentido usado aqui, inclui não apenas a forma da superfície externa da unidade mórfica, como também sua estrutura interna. Essa causação, chamada *causação formativa*, impõe ordem espacial sobre as mudanças produzidas pela causação energética. Em si, ela não é energética, nem é redutível à causação produzida por campos físicos conhecidos. (Seções 3.3, 3.4, 3.5.)

(ii) A causação formativa depende de *campos mórficos*, estruturas com efeitos morfogenéticos sobre sistemas materiais. Cada tipo de unidade mórfica tem seu próprio campo mórfico característico. Na morfogênese de uma unidade mórfica específica, uma ou mais de suas partes características – referidas como *germes morfogenéticos* – são inseridas no campo morfogenético da unidade mórfica como um todo, ou cercadas por ele. Este campo contém a forma virtual da unidade mórfica, que se concretiza quando partes componentes apropriadas entram em sua esfera de influência e se encaixam em posições relativas apropriadas. O encaixe dessas partes na unidade mórfica é acompanhado por uma liberação de energia, geralmente na forma de calor, e é termodinamicamente espontâneo; do ponto de vista energético, as estruturas das unidades mórficas aparecem como mínimas, ou "fontes" de energia potencial. (Seções 3.3, 3.4, 4.1, 4.2, 4.4, 4.5.)

(iii) A maioria das morfogêneses inorgânicas é rápida, mas a morfogênese biológica é relativamente lenta e passa por uma sucessão de estágios intermediários. Um tipo específico de morfogênese costuma seguir determinado caminho de desenvolvimento; esse caminho canalizado de mudança é chamado de *creodo*. Contudo, a morfogênese também pode rumar à forma final a partir de germes morfogenéticos diferentes e seguindo caminhos diferentes, como nos fenômenos da regulação e da regeneração. Nos ciclos de crescimento celular e de divisão celular, e no desenvolvimento das estruturas diferenciadas de organismos multicelulares, ocorre uma sucessão de processos morfogenéticos sob a influência de uma sucessão de campos morfogenéticos. (Seções 2.4, 4.1, 5.4, 6.1.)

(iv) A forma característica de uma unidade mórfica específica é determinada pelas formas de sistemas similares anteriores que atuam sobre ela através do tempo e do espaço por um processo chamado *ressonância mórfica*. Essa influência se dá através do campo mórfico e depende das estruturas tridimensionais do sistema e de seus padrões de vibração. A ressonância mórfica é análoga à ressonância energética em sua especificidade, mas não é explicável em termos de qualquer tipo conhecido de ressonância, nem envolve uma transmissão de energia. (Seções 5.1, 5.3.)

(v) Todos os sistemas passados similares atuam sobre um sistema similar subsequente por meio da ressonância mórfica. Supõe-se provisoriamente que essa ação não é atenuada pelo espaço ou pelo tempo, e que continua indefinidamente; entretanto, o efeito relativo de um sistema específico declina à medida que aumenta o número de sistemas similares contribuindo para a ressonância mórfica. (Seções 5.4, 5.5.)

(vi) A hipótese da causação formativa explica a repetição das formas, mas não explica como surgiu originalmente o primeiro exemplar de determinada forma. Este evento singular pode ser atribuído ao acaso, ou à criatividade inerente à natureza, ou a um agente criativo transcendental. Uma decisão entre essas alternativas só pode ser tomada com base na metafísica e está fora do escopo da hipótese. (Seção 5.1.)

(vii) A ressonância mórfica dos estágios intermediários de processos similares anteriores de morfogênese tendem a canalizar processos morfogenéticos similares subsequentes pelos mesmos creodos. (Seção 5.4.)

(viii) A ressonância mórfica de sistemas passados com polaridade característica só pode ocorrer efetivamente depois que o germe morfogenético de um sistema subsequente tiver sido devidamente polarizado. Sistemas assimétricos nas três dimensões e que existem em formas esquerdas e direitas influenciam sistemas similares subsequentes por meio de ressonância mórfica, independentemente da orientação. (Seção 6.2.)

(ix) Campos mórficos são ajustáveis em tamanho absoluto e podem "aumentar de escala" ou "diminuir de escala" dentro de limites. Logo, sistemas anteriores influenciam sistemas subsequentes de forma similar por meio de ressonância mórfica, mesmo que seus tamanhos absolutos sejam diferentes. (Seção 6.3.)

(x) Mesmo com a tolerância devida ao tamanho, os vários sistemas prévios a influenciar um sistema subsequente por meio de ressonância mórfica não são idênticos, apenas têm formas similares. Portanto, suas formas não estão precisamente superpostas no campo mórfico. O tipo mais frequente de forma anterior dá a maior contribuição pela ressonância mórfica, e o menos frequente, a menor: campos mórficos não são definidos com precisão, mas *estruturas de probabilidade* que dependem da distribuição estatística de formas similares anteriores. As distribuições de probabilidade das órbitas eletrônicas descritas por soluções da equação de Schrödinger são exemplos de tais estruturas de probabilidade, e são similares em espécie às estruturas de probabilidade dos campos mórficos de unidades mórficas de níveis superiores. (Seções 4.3, 5.4.)

(xi) Os campos mórficos de unidades mórficas influenciam a morfogênese atuando sobre os campos mórficos de suas partes constituintes. Desse modo, os campos de tecidos influenciam os das células; os de células, organelas; os de cristais, moléculas; os de moléculas, átomos, e assim por diante. Essas ações dependem da influência de estruturas de probabilidade de nível superior sobre estruturas de probabilidade de nível inferior, e são, portanto, inerentemente probabilísticas. (Seções 4.3, 4.4.)

(xii) Depois que a forma final de uma unidade mórfica se concretiza, a ação continuada da ressonância mórfica de formas passadas similares a estabiliza e a mantém. Se a forma persistir, a ressonância mórfica atuando sobre ela vai incluir a contribuição de seus próprios estados passados. Na medida em que esse sistema se assemelha mais a seus próprios estados passados do que aos de outros sistemas, essa autorressonância será bastante específica, e pode ser de considerável importância na manutenção da identidade do sistema. (Seções 6.4, 6.5.)

(xiii) A hipótese da causação formativa pode ser testada experimentalmente. (Seção 5.6.)

Capítulo 7

A HERANÇA DA FORMA

7.1 Genética e hereditariedade

Diferenças hereditárias entre organismos que de resto são similares dependem de diferenças genéticas; diferenças genéticas dependem de diferenças na estrutura do DNA ou em sua disposição nos cromossomas; e estas diferenças levam a mudanças na estrutura das proteínas, ou a mudanças no controle da síntese das proteínas.

No século XX, essas descobertas fundamentais, apoiadas por um grande corpo de evidências detalhadas, proporcionou uma compreensão satisfatoriamente objetiva da herança das proteínas e de características que dependem de forma mais ou menos direta de proteínas específicas, como a anemia falciforme e defeitos hereditários do metabolismo. Em comparação, diferenças hereditárias de forma geralmente não têm relação imediata e óbvia com mudanças na estrutura ou síntese de proteínas específicas. No entanto, tais mudanças podem afetar a morfogênese de diversas maneiras, com efeitos sobre enzimas metabólicas, enzimas de síntese hormonal, proteínas estruturais, proteínas em membranas celulares, e assim por diante. Muitos exemplos desses efeitos já são conhecidos. Mas se mudanças químicas variadas levam a alterações ou distorções do padrão normal da morfogênese, o que determina o próprio padrão normal da morfogênese?

Segundo a teoria mecanicista, células, tecidos, órgãos e organismos assumem suas formas apropriadas como resultado da síntese das substâncias químicas certas, nos lugares certos, nos momentos certos. Supõe-se que a morfogênese se dê espontaneamente como resultado de complexas interações físico-químicas, mas de um modo que ainda não é plenamente compreendido por causa de sua complexidade. A teoria mecanicista deixa em aberto a questão do modo como funciona efetivamente a automontagem (Seção 2.2).

A hipótese da causação formativa sugere um novo modo de responder a essa pergunta. Como oferece uma interpretação da morfogênese biológica que enfatiza a analogia com processos físicos como a cristalização, além de atribuir um papel importante a flutuações energeticamente indeterminadas, ela preenche, e não nega, as expectativas da teoria mecanicista. Mas enquanto a teoria mecanicista atribui praticamente todos os fenômenos da hereditariedade à herança genética embutida no DNA, a hipótese da causação formativa permite que também os organismos herdem os campos mórficos de organismos passados da mesma espécie. Esse tipo de herança ocorre pela ressonância mórfica, e não pelos genes. Portanto, a hereditariedade inclui *tanto* a herança genética das proteínas *quanto* a ressonância mórfica de formas passadas similares.

Considere a seguinte analogia. A música que sai do alto-falante de um aparelho de rádio depende *tanto* das estruturas materiais do aparelho e da energia que o alimenta *quanto* da transmissão na qual o aparelho está sintonizada. Naturalmente, a música pode ser afetada por mudanças na fiação, nos transistores, nos condensadores, etc., e cessa quando a bateria é removida. Alguém que não entende nada da transmissão de vibrações invisíveis, intangíveis e inaudíveis através do campo eletromagnético pode concluir que ela seria inteiramente explicável em termos dos componentes do rádio, do modo como foram arranjados e da energia da qual depende seu funcionamento. Se a pessoa chegasse a pensar na possibilidade de que algo teria vindo de fora, ela a descartaria ao descobrir que o aparelho tinha o mesmo peso ligado e desligado. Portanto, ela teria de supor que os padrões rítmicos e harmônicos da música surgiram no aparelho como resultado de interações imensamente complicadas entre suas partes. Depois de um cuidadoso estudo e análise do aparelho, ela poderia até ser capaz de fazer uma réplica dele que produziria exatamente os mesmos sons do original, e provavelmente iria considerar este resultado como prova notável de sua teoria. Mas, apesar de sua proeza, ela não teria a menor ideia de que, na verdade, a musica originara-se num estúdio de rádio situado a centenas de quilômetros dali.

Do ponto de vista da hipótese da causação formativa, a "transmissão" vem de sistemas similares anteriores, e sua "recepção" depende da estrutura e organização detalhadas do sistema receptor. Como num aparelho de rádio, dois tipos de mudança na organização do receptor têm efeitos significativos.

Primeiro, mudanças na sintonia do sistema levam à recepção de transmissões mórficas bem diferentes: assim como um aparelho de rádio pode ser sintonizado em diversas estações, um sistema em desenvolvimento pode ser sintonizado em diversos campos morfogenéticos.

Segundo, mudanças num aparelho de rádio sintonizado numa estação específica podem levar a modificações e distorções da música que sai do alto--falante. De modo análogo, mudanças genéticas num sistema em desenvolvimento sob a influência de um campo morfogenético podem levar a modificações e a distorções da forma do organismo.

Portanto, em organismos em desenvolvimento, fatores ambientais e genéticos podem afetar a morfogênese de duas formas diferentes: mudando a sintonia dos germes morfogenéticos, ou influenciando os caminhos habituais da morfogênese de modo a produzir variantes das formas normais.

7.2 Germes morfogenéticos alterados

Os germes morfogenéticos para o desenvolvimento de órgãos e tecidos consistem em células ou grupos de células com estruturas características e padrões de oscilação, inclusive com oscilações elétricas em suas membranas (Seções 4.5, 6.1). Técnicas modernas de varredura como ressonância de *spin* eletrônico (ESR – Electron Spin Resonance) e imagens por ressonância magnética (MRI – Magnetic Resonance Imaging) dependem de efeitos de ressonância com moléculas e com núcleos atômicos dentro do corpo. Em todos os níveis de organização, desde átomos, moléculas, organelas, membranas e órgãos como corações e cérebros, há padrões rítmicos e vibratórios de atividade, inclusive atividade eletromagnética.

Se, como resultado de condições ambientais incomuns ou de alterações genéticas, a estrutura e o padrão oscilatório de um germe muda suficientemente, ele não permanecerá mais associado com seu campo morfogenético habitual. Ou deixará de agir como germe, em cujo caso toda uma estrutura deixará de aparecer no organismo, ou ficará associado com um campo morfogenético diferente, em cujo caso uma estrutura normalmente não encontrada nessa parte do organismo vai se desenvolver no lugar da habitual.

Mutações que levam a mudanças desse tipo são chamadas de mutações homeóticas. Muitos exemplos da perda de toda uma estrutura ou da substituição de uma estrutura por outra já foram descritos.[1] Às vezes, as mesmas mudanças homeóticas podem ser produzidas por mudanças no ambiente do organismo em desenvolvimento, como discutido a seguir.

Efeitos desse tipo foram estudados em grande detalhe na mosca-das-frutas, *Drosophila*. Diversas mutações homeóticas levam a transformações de regiões inteiras da mosca: por exemplo, "antenapedia", que transforma antenas em pernas, e mutações no complexo de genes "bitórax" fazem com que o segmento metatorácico, que normalmente tem dois halteres, desenvolva-se como se fosse um segmento mesotorácico (Fig. 17). As moscas resultantes têm dois pares de asas em segmentos adjacentes.[2]

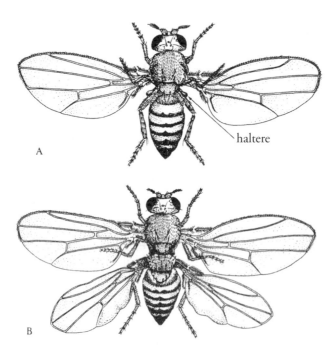

Figura 17 Um espécime normal da mosca-das-frutas *Drosophila* (A) e uma mosca mutante (B) na qual o terceiro segmento torácico foi transformado de tal maneira que se assemelha ao segundo segmento torácico. Consequentemente a mosca tem dois pares de asas, no lugar de um.

Mutações homeóticas também ocorrem nas plantas. Na ervilha, por exemplo, normalmente as folhas têm folíolos? perto da base e gavinhas na ponta. Em algumas folhas, há gavinhas opostas aos folíolos, indicando que primórdios similares podem dar origem a ambos os tipos de estrutura (Fig. 18); presumivelmente, células nesses primórdios são influenciadas por fatores na folha embrionária, fazendo com que adotem a estrutura e o padrão oscilatório característico do germe morfogenético de uma gavinha ou folíolo. Num tipo de mutante homeótico, a formação de gavinhas é suprimida e todos os primórdios dão origem a folíolos; em outro mutante (devido a um gene num cromossomo diferente) a formação de folíolos é suprimida e todos os primórdios dão origem a gavinhas[3] (Fig. 18).

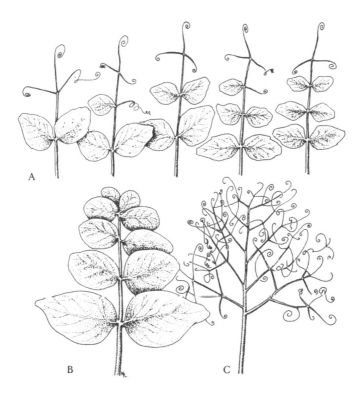

Figura 18 A: Ramos normais de ervilha, tanto com folíolos quanto com gavinhas.
B: Ramo de uma planta mutante na qual se formaram apenas folíolos.
C: Ramo de uma planta mutante na qual se formaram apenas gavinhas.

Genes homeóticos codificam fatores de transcrição, que são proteínas que se ligam a partes específicas do DNA, afetando a atividade de outros genes. O padrão de atividade genética que controla afeta todo um caminho de morfogênese. Do ponto de vista da hipótese da causação formativa, esses padrões de atividade genética trabalham influenciando germes morfogenéticos, afetando sua sintonia com campos morfogenéticos específicos. São muitas as maneiras concebíveis pelas quais eles podem fazê-lo, como, por exemplo, codificando proteínas que modificam as propriedades das membranas celulares, afetando as estruturas ou padrões de atividade nas células do germe morfogenético de tal forma que elas não ressoam mais com o campo morfogenético usual, mas sintonizando-se com outro, diferente. Isto é semelhante a mudar o circuito de sintonia de um aparelho de televisão: uma "mutação num transistor ou num condensador desse circuito faria com que o aparelho de TV se sintonizasse num canal diferente, ou perdesse a capacidade de se sintonizar em qualquer canal. De modo significativo, na biologia desenvolvimentista evolutiva, esses genes homeóticos costumam ser chamados de "genes seletores de campo específico".[4]

7.3 Caminhos alterados da morfogênese

Enquanto os fatores que afetam os germes morfogenéticos têm efeitos *qualitativos* sobre a morfogênese, resultando na ausência de uma estrutura ou na substituição de uma estrutura por outra, muitos fatores ambientais e genéticos produzem modificações *quantitativas* nas formas finais das estruturas através de seus efeitos sobre os processos da morfogênese. Por exemplo, em plantas de determinada variedade cultivadas sob diversas condições ambientais, o tamanho geral do sistema do broto e da raiz, a morfologia das folhas e até a anatomia dos diferentes órgãos diferem nos detalhes; mesmo assim, a forma varietal característica permanece identificável. Ou quando variedades diferentes da mesma espécie são cultivadas no mesmo ambiente, as plantas diferem umas das outras em muitos detalhes, embora sejam todas variedades reconhecíveis de uma forma específica característica.

Fatores genéticos e ambientais influenciam o desenvolvimento por meio de diversos efeitos quantitativos sobre componentes estruturais, atividade enzimática, hormônios, etc. (Seção 7.1). Algumas dessas influências são relativamente pouco específicas e afetam diversos caminhos da morfogênese. Outras podem perturbar o curso normal de desenvolvimento mas têm pouco efeito sobre a forma final, devido à regulação.

Enquanto alguns efeitos genéticos notáveis podem ser atribuídos a determinados genes, a maioria depende da influência combinada de diversos genes, cujos efeitos individuais são pequenos e difíceis de identificar e analisar.

Segundo a hipótese da causação formativa, organismos da mesma variedade ou raça se assemelham não apenas porque são geneticamente similares e portanto sujeitos a influências genéticas similares durante a morfogênese, mas também porque seus creodos característicos são reforçados e estabilizados pela ressonância mórfica de organismos passados do mesmo tipo.

Os campos morfogenéticos de uma espécie não são fixos, mas mudam com o desenvolvimento da espécie. A maior contribuição estatística às estruturas de probabilidade dos campos morfogenéticos provém dos tipos morfológicos mais comuns, que também são os que se desenvolvem sob as condições ambientais mais usuais. Nos casos mais simples, o efeito de média automática da ressonância mórfica estabiliza os campos morfogenéticos em torno de uma única forma ou "tipo selvagem" mais provável. Se a espécie habita dois ou mais ambientes distintos em termos geográficos ou ecológicos nos quais se desenvolveram os hábitos de crescimento característicos, os campos morfogenéticos da espécie não conterão uma forma mais provável única, mas uma distribuição "multimodal" de formas, dependendo do número de variedades ou raças morfologicamente distintas e dos tamanhos relativos de suas populações passadas.

7.4 Dominância

À primeira vista, a ideia de que formas varietais se estabilizam graças à ressonância mórfica de organismos passados da mesma variedade pode acrescentar pouco, aparentemente, à explicação convencional em termos apenas da similaridade genética. Contudo, sua importância fica aparente quando levamos em conta organismos híbridos que estão sujeitos à ressonância mórfica de dois tipos parentais distintos.

Voltando à analogia do rádio: em circunstâncias normais, um aparelho fica sintonizado apenas numa estação de cada vez, assim como um organismo normalmente se "sintoniza" com organismos passados similares da mesma variedade. Mas se o rádio for sintonizado em duas estações ao mesmo tempo, os sons que produzirá dependerão da força relativa de seus sinais: se um for muito forte e o outro muito fraco, este terá pouco efeito; mas se ambos tiverem força similar, o aparelho produzirá uma mistura de sons de ambas as fontes. Do mesmo modo, num híbrido produzido pelo cruzamento de duas variedades, a presença de genes e de produtos genéticos característicos de ambas tenderá a levar o organismo em desenvolvimento a entrar em ressonância mórfica com organismos passados de ambos os tipos parentais. As estruturas de probabilidades totais dentro dos campos morfogenéticos do híbrido dependerão da intensidade relativa da ressonância mórfica dos dois tipos parentais. Se ambos os progenitores forem de variedades representadas por números comparáveis de indivíduos anteriores, ambos tenderão a influenciar a morfogênese de forma similar, produzindo uma combinação ou "resultante" das duas formas parentais (Fig. 19A). Mas se menos indivíduos representaram uma variedade do que a outra, sua menor contribuição para a estrutura geral de probabilidades vai significar que a forma da outra variedade parental tenderá a predominar (Fig. 19B). E se um dos progenitores for de uma linha mutante de origem recente, a ressonância mórfica do pequeno número de indivíduos desse tipo fará uma contribuição insignificante para a estrutura de probabilidade dos híbridos (Fig. 19C).

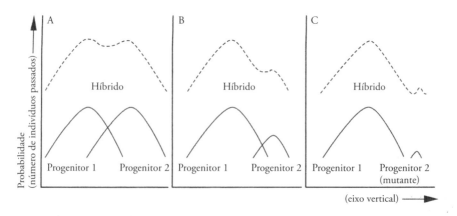

Figura 19 Representação diagramática das estruturas de probabilidades dos campos morfogenéticos de progenitores e híbridos.

A HERANÇA DA FORMA

Essas expectativas estão em harmonia com os fatos. Primeiro, híbridos entre variedades ou espécies bem estabelecidas costumam combinar características de ambas, ou têm forma intermediária. Segundo, em híbridos entre uma variedade relativamente recente e uma variedade estabelecida há muito tempo, as características desta última costumam ser mais ou menos dominantes. E terceiro, mutações recentes que afetam características morfológicas são quase sempre recessivas.

É significativo que as teorias mecanicistas de dominância sejam vagas e especulativas, exceto no caso de características que dependem de maneira mais ou menos direta de proteínas específicas. Se um gene mutante conduz a uma perda de função, dando origem a uma enzima defeituosa, por exemplo, ele será recessivo, pois nos híbridos a presença de um gene normal permite que a enzima normal seja produzida, e por isso ocorrem as reações bioquímicas normais. No entanto, em alguns casos o produto do gene defeituoso pode ser positivamente nocivo, interferindo, por exemplo, na permeabilidade das membranas, caso em que a mutação tenderia a ser tanto dominante quanto letal.

Essas explicações são satisfatórias dentro de suas limitações; mas na ausência de uma compreensão mecanicista da morfogênese, a tentativa de explicar a dominância na herança da forma por meio de uma extrapolação do nível molecular acaba inevitavelmente sendo uma falácia.

As teorias genéticas convencionais da dominância são mais sofisticadas do que a teoria puramente bioquímica; elas enfatizam que a dominância não é fixa, mas evolui.[5] A fim de justificar a relativa uniformidade das populações selvagens, nas quais a maioria das mutações não letais é recessiva, elas presumem que a dominância do "tipo selvagem" foi privilegiada pela seleção natural. Uma teoria postula a seleção de genes que modificam a dominância de outros genes,[6] e outra teoria a seleção de versões cada vez mais efetivas dos genes que controlam as características dominantes em questão.[7] Mas à parte do fato de que há poucas evidências a favor de qualquer uma delas, e algumas contra ambas, essas teorias sofrem de um defeito, pois pressupõem a dominância, e não a explicam: elas só proporcionam mecanismos hipotéticos pelos quais ela poderia se manter ou aumentar.[8]

Segundo a hipótese da causação formativa, a dominância evoluiria por um motivo fundamentalmente distinto. Tipos favorecidos pela seleção natural seriam representados por números maiores de indivíduos do que tipos com menor valor de sobrevivência; com o passar do tempo, aqueles seriam cada vez mais dominantes graças ao efeito cumulativo da ressonância mórfica.

Essa hipótese poderia, em princípio, ser diferenciada experimentalmente de todas as teorias convencionais da dominância. Segundo estas, sob um dado conjunto de condições ambientais, a dominância depende apenas da constituição genética de um híbrido, enquanto que, segundo aquela, ela depende da constituição genética *e* da ressonância mórfica dos dois tipos de progenitores. Portanto, se a força relativa da ressonância dos tipos parentais mudasse, a dominância de um sobre o outro mudaria mesmo que a constituição genética do híbrido permanecesse a mesma.

Considere o seguinte experimento. Sementes híbridas são obtidas com o cruzamento entre plantas de uma variedade bem definida (P_1) e de uma linha mutante (P_2). Algumas dessas sementes híbridas são armazenadas a frio, enquanto outras crescem sob condições controladas. As características das plantas híbridas são observadas cuidadosamente, e as próprias plantas são preservadas. Nessas plantas, a morfologia P_1 é completamente dominante (Fig. 19C). Depois, um grande número de plantas do tipo mutante (P_2) são cultivadas no campo. Subsequentemente, algumas das híbridas são cultivadas novamente sob as mesmas condições anteriores, com sementes do mesmo lote. Como agora P_2 faz uma contribuição maior por ressonância mórfica, P_1 pode ser apenas parcialmente dominante (Fig. 19B). Depois de cultivar-se muito mais plantas P_2, a forma das híbridas pode ser intermediária entre os dois tipos parentais (Fig. 19A). Depois, mais plantas ainda do tipo P_2 são cultivadas em grande quantidade; subsequentemente, as híbridas são cultivadas novamente sob as mesmas condições que as híbridas anteriores do mesmo lote de sementes. Agora, o tipo P_2 fará uma contribuição maior do que P_1 pela ressonância mórfica, e a morfologia P_2 será dominante.

Esse resultado apoiaria fortemente a hipótese de dominância da ressonância mórfica, e seria completamente incompreensível do ponto de vista da teoria genética ortodoxa. O único problema com este experimento é que pode ser difícil realizá-lo na prática, pois se P_1 é uma variedade bem estabelecida, que existe há muito tempo – no caso de uma variedade selvagem, talvez há muitos milhares ou até milhões de anos – não seria praticável cultivar números comparáveis do tipo P_2. O experimento só seria viável se P_1 fosse uma variedade recente, da qual apenas um número relativamente pequeno de indivíduos tivesse sido cultivado no passado.

7.5 Semelhanças familiares

Dentro de determinada variedade, organismos diferem uns dos outros de muitas e discretas maneiras. Numa população de intercruzamentos, cada indivíduo é mais ou menos único em termos genéticos, e por isso tende a seguir seu próprio caminho característico de desenvolvimento sob as diversas influências quantitativas de seus genes. Ademais, como a morfogênese depende do efeito de estruturas de probabilidade sobre eventos probabilísticos, o processo todo é um tanto indeterminado. Além disso, os ambientes locais variam. Por conta de todos esses fatores, cada indivíduo tem uma forma característica e dá sua contribuição singular para os campos morfogenéticos subsequentes.

A ressonância mórfica mais específica atuando sobre um organismo em particular, à parte da autorressonância com seu próprio passado, provavelmente será aquela de indivíduos anteriores relacionados de perto e com uma constituição genética similar, explicando semelhanças familiares. Essa ressonância mórfica específica irá se superpor à ressonância menos específica de numerosos indivíduos anteriores da mesma variedade, e isto, por sua vez, será superposto a um pano de fundo geral de ressonância mórfica de todos os membros passados da espécie.

No modelo do tipo "vale" do creodo (Fig. 5), a ressonância mórfica mais específica determinaria o curso detalhado da morfogênese, correspondendo ao leito de um córrego, e a ressonância mórfica menos específica de indivíduos prévios da mesma variedade seria o leito de um pequeno vale. Os creodos variantes de variedades diferentes da mesma espécie corresponderiam a pequenos vales divergentes ou paralelos dentro de um vale maior, representando o creodo da espécie como um todo.

7.6 Influências ambientais e ressonância mórfica

As formas dos organismos são influenciadas, em graus variados, pelas condições ambientais sob as quais elas se desenvolvem. Segundo a hipótese da causação formativa, também são influenciadas pelas condições ambientais sob as quais organismos similares anteriores se desenvolveram, pois as formas desses organismos contribuem para seus campos morfogenéticos pela ressonância mórfica. Sob a ótica da analogia do rádio, a música que sai do alto-falante não apenas é afetada por mudanças dentro do receptor, como também por mudanças no estúdio da emissora: se uma orquestra começa a tocar uma peça musical diferente, o aparelho de rádio produz sons diferentes, embora sua sintonia e sua estrutura interior mantenham-se as mesmas.

Considere, por exemplo, uma nova variedade de uma espécie cultivada. Se números muito grandes de plantas dessa variedade forem cultivados num ambiente e muito poucas em outros, aquelas farão uma contribuição muito maior para as estruturas de probabilidades dos campos morfogenéticos varietais; sua forma será a forma mais provável da variedade, e portanto tenderá a influenciar a morfogênese de todas as plantas subsequentes da mesma variedade, mesmo quando forem cultivadas em ambientes diferentes.

Para testar esta predição, seria ideal usar uma nova variedade de uma planta autopolinizada; as plantas seriam muito similares geneticamente, e não haveria o risco de um cruzamento com outras variedades. Para começar, algumas plantas seriam cultivadas em dois ambientes bem diferentes, X e Y, e suas características morfológicas seriam registradas cuidadosamente. Algumas sementes do lote original seriam armazenadas sob baixa temperatura. Depois, um número bem grande de plantas seria cultivado no ambiente Y (seja numa estação, seja ao longo de diversas gerações). Subsequentemente, usando algumas das sementes originais que foram armazenadas a baixa temperatura, algumas plantas seriam cultivadas novamente no ambiente X. Agora, sua morfogênese deveria ser influenciada pela ressonância mórfica do grande número de plantas geneticamente similares cultivadas no ambiente Y. Consequentemente, deveriam mostrar mais semelhança com a morfologia do tipo Y do que as plantas originais do tipo X. Naturalmente, para uma comparação válida entre plantas cultivadas em ocasiões diferentes, seria necessário assegurar que as condições foram praticamente idênticas; isso seria impossível no campo, mas poderia ser feito com relativa facilidade num ambiente controlado, como um fitotron.

Se este resultado fosse obtido concretamente, proporcionaria evidência positiva para a hipótese da causação formativa, e seria inexplicável do ponto de vista das teorias convencionais.

7.7 A herança de características adquiridas

A influência de organismos prévios sobre organismos similares subsequentes pela ressonância mórfica daria origem a efeitos que não poderiam ocorrer caso a hereditariedade dependesse apenas da transferência de genes e outras estruturas materiais dos progenitores para sua prole. Esta possibilidade permite que a questão da "herança de características adquiridas" seja vista sob nova luz.

Na feroz controvérsia ao final do século XIX e no início do século XX, tanto os lamarckistas de um lado quanto os seguidores de Weismann e de Mendel por outro, presumiram que a hereditariedade dependia apenas do plasma germinal em geral ou dos genes em particular. Portanto, se características adquiridas por organismos em resposta ao ambiente devessem ser herdadas, o plasma germinal ou os genes teriam de passar por modificações específicas. Os antilamarckistas enfatizavam que tais modificações pareciam extremamente improváveis, se não impossíveis. Mesmo os próprios lamarckistas foram incapazes de sugerir algum mecanismo plausível pelo qual essas mudanças poderiam ocorrer.

Por outro lado, a teoria lamarckista parecia proporcionar uma explicação plausível para adaptações hereditárias em animais e plantas. Camelos, por exemplo, têm calosidades nos joelhos. É fácil entender que foram adquiridas como reação à abrasão da pele quando os camelos se ajoelham. Mas bebês camelos nascem com elas. Fatos deste tipo fariam sentido se, de algum modo, as características adquiridas se tornassem hereditárias.

No entanto, os neodarwinistas negam essa possibilidade, e oferecem uma interpretação alternativa em termos de mutações aleatórias: se organismos com as características adquiridas em questão são favorecidos pela seleção natural, mutações aleatórias que acabam produzindo as mesmas características sem a necessidade de adquiri-las também serão favorecidas pela seleção natural, e por isso as características vão se tornar hereditárias. Essa simulação hipotética da herança das características adquiridas é chamada às vezes de efeito Baldwin, nome de um dos teóricos evolucionistas que a sugeriu pela primeira vez.[9]

No início do século XX, dezenas de cientistas afirmavam ter demonstrado uma herança de características adquiridas em várias espécies de animais e plantas.[10] Os antilamarckistas responderam com contraexemplos, citando o conhecido experimento de Weismann, no qual ele cortou as caudas de camundongos durante 22 gerações sucessivas e descobriu que sua prole ainda desenvolvia caudas. Outro argumento chamava a atenção para o fato de que depois de muitas gerações de circuncisão, os judeus ainda nascem com prepúcios.

Depois do suicídio de um dos principais lamarckistas, Paul Kammerer, em 1926, o mendelismo tornou-se estabelecido no Ocidente como uma ortodoxia quase sem oponentes.[11] Enquanto isso, na União Soviética, os adeptos da herança das características adquiridas, liderados por Trofim Lysenko, ganharam o controle do *establishment* biológico na década de 1930 e mantiveram-se dominantes até 1964. Nesse período, muitos de seus oponentes mendelianos foram perseguidos cruelmente.[12] Essa polarização resultou em ressentimento e dogmatismo de ambos os lados.

7.8 Herança epigenética

Há hoje fortes evidências de que características adquiridas podem, de fato, ser herdadas. Apesar do tabu contra a herança lamarckista no Ocidente, mais e mais exemplos da herança de características adquiridas continuam a se acumular. Por exemplo, na década de 1960 o botânico britânico Alan Durrant descobriu que quando plantas de linho eram cultivadas com tipos variados de fertilizante, não apenas cresciam de forma diferente como essas diferenças eram herdadas por sua prole, mesmo quando todas eram cultivadas sob as mesmas condições. Algumas linhas eram maiores do que o normal, outras eram menores, e havia ainda diferenças herdadas na hirsutez das sementes. Essas diferenças persistiam por muitas gerações.[13]

Tais casos, apesar de bem documentados, geralmente eram ignorados. Entretanto, o tabu começou a ser eliminado na virada do milênio, com o reconhecimento generalizado da *epigenética*. Num estudo revolucionário com camundongos, Randy Jirtle e Robert Waterford da Duke University descobriram que camundongos da linha agouti, que são gordos, amarelados e propensos a doenças, poderiam ser transformados alterando-se a dieta das mães, começando-se logo antes da concepção. Depois que as mães receberam um suplemento alimentar derivado da soja, muitos de seus filhotes nasceram esguios, amarronzados e longevos. No entanto, não houve alteração em sua sequência de DNA; o que houve foi que a expressão do gene agouti fora modificada epigeneticamente. Agora, sabe-se que tais mudanças podem ser passadas para gerações subsequentes.[14] Mudanças epigenéticas nem sempre são apagadas quando os espermatozoides e os óvulos são formados, como presumiram os biólogos durante décadas.

Analogamente, pela herança epigenética, os efeitos das toxinas podem durar décadas. Num estudo da Washington State University, Michael Skinner e seus colegas descobriram que quando ratazanas grávidas eram expostas a um fungicida agrícola comumente usado, o desenvolvimento dos testículos de seus filhotes era prejudicado, e mais tarde eles apresentavam uma contagem baixa de espermatozoides. *Seus* filhotes também tinham contagens baixas de espermatozoides, e este efeito foi passado de pais para filhos durante quatro gerações.[15]

Efeitos epigenéticos também ocorrem em invertebrados como a *Daphnia*, a pulga-d'água. Quando há predadores por perto, as pulgas-d'água desenvolvem longos espinhos defensivos. Quando se reproduzem, sua prole também exibe esses espinhos, mesmo que não tenha sido exposta a predadores.[16]

Há muitos exemplos de herança epigenética em seres humanos. Por exemplo, mulheres que estavam grávidas quando a carestia atingiu a Holanda no final da Segunda Guerra Mundial deram à luz bebês desnutridos e abaixo do peso. Quando estes bebês cresceram, também tiveram bebês com peso geralmente abaixo do normal. Um estudo feito na Suécia com homens nascidos entre 1890 e 1920 mostrou que sua nutrição na infância afetou a incidência de diabetes e de doenças cardíacas em seus netos. E muitas doenças comuns que são herdadas dentro de famílias podem ser passadas epigeneticamente.[17] O Projeto do Epigenoma Humano foi lançado em 2003 e está ajudando a coordenar pesquisas neste campo de investigação, que tem crescido rapidamente.[18]

O prefixo "epi" significa "sobre", "acima". A herança epigenética não envolve mudanças nos genes, mas mudanças na expressão genética. Por exemplo, mudanças na configuração da cromatina – o complexo de DNA e proteínas que forma a estrutura dos cromossomos – pode ser transmitida da célula-mãe para a célula-filha. Quando essas mudanças são transmitidas pelos óvulos ou pelos espermatozoides, são herdadas. Em outras palavras, a atividade genética pode ser modificada por herança sem haver mutação. Outro tipo de mudança epigenética, às vezes chamada de impressão genômica, envolve a metilação de moléculas de DNA. Há uma mudança química herdável no próprio DNA, mas os genes subjacentes permanecem os mesmos. Um terceiro tipo de herança epigenética depende de alterações no citoplasma, herdadas através dos óvulos, e portanto apenas das mães. À luz da epigenética, as evidências para a herança de características adquiridas que antes foram rejeitadas ou ignoradas foram reabilitadas.[19]

A hipótese da causação formativa aceita a herança de características adquiridas através da ressonância mórfica, sem a necessidade de alterações genéticas ou mesmo de herança epigenética. Ela complementa, e não contradiz, esses dois tipos de herança, e pode ser distinguida de ambos por experimentos, como discutido a seguir.

De modo geral, quando caminhos da morfogênese são alterados por fatores ambientais ou genéticos, processos similares de morfogênese em organismos similares subsequentes tenderão a ser canalizados e estabilizados pela ressonância mórfica. A força dessa influência vai depender da especificidade da ressonância e do número de organismos similares anteriores cuja morfogênese foi alterada; este número tenderá a ser grande se as alterações forem favorecidas pela seleção natural ou artificial, e pequeno se não o forem.

Mutilações de estruturas plenamente formadas não alteram seus caminhos morfogenéticos a menos que elas se regenerem. Logo, mutilações de estruturas que não se regeneram não deveriam influenciar o desenvolvimento de organismos subsequentes pela ressonância mórfica. Essa conclusão está de acordo com as descobertas de que a amputação das caudas dos camundongos e a circuncisão dos judeus não têm efeitos hereditários significativos.

7.9 Experimentos com fenocópias

C. H. Waddington introduziu o termo "epigenética" na biologia na década de 1940. Em seu laboratório na University of Edinburgh na década de 1950, ele deu início àquela que ainda é uma das mais interessantes e importantes linhas de investigação sobre a herança de características adquiridas, usando fenocópias de moscas-das-frutas. Fenocópias são organismos cujas características se assemelham àquelas produzidas por mutações genéticas, mas que surgem como resposta a uma mudança no ambiente. Por exemplo, a mosca-das-frutas com quatro asas mostrada na Fig. 17B tem uma mutação no complexo genético "bitórax". Expor os óvulos de moscas-das-frutas normais, com duas asas, a vapor de éter três horas depois de terem sido postos pode produzir moscas com quatro asas, também conhecidas como moscas bitórax. Este efeito ocorreu não porque o éter induziu mutações específicas no DNA, mas porque ele perturbou o caminho normal do desenvolvimento, assim como a exposição de embriões humanos à talidomida resultou em membros anormais.

Waddington descobriu que ao expor ovos de moscas-das-frutas ao éter, geração após geração, a proporção de moscas bitórax aumentava: as fenocópias ficavam mais frequentes. Após 29 gerações, parte da prole dessas moscas mostrava a característica bitórax sem qualquer exposição ao éter. Waddington chamou este fenômeno de "assimilação genética". Uma característica que foi adquirida em resposta a um ambiente alterado tornara-se hereditária.[20] Nas palavras de Waddington: "Todos estes experimentos demonstram que se a seleção tem lugar para a ocorrência de uma característica adquirida num dado ambiente anormal, as linhagens selecionadas resultantes estarão sujeitas a exibir essa característica mesmo quando transferidas de volta ao ambiente normal".[21]

Como nessa interpretação em termos da seleção natural, com ares ortodoxos, Waddington considerou a possibilidade de que alguma influência física ou química das estruturas alteradas nas moscas anormais poderia ter induzido modificações herdáveis em seus genes,[22] mas ele a rejeitou porque as doutrinas da biologia molecular prevalecentes na época não ofereciam um mecanismo plausível para que essas modificações ocorressem.[23] Sua interpretação final enfatizou tanto o papel da seleção para o potencial genético de reação ao estresse ambiental por meio de um desenvolvimento anormal quanto à "canalização do desenvolvimento" envolvida na morfogênese modificada. "Usando uma linguagem um tanto quanto pitoresca, pode-se dizer que a seleção não só rebaixou o limiar, como determinou em que direção o sistema em desenvolvimento iria assim que atravessasse o limiar."[24] O próprio Waddington criou a palavra *creodo* para expressar a ideia de um desenvolvimento dirigido, canalizado (Fig. 5). Ele imaginou a determinação da direção seguida por um creodo em termos de sua "sintonia". Mas ele não explicou como surgiram essa canalização e essa "sintonia", limitando-se a fazer a vaga sugestão de que, de algum modo, elas dependiam da seleção dos genes.[25]

A hipótese da causação formativa complementa a interpretação de Waddington: os creodos e as formas finais para as quais se dirigem dependem da ressonância mórfica de organismos similares anteriores; a herança de características adquiridas do tipo estudado por Waddington depende da seleção genética *e* de uma influência direta, por meio de ressonância mórfica, dos organismos cujo desenvolvimento foi modificado como reação a ambientes anormais. A herança epigenética também pode ter seu papel.

Mae-wan Ho e seus colegas na Open University da Inglaterra repetiram os experimentos de Waddington na década de 1980,[26] mas, ao contrário de Waddington, usaram uma linhagem natural de moscas-das-frutas com pouquíssima variabilidade genética, por isso houve um escopo muito limitado para efeitos da seleção genética. Eles também não selecionaram moscas bitórax como progenitores da geração seguinte; a grande maioria dos progenitores tinha aparência normal. Contudo, na ausência de efeitos da seleção genética, eles descobriram que tratar os ovos com éter, geração após geração, levou a um aumento na proporção das moscas bitórax. Após dez gerações, algumas das moscas que nasceram de ovos não tratados eram bitórax, assim como seus descendentes, também sem tratamento com éter. Quanto mais as moscas se desenvolviam anormalmente, mais provável o surgimento de fenocópias bitórax.

Experimentos na Stanford University na década de 1990 também mostraram que a proporção de fenocópias bitórax aumentou progressivamente em gerações sucessivas tratadas com éter.[27]

A mais notável descoberta do laboratório de Ho foi que quando as moscas experimentais tinham sido tratadas com éter por seis gerações, novos lotes de moscas cujos progenitores nunca foram expostos ao éter reagiram mais intensamente ao mesmo tratamento com éter: na primeira geração, 10% da prole era bitorácica, e na segunda 20%, comparada com 2% e 6% na primeira e na segunda geração da linha experimental original. Em outras palavras, as fenocópias tornaram-se mais prováveis depois que moscas similares haviam desenvolvido a fenocópia bitorácica, mesmo em moscas cujos ancestrais nunca tinham sido expostos ao éter. Este resultado seria esperado com base na ressonância mórfica, mas não em alguma outra hipótese.

Ao estabelecer novos experimentos para testar a ressonância mórfica com moscas-das-frutas, duas linhas poderiam ser comparadas. Numa delas, E, as moscas descenderiam de progenitores estressados, e os ovos seriam tratados com éter em todas as gerações; na outra, F, os ovos tratados com éter viriam de progenitores não estressados, todos eles com ancestrais também não estressados (Fig. 20). Se a ressonância mórfica funciona, a frequência das fenocópias deveria aumentar em ambas as linhas, mas este efeito seria mais forte na linha E por causa da combinação entre ressonância mórfica e herança epigenética.

A HERANÇA DA FORMA

Na década de 1930, Richard Goldschmidt, um dos mais brilhantes geneticistas de sua geração, descobriu que nas moscas-das-frutas "é possível produzir praticamente todos os tipos conhecidos de mutantes como fenocópias pela ação de graus variados de choque térmico durante os períodos sensíveis da pupa".[28] Waddington deu continuidade às observações de Goldschmidt estudando os efeitos do choque térmico nas pupas de moscas-das-frutas, analisando o desenvolvimento de veias nas asas. Ele descobriu que expor pupas com 22 horas de idade a uma temperatura de 40ºC fazia com que algumas delas desenvolvessem fenocópias "sem veias cruzadas". Em gerações sucessivas a proporção aumentou. Após quinze gerações, mais de 90% das moscas tinham asas sem veias cruzadas. A partir da décima quarta geração, algumas das pupas não tratadas também desenvolveram asas sem veias cruzadas.[29]

Fenocópias ocorrem em muitos outros animais, inclusive borboletas. Os padrões das asas das borboletas são particularmente sensíveis a choques por

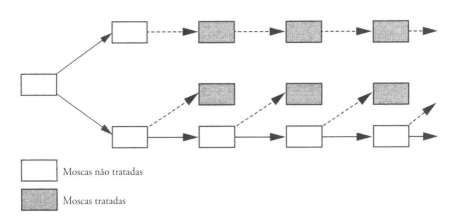

Figura 20 Representação diagramática de um experimento com uma linhagem inata de moscas-das-frutas comparando o efeito do tratamento de seus ovos com éter (linhas tracejadas) em gerações sucessivas de moscas descendentes de progenitores tratados com éter (acima) com linhagens de controle (abaixo). Se a proporção de fenocópias aumentasse em gerações sucessivas da linhagem de controle, isto indicaria um efeito de ressonância mórfica. Um aumento na linhagem de teste, com moscas descendendo de progenitores tratados com éter, poderia ser devido a uma combinação de ressonância mórfica e herança epigenética.

calor ou frio. Por exemplo, quando as pupas da *Vanessa urticae* da Europa Central foram expostas a baixas temperaturas, algumas produziram adultos com padrões de asas indistinguíveis da *Vanessa polaris* encontrada na Lapônia.[30] Além disso, uma ampla variedade de plantas, inclusive algas e hepáticas, formaram fenocópias como resposta a alterações físicas ou químicas em seu ambiente.[31]

As fenocópias são de grande interesse por si sós, e proporcionam muitas oportunidades de pesquisa no papel da ressonância mórfica na morfogênese.

Capítulo 8

A EVOLUÇÃO DAS FORMAS BIOLÓGICAS

8.1 A teoria neodarwinista da evolução

Muito pouco se sabe de fato, ou se chegará a saber um dia, sobre detalhes da evolução no passado. Tampouco a evolução é prontamente observável na atualidade. Mesmo numa escala de tempo medida em milhões de anos, a origem de novas espécies é rara, e de gêneros, famílias e ordens, mais rara ainda. As mudanças evolutivas que chegaram a ser efetivamente observadas envolvem principalmente o desenvolvimento de novas variedades ou raças dentro de espécies estabelecidas. Os exemplos mais conhecidos são o surgimento de raças escuras de diversas mariposas europeias em áreas onde a poluição industrial levou ao escurecimento das superfícies nas quais elas pousam. Mutantes escuras seriam favorecidas pela seleção natural porque ficavam melhor camufladas e portanto menos sujeitas a aves predadoras. Mas mesmo o exemplo dado nos manuais, o da mariposa apimentada, revelou-se questionável; a evidência tão comentada inclui fotos enganadoras e experimentos defeituosos.[1]

Com evidências diretas tão escassas, e com possibilidades tão limitadas de testes experimentais, qualquer interpretação do mecanismo da evolução está destinado a ser especulativo: sem as restrições de fatos detalhados, consistirá principalmente de uma elaboração de suas premissas iniciais sobre a natureza da herança e as fontes da variação herdável.

A interpretação ortodoxa é proporcionada pela teoria neodarwiniana, que difere da teoria darwiniana original em dois pontos importantes: primeiro, nega a herança dos hábitos, que Darwin aceitava; assevera que a hereditariedade é essencialmente genética. Segundo, presume que a fonte suprema da variabilidade herdável são mutações aleatórias do material genético.

A maioria dos teóricos neodarwinianos presume que a evolução divergente sob a influência da seleção natural durante longos períodos vai levar não apenas ao desenvolvimento de novas variedades e subespécies, como também a novas espécies, gêneros e famílias.[2] Esta posição tem sido questionada com a alegação de que as diferenças entre essas divisões taxonômicas superiores são grandes demais para terem surgido por meio de transformações graduais; além do mais, os organismos costumam diferir no número e na estrutura de seus cromossomos. Diversos autores sugeriram que essas mudanças evolutivas em grande escala ocorrem subitamente como resultado de macromutações. Plantas e animais monstruosos nos quais estruturas foram transformadas, reduplicadas ou suprimidas proporcionam exemplos contemporâneos de tais mudanças repentinas. Ocasionalmente, no curso da evolução, "monstros esperançosos" poderiam ter sobrevivido e se reproduzido.[3] Um argumento a favor dessa posição é que enquanto as mudanças graduais sob a pressão da seleção deveriam resultar em formas com um valor adaptativo definido (exceto, talvez, em pequenas populações sujeitas à "deriva genética"), macromutações poderiam produzir todo tipo de variações em larga escala, aparentemente gratuitas, que só seriam eliminadas pela seleção natural caso fossem positivamente nocivas, ajudando, portanto, a justificar a prodigiosa diversidade de organismos vivos.[4]

Embora esses autores enfatizem a importância de mudanças grandes e repentinas, eles não discordam com as premissas ortodoxas que alegam que a evolução como um todo depende apenas de mutações aleatórias e herança genética, em combinação com a seleção natural.

Críticos mais radicais fazem objeção à premissa mecanicista implícita ou explícita de que a evolução como um todo é inteiramente despropositada.[5]

A negação metafísica de qualquer agente ou propósito criador no processo evolutivo decorre da filosofia do materialismo, com a qual a teoria neodarwiniana está intimamente associada.[6] Mas a menos que questões científicas e metafísicas tornem-se irremediavelmente confundidas, no contexto da ciência a teoria neodarwiniana não deve ser tratada como um dogma metafísico, mas como uma hipótese científica. Como tal, não pode ser tida como comprovada: na melhor das hipóteses, oferece uma interpretação plausível dos processos de evolução com base em suas premissas sobre herança genética e a aleatoriedade das mutações.

A hipótese da causação formativa permite que a hereditariedade seja vista sob nova luz, levando, portanto, a uma interpretação diferente da evolução.

8.2 Mutações

Mudanças são impostas a organismos tanto de dentro, por mutações genéticas, como de fora, por alterações ambientais.

Mutações são mudanças acidentais na estrutura dos genes ou dos cromossomos, individualmente imprevisíveis não apenas na prática, como também em princípio, pois dependem de eventos probabilísticos. Muitas mutações têm efeitos que são tão deletérios quanto letais. Dentre as menos nocivas, algumas exercem influências quantitativas sobre caminhos de morfogênese, e dão origem a variantes das formas normais (Seção 7.3); outras afetam germes morfogenéticos de tal maneira que caminhos inteiros de morfogênese são bloqueados ou substituídos por outros caminhos (Seção 7.2).

Nos raros casos em que as mutações levam a mudanças que são favorecidas pela seleção natural, não apenas a proporção de genes mutantes tende a aumentar, de acordo com a teoria neodarwiniana, como também a repetição dos novos caminhos da morfogênese em números cada vez maiores de organismos irá reforçar os novos creodos: não só os "pools genéticos", como também os campos morfogenéticos de uma espécie irão mudar e evoluir como resultado da seleção natural.

8.3 A divergência dos creodos

Se uma mutação ou mudança ambiental perturba um caminho normal da morfogênese num estágio relativamente incipiente, o sistema pode conseguir regular-se e produzir uma forma final normal apesar dessa perturbação. Se este processo se repetir geração após geração, o desvio creódico será estabilizado pela ressonância mórfica; consequentemente, toda uma raça ou variedade de uma espécie passará a seguir um caminho morfogenético anormal embora ainda acabe tendo a forma adulta usual.

De fato, foram descritos muitos desses casos; são chamados "desvios temporários de desenvolvimento". Por exemplo, no verme turbelário *Prorhynchus stagnitilis*, as células dos ovos aderem em espiral ou de forma radial, e os embriões em desenvolvimento crescem dentro da gema ou em sua superfície. Devido a essas diferenças na embriologia incipiente, alguns dos órgãos formam-se em sequência diferente; entretanto, os animais adultos são idênticos. E numa espécie singular do verme anelídeo, *Nereis*, produzem-se dois tipos bem diferentes de larva; mas ambos assumem a mesma forma adulta.[7] Em alguns desses casos, os desvios temporários podem ser adaptativos às condições de vida da larva, por exemplo, mas na maioria eles ocorrem sem motivo aparente.

De significância muito maior são as divergências de creodos que não são corrigidos plenamente pela regulação e que, por isso, dão origem a formas finais diferentes. Tais mudanças no caminho do desenvolvimento podem surgir como resultado de mutações (Seção 7.3) ou de condições ambientais incomuns (Seção 7.6). No caso de mutação num ambiente inalterado, se a forma final desviada tiver uma vantagem seletiva, os genes mutantes aumentarão de frequência na população, e o novo creodo será cada vez mais reforçado pela ressonância mórfica. Em casos mais complicados, nos quais uma forma variante surge como resposta a condições ambientais incomuns e tem uma vantagem seletiva, o novo creodo será reforçado como antes, e, ao mesmo tempo, a seleção também irá operar em favor de organismos com a capacidade genética de reagir dessa forma (cf. os experimentos de Waddington com moscas-das-frutas, Seção 7.8). Assim, as características adquiridas tornar-se-ão hereditárias por meio de uma combinação de ressonância mórfica e seleção genética.

Sob condições naturais, a ação de diversas pressões seletivas sobre populações geográfica ou ecologicamente isoladas de uma espécie resultará na divergência tanto de seus "pools genéticos" quanto de seus creodos. De fato, incontáveis espécies de animais e plantas têm divergido em raças e variedades genética e morfologicamente distintas; exemplos familiares são dados por animais domésticos e plantas cultivadas.[8] Pense, por exemplo, nas raças caninas espantosamente diversificadas, indo do galgo-afegão ao pequinês, e nas variedades de repolho, *Brassica oleracea*, como a couve-galega, a couve-lombarda, a couve-de-bruxelas, o brócolis e a couve-flor.

Em alguns casos, a divergência morfológica afeta apenas uma estrutura específica ou um pequeno grupo de estruturas, enquanto outras permanecem relativamente inalteradas. Por exemplo, as mandíbulas do pequeno peixe *Belone acus*, em seus primeiros estágios de desenvolvimento, lembram as de espécies próximas, mas depois desenvolvem-se e tornam-se uma tromba imensamente longa.[9]

Muitos exageros estruturais desenvolveram-se sob a influência da seleção sexual, como os chifres dos veados. E as flores proporcionam milhares de exemplos do desenvolvimento divergente de diversas partes componentes: compare, por exemplo, as modificações das pétalas nos diversos tipos de orquídeas.

Em outros casos, a forma de muitas estruturas diferentes mudou de maneira correlata. Com efeito, se as formas variam de maneira uniforme e harmoniosa, podem ser comparadas diagramaticamente pela distorção sistemática de coordenadas superpostas (Fig. 21), como *sir* D'Arcy Thompson mostrou no capítulo de seu ensaio *On Growth and Form* [Sobre o Crescimento e a Forma], intitulado "A Teoria das Transformações, ou a Comparação de Formas Relacionadas".

Esses tipos de mudança evolutiva ocorrem no contexto de campos morfogenéticos já existentes. Eles produzem variações em determinados temas. Mas não podem explicar os temas propriamente ditos. Nas palavras de Thompson:

> *Não podemos* transformar um invertebrado em vertebrado, nem um celenterado num verme, por qualquer deformação simples e legítima, nem por qualquer coisa que não a redução a princípios elementares... A semelhança formal, da qual dependemos como guia confiável para as afinidades de animais dentro de certos limites ou graus de parentesco e afinidade, deixa de nos servir em alguns outros casos, pois sob certas circunstâncias ela deixa de existir. Nossas analogias geométricas pesam fortemente contra o conceito de Darwin sobre pequenas e intermináveis variações contínuas; ajudam a mostrar que variações descontínuas são uma coisa natural, que... mudanças repentinas, maiores ou menores, acabam acontecendo, e novos "tipos" surgem aqui e ali.[10]

8.4 A supressão dos creodos

Se a divergência de creodos em campos morfogenéticos existentes permite variações contínuas ou quantitativas de forma, mudanças no desenvolvimento envolvendo a supressão de creodos ou a substituição de um creodo por outro resultam em descontinuidades qualitativas. Segundo a hipótese da causação

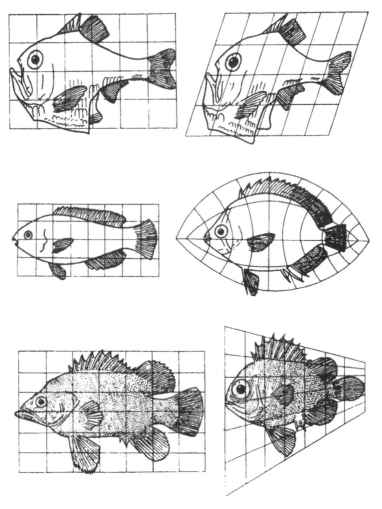

Figura 21 Comparação de formas de diversas espécies de peixes. (De Thompson, 1942. Reproduzido por cortesia da Cambridge University Press.)

formativa, esses efeitos são causados por mutações homeóticas ou fatores ambientais que alteram germes morfogenéticos (Seção 7.2). Exemplos de folhas de ervilha mutante nas quais os folíolos são substituídos por gavinhas são mostrados na Fig. 18, e um mutante bitorácico da *Drosophila* na Fig. 17.

Mudanças desses tipos provavelmente ocorreram com frequência no curso da evolução. Por exemplo, em certas espécies de *Acacia*, as folhas foram suprimidas e seu papel assumido por galhos folhares achatados. Este processo pode ser visto nos brotos, nos quais as primeiras folhas são tipicamente pinuladas (Fig. 22).

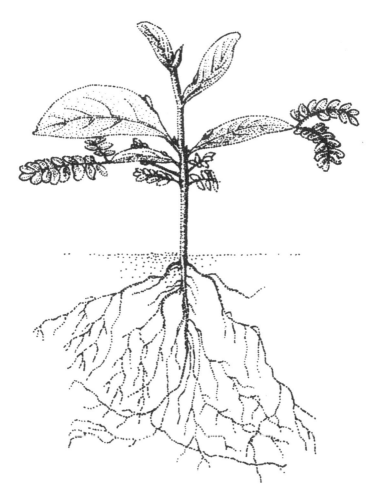

Figura 22 Broto da espécie *Acacia*. (Segundo Goebel, 1898.)

Em membros da família dos cactos, espinhos substituíram folhas. Entre insetos, em quase todas as ordens há espécies nas quais as asas foram suprimidas em ambos os sexos, como em certas moscas parasitas, ou apenas num sexo, como no caso da fêmea do vaga-lume. No caso das formigas, larvas fêmeas desenvolveram-se em rainhas aladas ou em operárias sem asas em função da constituição química de sua alimentação.

Em algumas espécies, formas juvenis tornam-se sexualmente maduras e reproduzem sem jamais produzir as estruturas características do adulto, que sofrem um "curto-circuito", por assim dizer. O exemplo clássico é o do axolotl, um girino da salamandra-tigre que atinge seu tamanho adulto e torna-se sexualmente maduro sem perder suas características de larva. Se os axolotls recebem hormônio da tireoide, metamorfoseiam-se na forma adulta, que respira ar, e vão da água para a terra.

Os exemplos mais extremos da supressão de creodos são encontrados entre parasitas, alguns dos quais perderam quase todas as estruturas características de formas livres similares.

8.5 A repetição dos creodos

Em todos os organismos multicelulares, algumas estruturas se repetem várias ou muitas vezes: os tentáculos da *Hydra*, os braços da estrela-do-mar, as pernas da centopeia, as penas das aves, as folhas das árvores, e assim por diante. Além disso, muitos órgãos são formados por unidades estruturais repetidas: os túbulos dos rins, os segmentos das frutas, etc. E, naturalmente, tecidos contêm milhões ou bilhões de alguns tipos de células.

Se, em função de mutações ou de mudanças ambientais, germes morfogenéticos extras forem formados em organismos em desenvolvimento, então certas estruturas podem se repetir mais do que o normal. Um exemplo familiar da horticultura é o de flores "duplas", contendo pétalas adicionais. Às vezes, nascem bebês humanos com dedos extras nas mãos ou nos pés. E muitos exemplos de estruturas anormalmente reduplicadas podem ser encontrados nos textos fundamentais da teratologia, que vão de bezerros com duas cabeças a monstruosas peras múltiplas (Fig. 23).

Quando essas estruturas adicionais se desenvolvem, a regulação ocorre de modo a integrá-las de forma mais ou menos completa com o resto do organismo: por exemplo, pétalas em flores duplas têm conexões vasculares normais, e dedos extras tem enervações e suprimento sanguíneo adequados.

A reduplicação de unidades estruturais deve ter tido um papel essencial na evolução de novos tipos de animais e plantas, como mostram as repetições

A EVOLUÇÃO DAS FORMAS BIOLÓGICAS

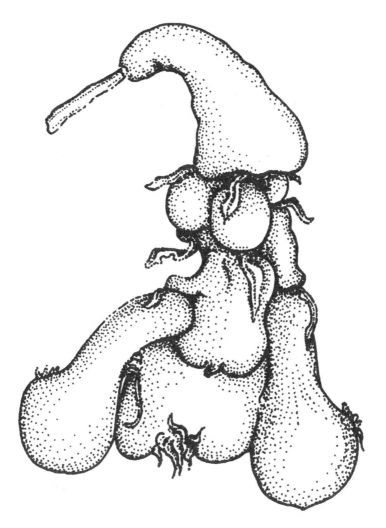

Figura 23 Uma pera monstruosa. (Segundo Masters, 1869.)

estruturais em organismos existentes. Além disso, muitas das estruturas de animais e plantas que agora diferem umas das outras podem muito bem ter evoluído de unidades originalmente similares. Por exemplo, acredita-se que insetos teriam se desenvolvido de criaturas semelhantes a centopeias primitivas, com uma série de segmentos mais ou menos idênticos, cada um com um par de apêndices semelhantes a pernas. Os apêndices dos segmentos frontais podem ter dado origem à boca e às antenas, enquanto alguns segmentos se fundiram para formar a cabeça. Na extremidade posterior, alguns dos apêndices podem ter se modificado para produzir estruturas relacionadas ao acasalamento e à manipulação dos óvulos. Nos segmentos abdominais, os apêndices foram suprimidos, mas nos três segmentos torácicos foram mantidos e tornaram-se as pernas dos insetos modernos.[11]

Essa divergência em creodos que originalmente eram similares só teria sido possível se os germes morfogenéticos segmentais se tornassem diferenciados uns dos outros em sua estrutura; do contrário, teriam todos se mantido associados por meio da ressonância mórfica com os mesmos campos morfogenéticos. Mesmo nos insetos modernos, se esta diversificação do primórdio segmental não ocorre durante os estágios iniciais da embriologia, as diferenças normais entre segmentos se perdem. É isso que acontece na mosca-das-frutas *Drosophila* como resultado de mutações homeóticas no complexo dos genes bitorácicos: algumas transformam as estruturas do terceiro segmento torácico naquelas do segundo, e por isso a mosca tem dois pares de asas no lugar de um (Fig. 17); algumas transformam segmentos abdominais em segmentos do tipo torácico, com pernas; e outras têm efeito inverso, transformando segmentos torácicos em segmentos do tipo abdominal.[12]

8.6 A influência de outras espécies

Criadores experientes de animais e de plantas há muito perceberam que variedades cultivadas de tempos em tempos têm progênie que se assemelha ao tipo selvagem original. Além disso, quando duas variedades cultivadas distintas eram cruzadas, as características da prole às vezes não se assemelhavam a nenhum dos tipos parentais, mas de seus ancestrais selvagens. Este fenômeno foi chamado de "reversão" ou "atavismo". Darwin interessou-se particularmente pelo fenômeno porque concordava com suas ideias sobre evolução e a herança de hábitos ancestrais.[13]

Num contexto evolutivo, algumas anomalias morfológicas podem ser imaginadas como reversões a padrões de desenvolvimento de espécies ancestrais mais ou menos remotas. Por exemplo, a formação de dois pares de asas em mutantes bitorácicas da *Drosophila* (Fig. 17) pode ser interpretada como um retorno aos ancestrais das moscas, com quatro asas.[14] Muitos outros exemplos de suposto atavismo podem ser encontrados na literatura teratológica.[15] Naturalmente, tais interpretações só podem ser especulativas, mas não são necessariamente exageradas. Mutações ou fatores ambientais anormais poderiam dar origem a condições internas em tecidos embriônicos que se assemelham àqueles de tipos ancestrais, com consequências morfogenéticas similares.

Na maioria das plantas e animais, apenas uma pequena porção, menos de 5%, do DNA cromossômico contém genes que codificam as proteínas do organismo. A função da grande maioria do DNA é desconhecida. Parte deste DNA pode ter um papel no controle da síntese das proteínas; parte pode ter um papel estrutural nos cromossomos; e parte pode consistir de genes ancestrais "redundantes" que não se expressam mais. Foi sugerido que se uma mutação – devida, por exemplo, a um rearranjo da estrutura cromossômica – levar à expressão de tais genes "latentes", proteínas características de ancestrais remotos podem repentinamente voltar a ser produzidas, resultando, em alguns casos, no reaparecimento de estruturas há muito perdidas.[16]

Sob a ótica da hipótese da causação formativa, se uma dessas mudanças fizesse com que um germe morfogenético assumisse uma estrutura e um padrão vibracional semelhante ao de uma espécie ancestral, ela cairia sob a influência de um campo morfogenético dessa espécie, mesmo que todos os membros da espécie estivessem extintos há milhões de anos. Além disso, esse efeito não precisaria se confinar a tipos ancestrais. Se, como resultado da mutação (ou por qualquer outro motivo) uma estrutura de germe num organismo em desenvolvimento ficasse suficientemente semelhante a um germe morfogenético de outra espécie qualquer, contemporânea ou extinta, ela se "sintonizaria" com um creodo característico dessa outra espécie. E se as células fossem capazes de sintetizar proteínas apropriadas, então o sistema se desenvolveria sob sua influência.

No curso da evolução, às vezes estruturas bastante similares parecem ter surgido independentemente em linhas com relação mais ou menos distante. Por exemplo, entre as lesmas terrestres do Mediterrâneo – espécies pertencentes a gêneros bem diferenciados, identificáveis por sua genitália – têm cascas de forma e estrutura quase idênticas; gêneros de fósseis de amonitas mostram o repetido desenvolvimento paralelo de cascas com ranhuras e pontas; e padrões similares ou idênticos de asas ocorrem em famílias de borboletas bem diferentes.[17]

Se uma mutação resultasse na "sintonia" de um organismo com os creodos de outra espécie e no posterior desenvolvimento de estruturas características dessa outra espécie, em pouco tempo ela seria eliminada pela seleção natural caso essas estruturas reduzissem suas chances de sobrevivência. Por outro lado, se fosse favorecida pela seleção natural, a proporção de tais organismos na população tenderia a aumentar. As pressões da seleção que favoreceram seu aumento podem ser parecidas com aquelas que favoreceram a evolução original dessa característica específica na outra espécie. E às vezes a semelhança estrutural pode até ser favorecida por si mesma, precisamente porque permitiu ao organismo imitar membros de outra espécie. Desse modo, os paralelismos evolutivos podem depender tanto de uma espécie valer-se dos campos morfogenéticos de outra, e também de pressões seletivas paralelas.

8.7 A origem de novas formas

Segundo a hipótese da causação formativa, a ressonância mórfica e a herança genética respondem juntas pela repetição de padrões característicos de morfogênese em gerações sucessivas de plantas e animais. Características adquiridas em resposta ao ambiente podem se tornar hereditárias por intermédio de uma combinação de ressonância mórfica, epigenética e seleção genética.

A morfologia de organismos pode ser alterada por meio da supressão ou da repetição de creodos; e alguns exemplos notáveis de evolução paralela podem ser atribuídos à transferência de creodos de uma espécie para outra.

No entanto, nem a repetição, a modificação, a adição, a subtração ou a permutação de campos morfogenéticos existentes pode explicar a origem dos próprios campos. Durante o curso da evolução, unidades mórficas totalmente novas, juntamente com seus campos morfogenéticos, devem ter surgido: aquelas dos tipos básicos de células, tecidos e órgãos; de tipos fundamentalmente diferentes de plantas e animais inferiores e superiores, como musgos, samambaias, coníferas, aranhas, aves e animais; e de estruturas como penas e olhos.

Como discutido no Capítulo 12, a origem de novas formas pode ser atribuída à atividade criativa de um agente que permeia e transcende a natureza; ou a um ímpeto criativo imanente à natureza; ou ao acaso cego e sem propósito. Do ponto de vista das ciências naturais, a questão da criatividade evolutiva só pode ser deixada em aberto.

Capítulo 9

Movimentos e campos comportamentais

9.1 Introdução

A discussão dos capítulos anteriores tratou do papel da causação formativa na morfogênese. O tema deste capítulo e dos dois seguintes é o papel da causação formativa no controle do movimento e do comportamento.

Alguns dos movimentos de plantas e animais são espontâneos; isso significa que eles ocorrem na ausência de qualquer estímulo do ambiente. Naturalmente, os organismos reagem passivamente a forças físicas brutas – uma árvore pode ser arrancada pelo vento, ou um animal pode ser levado por uma correnteza de água – mas muitas reações são ativas, e não podem ser explicadas como efeitos físicos ou químicos grosseiros dos estímulos sobre o organismo como um todo: elas revelam a *sensibilidade* do organismo ao ambiente. Geralmente, essa sensibilidade depende de receptores ou órgãos especializados dos sentidos.

A base física e química da excitação desses receptores especializados por estímulos do ambiente já foram analisadas em detalhes; também o foram a fisiologia dos impulsos nervosos e o funcionamento dos músculos e de outras estruturas motoras. Mas muito pouco se conhece sobre o controle e a coordenação do comportamento.

Neste capítulo, sugiro que assim como a causação formativa organiza a morfogênese pelas estruturas de probabilidade dos campos que impõem padrão e ordem sobre processos energeticamente indeterminados, ela organiza movimentos, e portanto comportamento. As similaridades entre a morfogênese e o comportamento não são óbvias de imediato, mas são mais fáceis de se compreender no caso de plantas e de animais unicelulares como a *Amoeba* [ameba], cujos movimentos são essencialmente morfogenéticos. Estes serão considerados primeiro.

9.2 Os movimentos das plantas

Geralmente, as plantas se movimentam pelo crescimento.[1] Este fato fica mais fácil de se apreciar quando são vistas em filmes com imagem acelerada: brotos se esticam e se curvam na direção da luz; as raízes se lançam solo adentro; e as pontas das gavinhas e de garras trepadeiras descrevem grandes espirais no ar até fazerem contato com um suporte sólido e se enrolarem nele.[2]

O crescimento e o desenvolvimento das plantas ocorre sob o controle de seus campos morfogenéticos, que lhes dão suas formas características. Mas a orientação desse crescimento é determinada, em grande parte, pelo estímulo direcional da gravidade e da luz. Fatores ambientais também influenciam o tipo de desenvolvimento: com pouca luz, por exemplo, as plantas tornam-se estioladas; seus brotos crescem com mais rapidez e mais finos até obterem luz mais intensa.

A gravidade é "sentida" por meio de seus efeitos sobre grãos de amido, que rolam para baixo e se acumulam nas partes mais baixas das células.[3] A direção da qual a luz provém é detectada pela absorção diferencial de energia radiante dos lados iluminado e sombrio dos órgãos por um pigmento careto-noide amarelo.[4] A sensação de "tato" pela qual os ramos e gavinhas de trepa-deiras localizam suportes sólidos pode envolver a liberação de uma substância química simples, o etileno, pelas células da superfície quando estão estimuladas mecanicamente.[5] A mudança do crescimento estiolado para o normal depende da absorção de luz por um pigmento azul de proteína chamado fitocromo.[6]

As reações a esses estímulos envolvem complicadas mudanças físicas e químicas dentro das células e tecidos, e em alguns casos depende da distribui-ção diferencial de hormônios como a auxina. No entanto, as reações não podem ser explicadas apenas sob a ótica dessas mudanças físicas e químicas, e só podem ser compreendidas no contexto dos campos morfogenéticos gerais das plantas. Por exemplo, devido à sua polaridade inerente, as plantas produ-zem brotos de um lado e raízes do outro. O estímulo direcional da gravidade orienta esse desenvolvimento polarizado para que os brotos cresçam para cima e as raízes para baixo. A ação do campo gravitacional sobre os grãos de amido dentro das células e as consequentes mudanças na distribuição hormonal são, de fato, causas desses movimentos de crescimento orientado, mas não podem, por si sós, justificar a polaridade preexistente; tampouco o fato de que os principais brotos e raízes reagem no sentido exatamente oposto; nem o fato de que algumas plantas crescem e se tornam árvores, enquanto outras são ervas anuais ou perenes, trepadeiras ou vinhas; nem os padrões específicos de ramificação nos sistemas de galhos e de raízes das diversas espécies, como os padrões segundo os quais eles se espalham – a forma ereta de um choupo da Lombardia é bem diferente da forma de um carvalho inglês. Todas essas características dependem dos campos morfogenéticos.

Embora a maioria dos movimentos das plantas ocorra apenas em órgãos jovens e em crescimento, algumas estruturas mantêm a habilidade de se mover mesmo quando estão maduras, como as flores que se abrem e se fecham todos os dias, e folhas que se dobram à noite. Esses movimentos são influenciados pela intensidade da luz e por outros fatores ambientais; eles também estão sob o controle de um "relógio fisiológico" e continuam a ocorrer em intervalos aproximadamente diários, mesmo se as plantas forem postas num ambiente sem mudanças.[7] As folhas ou pétalas se abrem porque células especializadas na região da "dobradiça" em suas bases ficam túrgidas; elas fecham quando essas células perdem água devido a mudanças na permeabilidade de suas membranas para íons inorgânicos.[8] A retomada da turgidez é um processo ativo e que requer energia, comparável ao crescimento.

Além de fazer movimentos de "sono", as folhas de algumas espécies se movem no decorrer do dia em resposta à posição do Sol. Por exemplo, no guandu, *Cajanus cajan*, os folíolos expostos ao sol se orientam mais ou menos paralelos aos raios do Sol, expondo a menor área superficial à intensa radiação tropical. Mas as folhas na sombra orientam-se em ângulos retos à radiação incidente, interceptando assim a maior quantidade possível de luz. Essas reações dependem da direção e da intensidade da luz que recai sobre as juntas especializadas das folhas, os pulvinos. Ao longo do dia, as folhas e os folíolos estão ajustando continuamente suas posições enquanto o Sol se move pelo céu. À noite, eles assumem sua posição vertical de "sono": os pulvinos são sensíveis à gravidade, bem como à luz.

Na dormideira, *Mimosa pudica*, os folíolos se fecham e as folhas apontam para baixo à noite, tal como em muitas outras leguminosas. Mas esses movimentos também ocorrem rapidamente durante o dia como reação a estímulo mecânico (Fig. 24). O estímulo faz com que uma onda de despolarização elétrica, semelhante a um impulso nervoso, passe pela folha; se o estímulo for suficientemente forte, o impulso se espalha para outras folhas, que também se dobram.[9] De modo análogo, na dioneia, *Dionaea muscipula*, o estímulo mecânico dos pelos sensíveis na superfície da folha faz com que um impulso elétrico vá até as células túrgidas de "dobradiça", que perdem água rapidamente; a folha se fecha como uma armadilha ao redor de insetos indefesos, que então são digeridos.[10]

Esses movimentos de folhas e de folíolos em reação à luz, gravidade e estímulo mecânico são possíveis pelo fato de que células especializadas conseguem perder água e depois "crescem" novamente; consequentemente, mantêm um potencial morfogenético simplificado, enquanto o da maioria dos outros

Figura 24 Folhas da dormideira, *Mimosa pudica*. À esquerda, sem estímulo; à direita, estimulada.

tecidos é perdido quando elas amadurecem e deixam de crescer. Os movimentos reversíveis dessas estruturas especializadas são casos limitadores de morfogênese nos quais as mudanças de forma tornaram-se estereotipadas e repetitivas. Mas sua simplicidade semimecanicista é evolutivamente secundária, não primária; ela evoluiu de um segundo plano no qual a sensibilidade a estímulos ambientais está associada ao crescimento e morfogênese da planta como um todo.

9.3 Movimento ameboide

As amebas se movem pelo fluxo maciço de seu citoplasma para projeções chamadas pseudópodes. Normalmente, deslizam pela superfície de objetos sólidos com a extensão continuada de suas extremidades frontais. Mas se os pseudópodes são tocados, ou se encontram calor ou fortes soluções de substâncias químicas, eles param de crescer; outros se desenvolvem, por sua vez, e assim as células mudam de rumo. Se os novos pseudópodes encontram novamente algum estímulo potencialmente nocivo, eles param, e a ameba se move em outra direção. Esse sistema de "tentativa e erro" continua até ela encontrar um caminho sem obstáculos ou estímulos desfavoráveis.[11]

Em amebas que flutuam livremente e não estão expostas a nenhum estímulo direcional em particular, não existe uma orientação de crescimento consistente; os pseudópodes continuam a se desenvolver em várias direções até que um deles entra em contato com uma superfície ao longo da qual pode rastejar (Fig. 25).

A extensão dos pseudópodes ocorre presumivelmente sob a influência de um campo morfogenético polarizado e específico. A orientação na qual os novos pseudópodes começam a se formar pode depender, em grande parte, de flutuações aleatórias dentro da célula; os pseudópodes virtuais projetados para fora do corpo da célula se formam concretamente por meio da organização de filamentos contráteis e de outras estruturas do citoplasma. Este processo continua até o desenvolvimento dos pseudópodes ser inibido por estímulos do ambiente, ou pela competição com pseudópodes que crescem em outras direções.

O fato de os movimentos ameboides dependerem de processos morfogenéticos contínuos é adequadamente indicado no nome específico da *Amoeba proteus*, pela alusão à mítica divindade marítima que muda de uma forma para outra.

Figura 25 Método pelo qual uma ameba flutuante passa para uma superfície sólida. (Segundo Jennings, 1906.)

As amebas se alimentam engolfando partículas de alimentos, como bactérias, pelo processo de fagocitose: pseudópodes crescem ao redor da partícula que está em contato com a superfície da célula; as membranas dos pseudópodes se fundem e a partícula vai para dentro da célula, cercada por uma parte da membrana celular. Outras vesículas contendo enzimas digestivas fundem-se com essa vesícula fagocitótica e o alimento é digerido. Este tipo de morfogênese é distinto daquele relativo à locomoção celular, e presumivelmente ocorre sob a influência de um campo morfogenético diferente, cuja orientação depende do contato da partícula potencial de alimento com a membrana. Esta partícula em contato com a membrana pode ser considerada como germe morfogenético; a forma final é a partícula engolfada dentro da célula. O creodo da fagocitose que leva a essa forma final é dado pela ressonância mórfica de todos os atos similares de fagocitose realizados por amebas similares no passado.

9.4 A morfogênese repetitiva de estruturas especializadas

Os movimentos da maioria dos animais dependem da mudança de forma de certas estruturas especializadas, e não do corpo como um todo.

A agitação de apêndices externos semelhantes a chicotes, flagelos ou cílios, impele muitos organismos unicelulares, enquanto a forma do resto da célula se mantém mais ou menos fixa (Fig. 26). Essas organelas móveis contêm longos elementos tubulares, muito parecidos com microtúbulos citoplasmáticos. Os cílios se movem porque os filamentos microtubulares dentro deles deslizam um em relação ao outro, com o consumo de energia química, como os filamentos de actina e miosina deslizam um em relação ao outro nas contrações musculares. A mudança de forma das proteínas microtubulares gera uma força de cisalhamento, resultando na dobra dos flagelos ou cílios.[12]

Nos ciliados, os movimentos de muitos cílios individuais são coordenados de maneira tal que ondas de batimento passam sobre a superfície da célula. Em algumas espécies, essa coordenação parece depender da influência mecânica dos cílios sobre seus vizinhos; em outras, de um sistema de excitação dentro da célula, provavelmente associado a fibras finas que conectam as bases dos cílios.[13]

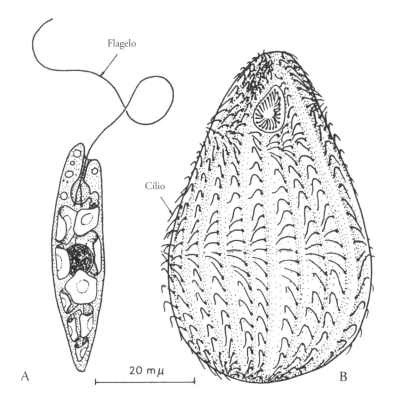

Figura 26 A: Um flagelado, *Euglena gracilis*. (Segundo Raven *et al.*, 1976.) B: Um ciliado, *Tetrahymena pyriformis*. (Segundo Mackinnon e Hawes, 1961.)

Se um ciliado aquático, como o *Paramecium*, se defronta com um estímulo desfavorável, a direção do movimento ciliar se inverte: o organismo recua e depois nada para a frente, agora numa outra direção.[14] Essa reação, evitando contato, provavelmente é ativada pela entrada de cálcio ou de outros íons na célula como resultado de uma alteração na permeabilidade da membrana causada pelo estímulo.[15]

A mudança de forma dos flagelos e cílios em batimento, bem como o controle desse batimento, ocorrem de maneira tão estereotipada e repetitiva que parece quase mecânica.

Essa especialização semimecânica da estrutura e da função é levada ainda mais longe nos animais multicelulares. Células e grupos de células são especializados em passar por uma morfogênese repetitiva e simplificada em seus ciclos de contração e relaxamento; outras têm uma sensibilidade especializada à luz, à substâncias químicas, à pressão, à vibração ou a outros estímulos; e os nervos, com seus axônios imensamente alongados, são especializados em conduzir impulsos elétricos de um lugar para outro, unindo os órgãos dos sentidos e os músculos à rede neural ou ao sistema nervoso central.

9.5 Sistemas nervosos

Assim como os batimentos dos cílios na superfície de uma célula são coordenados por fibrilas que conectam as bases dos cílios, a contração de cada célula muscular é coordenada pelos nervos. Quando um único nervo ativa diversas células musculares vizinhas, estas podem se contrair simultaneamente. E quando a atividade desse nervo faz parte de um sistema de controle de nível superior, a contração de diversos grupos de células pode ser coordenada de forma rítmica, como ocorre num músculo que mantém sua tensão durante certo período. Depois, sistemas de nível ainda mais elevado controlam ciclos repetitivos de contração em músculos diferentes, como por exemplo nas pernas de um animal que corre. Hierarquias de coordenação (cf. Fig. 10) se expressam pelo sistema nervoso.

Mas embora os nervos transmitam impulsos definidos do tipo "tudo ou nada" de um lugar para outro, a causação formativa não seria capaz de controlar os movimentos dos animais pelo sistema nervoso a menos que a atividade dos nervos fosse, ao mesmo tempo, intrinsecamente probabilística. E, na verdade, ela o é.

O disparo de impulsos nervosos depende de mudanças na permeabilidade das membranas das células nervosas para íons inorgânicos, em particular o sódio e o potássio. Essas mudanças podem ser provocadas por estímulos elétricos ou por transmissores químicos específicos (como acetilcolina, p. ex.) liberados pelas terminações nervosas em junções sinápticas (Fig. 27). Sabe-se há muito que a excitação de nervos por estímulos elétricos em torno do nível limítrofe ocorre de maneira probabilística.[16] A principal razão para isto é que o potencial elétrico ao longo da membrana flutua de forma aleatória.[17] Ademais, as mudanças nos potenciais pós-sinápticos das membranas causadas por transmissores químicos também mostram flutuações aleatórias,[18] que parecem devidos à abertura e fechamento probabilístico de "canais" iônicos ao longo da membrana.[19]

Não apenas há um probabilismo inerente nas respostas das membranas pós-sinápticas aos transmissores químicos, como também na liberação dos transmissores desde os terminais nervosos pré-sinápticos. Moléculas transmissoras são armazenadas em numerosas vesículas microscópicas (Fig. 27), e são liberadas na fenda sináptica quando essas vesículas se fundem com a membrana. Esse processo ocorre espontaneamente em intervalos aleatórios, dando origem a descargas dos chamados "potenciais em miniatura da placa terminal". A taxa de secreção aumenta muito quando um impulso chega à terminação nervosa, mas, novamente, a fusão das vesículas com a membrana ocorre probabilisticamente.[20]

No cérebro, uma célula nervosa típica tem milhares de finas projeções, semelhantes a fios, que terminam em junções sinápticas nas outras células nervosas, e, em outro sentido, projeções de centenas ou de milhares de outras células nervosas terminam em sinapses em sua própria superfície (Fig. 27). Algumas dessas terminações nervosas liberam transmissores excitantes que tendem a promover o disparo de um impulso; outros são inibidores e reduzem a tendência do nervo a disparar. O disparo de impulsos depende de um equilíbrio entre influências excitantes e inibidoras de centenas de sinapses. Num momento qualquer, em muitas das células nervosas do cérebro esse equilíbrio é atingido de forma tão crítica que o disparo pode ocorrer ou não ocorrer como resultado de flutuações probabilísticas dentro das membranas ou sinapses celulares. Portanto, a propagação determinística de impulsos nervosos de um lugar para outro dentro do corpo é combinada com um elevado grau de indeterminação dentro do sistema nervoso central, que, na hipótese atual, é organizado e modelado pela causação formativa.

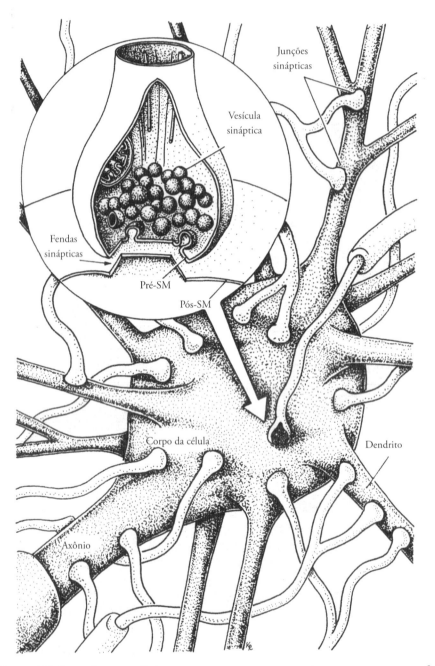

Figura 27 Parte de uma célula nervosa, com numerosas sinapses em sua superfície. No detalhe, uma sinapse individual com mais detalhes. Pré-SM = membrana pré-sináptica; Pós-SM = membrana pós-sináptica. (Baseado em Krstic, 1979.)

9.6 Campos morfogenéticos, campos motores e campos comportamentais

Embora os campos que controlam as mudanças de forma das estruturas motoras especializadas dos animais sejam, na verdade, campos morfogenéticos, eles produzem movimentos e não mudanças de forma. Por este motivo, parece preferível chamá-los de *campos motores*. (A palavra "motor" aqui é usada como adjetivo do substantivo "movimento".) Campos motores, como campos morfogenéticos, dependem da ressonância mórfica de sistemas similares prévios e tratam da concretização de formas virtuais. Caminhos canalizados que almejam uma forma ou estado final podem ser referidos como creodos no contexto dos campos motores, tal como no contexto dos campos morfogenéticos.

Os campos motores, como os campos morfogenéticos, são organizados hierarquicamente, e de modo geral relacionam-se com o desenvolvimento, a sobrevivência ou a reprodução. Enquanto nas plantas esses processos são quase inteiramente morfogenéticos, nos animais eles dependem também do movimento. De fato, na maioria dos animais até a manutenção das funções normais do corpo envolvem o movimento contínuo de órgãos internos como vísceras, coração e sistema respiratório.

Ao contrário das plantas, os animais precisam alimentar-se de outros organismos para seu desenvolvimento e manutenção da forma. Portanto, um importante campo motor de nível superior em todos os animais é o da alimentação. Neste ponto, o campo motor torna-se um *campo comportamental*, responsável pela organização de padrões herdados ou aprendidos de comportamento. Campos comportamentais se organizam numa hierarquia aninhada ou holarquia (Fig. 10), com campos de nível superior coordenando a atividade de campos de nível inferior, chegando aos campos motores que organizam a atividade de grupos de células musculares.

O campo comportamental da alimentação organiza campos comportamentais subsidiários responsáveis por encontrar, assegurar e comer as plantas ou animais que servem de alimento. Alguns animais são sedentários e fazem com que o alimento mova-se em sua direção em cursos d'água; alguns simplesmente se movimentam até descobrir plantas que podem ingerir; alguns fazem tocaia e caçam outros animais; outros fazem armadilhas para pegar suas presas; alguns são parasitários; outros são necrófagos. Todos esses métodos de alimentação dependem de hierarquias de creodos específicos.

Outro tipo fundamental de campo motor busca evitar condições desfavoráveis. *Amoeba* e *Paramecium* demonstram o tipo mais simples de reação: recuam ou dirigem-se para longe do estímulo desfavorável e seguem outra direção. Animais sedentários como o *Stentor* ou a *Hydra* reagem a estímulos levemente desfavoráveis contraindo seus corpos, mas em resposta a estímulos mais severos eles se afastam e se estabelecem em outro lugar. Além de reações gerais evitando situações desfavoráveis, animais mais complexos exibem também tipos especiais de comportamento, moldado por campos comportamentais, que os ajudam a escapar de predadores; eles podem, por exemplo, correr rapidamente para longe, ou manterem-se firmes e, de algum modo, assustar o predador, ou "congelarem" de modo a se tornarem menos visíveis.

Os campos gerais de desenvolvimento e de sobrevivência têm como forma final o animal plenamente crescido sob condições ideais. Sempre que esse estado é atingido, o animal não precisa fazer nada de especial; mas desvios desse estado levam o animal a ficar sob a influência dos diversos campos comportamentais dedicados à sua restauração. Com efeito, tais desvios são frequentes: o metabolismo contínuo do animal esgota suas reservas de alimentos; mudanças no ambiente expõem-no a condições desfavoráveis; e predadores abordam-no imprevisivelmente. Essas e outras mudanças são detectadas pelas estruturas sensoriais e resultam em modificações características do sistema nervoso, quer diretamente, quer pela liberação de hormônios como a adrenalina. Essas modificações da atividade do sistema nervoso proporcionam as estruturas dos germes de campos comportamentais específicos, que entram em ressonância mórfica com antigos padrões de atividade similares do mesmo animal ou de outros animais similares. A memória individual e a coletiva dependem da ressonância mórfica.[21]

O atrator do campo geral de reprodução é o estabelecimento de progênie viável. Em organismos unicelulares, e em animais multicelulares simples como a *Hydra*, isso é conseguido por um processo morfogenético: os organismos dividem-se em dois ou deles "brotam" novos indivíduos. De modo análogo, métodos primitivos de reprodução sexual são essencialmente morfogenéticos: muitos animais inferiores (como o ouriço-do-mar, p. ex.) e plantas inferiores (como a *Fucus* ou alga-marinha) simplesmente liberam milhões de óvulos e espermatozoides na água que os rodeia.

Em animais mais complexos, os espermatozoides são liberados na vizinhança de um óvulo como resultado de um comportamento especializado de acasalamento. Assim, o campo geral de reprodução cobre os campos comportamentais da procura de parceria, da corte e da cópula. Organismos podem ficar sob a influência do primeiro campo motor dessa sequência em função de mudanças fisiológicas internas mediadas pelos hormônios e por estímulos olfativos, visuais ou de outra natureza dos possíveis parceiros. O ponto culminante do primeiro campo constitui o germe do segundo, e assim por diante: a procura por parceiros é seguida da corte, que, se bem-sucedida, levará ao creodo da cópula. Nos casos mais simples, a forma final da sequência completa é, para o macho, a ejaculação, e para a fêmea a postura de ovos. Em muitos organismos aquáticos, estes simplesmente são liberados na água, mas nos animais terrestres a deposição de ovos costuma envolver padrões complexos e altamente específicos de comportamento; por exemplo, as vespas *Ichneumon* injetam seus ovos em lagartas de espécies bem definidas, dentro das quais as larvas se desenvolvem parasitariamente, e as vespas oleiras fazem pequenos "potes" nos quais colocam as presas paralisadas antes de botarem seus ovos sobre a presa e de selarem os "potes".

Em algumas espécies vivíparas, os jovens são simplesmente liberados e abandonados ao nascer. Mas quando os jovens são cuidados depois que nascem ou chocam, entram em cena novos campos comportamentais, ainda sob o campo geral de reprodução dos progenitores, mas que serve, ao mesmo tempo, ao campo de desenvolvimento e sobrevivência dos jovens. Consequentemente, o comportamento dos animais assume uma dimensão social. Nos casos mais simples, as sociedades são temporárias e se desintegram quando a prole se torna independente; em outros, elas persistem, com um aumento consequente na complexidade do comportamento. Campos comportamentais especiais controlam os diversos tipos de comunicação entre os indivíduos e as tarefas diferenciadas que cada indivíduo realiza. Mas o campo geral que organiza a sociedade é um campo num nível superior: um *campo social*.

Campo social é o campo de um grupo social. Ele organiza a forma da sociedade e as relações entre os animais dentro dele. É um campo numa hierarquia aninhada de campos (Fig. 10) num nível mais elevado e mais inclusivo do que os animais que formam a sociedade.

Nas sociedades extraordinariamente complexas dos cupins, das formigas e das abelhas e vespas sociais, indivíduos com constituição genética similares ou idênticas realizam tarefas bem diferentes, e até o mesmo indivíduo pode desempenhar papéis diferentes em ocasiões diferentes – uma jovem abelha operária pode limpar a colmeia primeiro, após alguns dias agir como enfermeira de um grupo, depois ajudar a fazer favos, depois receber e armazenar pólen, guardar a colmeia e finalmente buscar provisões.[22] Cada um desses papéis deve ser coberto por um campo social, o qual, por sua vez, controla os campos comportamentais e motores de cada indivíduo. Nesses animais, os campos gerais de comportamento controlam os creodos de nível inferior envolvidos em cada tarefa especializada. Mudanças no sistema nervoso do inseto põem-no sob a influência de um ou outro desses campos de nível superior, fazendo com que entre em ressonância mórfica com operárias prévias que realizaram aquela tarefa específica. Tais mudanças dependem, até certo grau, de alterações na fisiologia do inseto durante seu envelhecimento, mas também são fortemente influenciadas pela sociedade como um todo: os papéis dos indivíduos mudam em resposta a perturbações da colmeia ou da sociedade; todo o sistema se regula.

Os campos comportamentais da alimentação, da evasão, da reprodução, etc., costumam controlar uma série de campos de nível inferior que agem em sequência, nos quais a forma final de um proporciona a estrutura germinal do próximo. Campos motores ainda mais baixos na hierarquia costumam agir em ciclos para gerar movimentos repetitivos, como os das pernas ao caminhar, das asas ao voar e das mandíbulas ao mastigar. No nível mais baixo ficam os campos que tratam do controle detalhado da contração das células dentro dos músculos.

Campos comportamentais envolvem os órgãos dos sentidos, o sistema nervoso e os músculos, mas também se estendem além da superfície do animal, ligando-o a objetos fora dele, no mundo exterior. Considere, por exemplo, o campo da alimentação. O processo geral – a captura e a ingestão de alimentos – é, na verdade, um tipo especial de morfogênese agregadora (Seção 4.1). O animal faminto é a estrutura germinal que entra em ressonância mórfica com campos prévios de alimentação. No caso do predador, esses campos tratam da captura e ingestão da presa. O campo de captura projeta-se no espaço em torno do animal, e inclui nele a forma virtual da presa (Fig. 11). Essa forma virtual torna-se concreta quando uma entidade correspondente à essa forma virtual está próxima do predador: a presa é identificada e o creodo de captura iniciado.[23] Teoricamente, o campo comportamental poderia afetar eventos probabilísticos em qualquer dos sistemas que envolve ou em todos eles, inclusive os músculos, o sistema perceptivo e a presa em si. Mas na maioria dos casos sua influência visa principalmente a modificação de eventos probabilísticos no sistema nervoso central, direcionando os movimentos do animal para que este atinja a forma final, neste caso a captura da presa.

9. 7 Campos comportamentais e os sentidos

Por meio da ressonância mórfica, um animal fica sob a influência de campos comportamentais específicos como resultado de sua estrutura característica e de padrões internos de atividade rítmica. Esses padrões são modificados por mudanças que surgem no corpo do animal e por influências do ambiente.

Se estímulos diferentes causam as mesmas mudanças no animal, os mesmos campos motores e comportamentais entram em ação. É o que parece acontecer com organismos unicelulares, que têm a mesma reação de aversão a uma ampla variedade de estímulos físicos e químicos: provavelmente todos eles têm efeitos semelhantes sobre o estado físico e químico da célula, modificando, por exemplo, a permeabilidade da membrana celular para o cálcio ou outros íons.

Em animais multicelulares simples com uma especialização sensorial relativamente pequena, a gama de reações aos estímulos não é muito maior do que em organismos unicelulares. A *Hydra*, por exemplo, mostra as mesmas reações ao evitar diversos estímulos físicos e químicos diferentes, e reage a objetos como partículas de alimentos apenas como o resultado de contato mecânico. Entretanto, como em certos organismos unicelulares, sua reação a objetos sólidos é modificada por estímulos químicos. Isso pode ser demonstrado por um experimento simples: se pequenos pedaços de papel-filtro forem fornecidos aos tentáculos de uma *Hydra* faminta, eles não evocarão uma reação; mas se forem embebidos primeiro em caldo de carne, os tentáculos irão levá-los à boca, onde serão engolidos.[24]

Em comparação, animais que possuem olhos formadores de imagem podem sentir objetos enquanto ainda estão a certa distância; consequentemente, os campos comportamentais se projetam bastante para o ambiente; a gama e o escopo do comportamento do animal aumenta muito. A detecção desses campos por possíveis presas pode estar por trás da sensação de se estar sendo observado.[25]

O sentido da audição permite a detecção de objetos distantes e permite uma extensão da gama espacial dos campos motores até regiões que não podem ser vistas. Em alguns animais, especialmente nos morcegos, esse sentido substituiu a visão como base dos campos comportamentais estendidos. E em algumas espécies aquáticas, como os peixes-elétricos mormirídeos e ginotídeos, receptores especializados detectam mudanças no campo elétrico formado à sua volta por impulsos de seus órgãos elétricos; esse sentido permite-lhes localizar presas e outros objetos nos enlameados rios tropicais nos quais eles vivem.

Quando os animais se movem, os estímulos sensoriais que surgem tanto em seu corpo como no ambiente mudam como consequência de seus próprios movimentos. Esse *feedback* contínuo tem um papel essencial na coordenação de movimentos por seus campos motores.

Campos comportamentais e motores, como campos morfogenéticos, são estruturas de probabilidade que se associaram, pela ressonância mórfica, com sistemas físicos na base de seus padrões tridimensionais de oscilação. Portanto, é de importância fundamental que todos os estímulos sensoriais se traduzam em padrões espaço-temporais de atividade no sistema nervoso. No sentido do tato, os estímulos atuam sobre certas partes do corpo, as quais, por meio de caminhos nervosos específicos, são "mapeadas" dentro do cérebro; na visão, imagens que recaem sobre a retina produzem mudanças nos padrões espaciais dos nervos ópticos e no córtex visual. Embora os estímulos olfativos, gustativos e auditivos não sejam diretamente espaciais, os nervos que eles excitam por meio dos órgãos dos sentidos relevantes têm locais específicos, e os impulsos que viajam por esses nervos até o sistema nervoso central estabelecem padrões de excitação característicos.[26]

Portanto, estímulos específicos e combinações de estímulos têm efeitos espaço-temporais característicos, que têm sido revelados em detalhes cada vez mais claros por eletroencefalógrafos (EEGs) e tomografias cerebrais, como por exemplo imagem por ressonância magnética funcional (fMRI). Esses padrões dinâmicos de atividade põem o sistema nervoso em ressonância mórfica com sistemas nervosos similares anteriores em estados similares, e consequentemente sob a influência de campos comportamentais e motores específicos.

9.8 Regulação e regeneração

Campos comportamentais, como campos morfogenéticos, atraem os sistemas sob sua influência para formas finais características. Geralmente, fazem-no dando início a uma série de movimentos numa sequência definida. Os estágios intermediários são estabilizados pela ressonância mórfica; em outras palavras, são creodos. Mas os creodos simplesmente representam os caminhos mais prováveis para se chegar a formas finais. Se o caminho normal for bloqueado, ou se o sistema for desviado dele por algum motivo, a mesma forma final pode ser atingida de maneira diferente: o sistema se regula (Seção 4.1). Muitos, mas não todos os sistemas morfogenéticos são capazes de regulação; o mesmo se pode dizer dos sistemas sociais, comportamentais e motores.

A regulação ocorre sob a influência de campos comportamentais e motores em todos os níveis da hierarquia: se, por exemplo, alguns músculos ou nervos da perna de um cão forem danificados, o padrão de contração dos outros músculos se ajusta para que o membro funcione normalmente. Se a perna for amputada, os movimentos das pernas restantes mudam de forma a que o cão ainda possa andar, mesmo mancando. Se partes do córtex cerebral forem danificadas, depois de algum tempo elas se recuperam de forma mais ou menos completa. Se for cegado, sua capacidade de movimentação melhora gradualmente à medida que ele confia mais nos sentidos remanescentes. E se seu caminho normal para casa, sua comida ou seus filhotes forem bloqueados, ele muda sua sequência habitual de movimentos até descobrir um novo modo de atingir sua meta.

O equivalente comportamental da regeneração ocorre quando a forma final de um creodo foi concretizada, mas depois interrompida: pense, por exemplo, num gato que pegou um camundongo, o ponto final do creodo de captura. Se o camundongo escapar de suas garras, os movimentos do gato serão direcionados para sua recaptura.

De todos os exemplos de "regeneração comportamental", a homologia com a regeneração morfogenética é mostrada mais claramente no "comportamento morfogenético", que trata da criação de ninhos e outras estruturas. Em alguns casos, os animais reparam essas estruturas caso tenham sido danificadas. Por exemplo, as vespas oleiras podem preencher furos feitos pelo experimentador nas paredes de seus vasos, às vezes por meio de ações que normalmente nunca são realizadas quando os vasos estão sendo construídos.[27] E cupins reparam danos em suas galerias e ninhos por meio da atividade cooperativa e coordenada de muitos insetos.[28]

Atividades como essas têm sido interpretadas, às vezes, como evidências de inteligência, com base no fato de que animais que se comportam de maneira instintiva e rigidamente estabelecida não seriam capazes de reagir com tanta flexibilidade a situações incomuns.[29] Mas, pelo mesmo motivo, poder-se-ia dizer que embriões de ouriço-do-mar que se regulam e platelmintos que se regeneram também exibem inteligência. No entanto, essa extensão da terminologia psicológica é mais confusa do que útil. Do ponto de vista da hipótese da causação formativa, as similaridades podem ser identificadas mas interpretadas em outro sentido. Vista contra o pano de fundo da regulação e da regeneração morfogenéticas, a capacidade de animais atingirem metas comportamentais de maneira incomum não suscita princípios fundamentalmente novos. E quando, em animais superiores, certos tipos de comportamento não seguem mais creodos padronizados – quando a regulação comportamental se torna, por assim dizer, a regra e não a exceção –, essa flexibilidade pode ser vista como uma extensão das possibilidades inerentes aos campos morfogenéticos e motores por sua própria natureza.

9.9 Campos mórficos

Campos morfogenéticos organizam a morfogênese. Campos motores organizam movimentos; campos comportamentais organizam comportamento; e campos sociais organizam sociedades. Esses campos são ordenados hierarquicamente no sentido de que campos sociais incluem e organizam os campos comportamentais de animais dentro da sociedade; os campos comportamentais dos animais organizam seus campos motores; e os campos motores dependem, para sua atividade, dos corpos e dos sistemas nervosos dos animais serem organizados por campos morfogenéticos.

Todos são tipos diferentes de *campo mórfico*. "Campo mórfico" é uma expressão genérica que inclui todos os tipos de campos que têm uma memória inerente dada pela ressonância mórfica de sistemas similares anteriores.[30] Campos morfogenéticos, motores, comportamentais e sociais são campos mórficos, e todos são essencialmente habituais.

Capítulo 10

Instinto e aprendizagem

10.1 A influência de ações passadas

Campos comportamentais, como campos morfogenéticos, são dados pela ressonância mórfica com sistemas similares anteriores. A estrutura detalhada de um animal e os padrões de atividade oscilatória em seu sistema nervoso geralmente vão se assemelhar mais *consigo mesmos* do que qualquer outro animal. Portanto, a ressonância mórfica mais específica a atuar sobre ele será a de seu próprio passado (Seção 6.5). A próxima ressonância mais específica virá de animais geneticamente similares que viveram no mesmo ambiente, e a menos específica será de animais de outras raças vivendo em ambientes diferentes. No modelo de vales dos creodos (Fig. 5), estes últimos vão estabilizar o perfil geral do vale, enquanto a ressonância mais específica vai determinar a topologia detalhada do fundo do vale.

Os "contornos" do vale creódico dependem do grau de similaridade entre o comportamento de animais similares da mesma raça ou espécie. Se seus padrões de movimento mostram pouca variação, a ressonância mórfica dará origem a creodos profundos e estreitos, representados por vales com encostas íngremes (Fig. 28A). Estes terão um efeito fortemente canalizador sobre o comportamento de indivíduos subsequentes, que, portanto, tenderão a se comportar de maneira muito semelhante. Padrões estereotipados de movimento causados por creodos como esses em níveis inferiores darão a aparência de reflexos, e, em níveis superiores, de instintos.

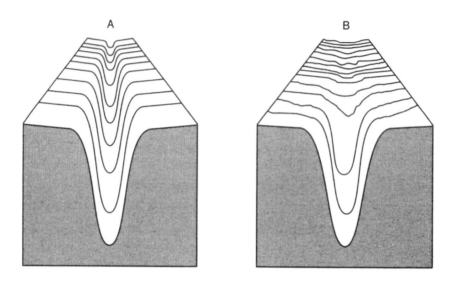

Figura 28 Representação diagramática de um creodo com canal profundo (A) e de um creodo com canal raso nos estágios iniciais (B).

Por outro lado, se animais semelhantes atingem as formas finais de seus campos comportamentais por padrões diferentes de movimento, os creodos não serão muito bem definidos (Fig. 28B); portanto, haverá mais amplitude para diferenças individuais de comportamento. Mas depois que determinado animal atingiu a meta comportamental a seu próprio modo, seu comportamento subsequente tenderá a ser canalizado do mesmo modo pela ressonância mórfica de seus próprios estados anteriores; e quanto mais frequente for a repetição dessas ações, mais forte a canalização será. Esses creodos individuais característicos revelam-se como hábitos.

Desse modo, do ponto de vista da hipótese da causação formativa, há uma diferença apenas de grau entre instintos e hábitos: ambos dependem da ressonância mórfica, aqueles de incontáveis indivíduos prévios da mesma espécie, e estes principalmente de estados passados do mesmo indivíduo.

Reflexos e instintos dependem primeiro da morfogênese do sistema nervoso com padrão muito específico, ela própria dependente da ressonância mórfica.

Durante o aprendizado, podem ocorrer mudanças físicas ou químicas no sistema nervoso que propiciam a repetição de um padrão de movimento. Possivelmente, em sistemas nervosos simples que realizam funções estereotipadas o potencial para tais mudanças pode estar "embutido" na "fiação", e com isso o aprendizado ocorre de forma semimecânica. Por exemplo, na lesma *Aplysia*, a estrutura do sistema nervoso é quase idêntica em indivíduos distintos, chegando aos detalhes finos da disposição das sinapses inibitórias e excitatórias em células específicas. Tipos muito simples de aprendizado ocorrem em conexão com o recolhimento reflexivo da guelra na cavidade do manto, especialmente a habitualidade diante de estímulos inofensivos e a sensibilização àqueles que são nocivos. Com o aprendizado da lesma, as atividades de sinapses inibitórias e excitatórias atuando sobre células nervosas individuais alteram-se de formas definidas.[1] Esses tipos de mudanças em células nervosas são chamados de potenciação de longo prazo.[2] Naturalmente, a mera descrição desses processos, por si só, não revela os motivos para as alterações; atualmente, estes são alvo de conjecturas. Mas como essa especialização detalhada de estrutura e função nos nervos e sinapses chegou a se formar? O problema transfere-se para o âmbito da morfogênese.

Os sistemas nervosos de animais superiores são muito mais variáveis de um indivíduo para outro do que em invertebrados como a *Aplysia*, e bem mais complicados. Sabe-se muito pouco sobre o modo como padrões de comportamento aprendidos são retidos,[3] mas já se descobriu o suficiente para deixar claro que não pode haver uma explicação simples em termos de "traços" físicos ou químicos especificamente localizados no tecido nervoso.

Diversas investigações mostraram que nos mamíferos os hábitos aprendidos costumam persistir após danos extensos ao córtex cerebral ou a regiões subcorticais do cérebro. Ademais, quando ocorre de fato a perda de memória, ela não se relaciona diretamente com a localização das lesões, mas com a quantidade total de tecido destruído. Karl Lashley resumiu os resultados de centenas de experimentos da seguinte maneira:

> Não é possível demonstrar a localização isolada de um vestígio de memória em qualquer ponto do sistema nervoso. Regiões limitadas podem ser essenciais para o aprendizado ou a retenção de uma atividade específica, mas dentro dessas regiões as partes são equivalentes em termos funcionais.[4]

Um fenômeno semelhante foi demonstrado num invertebrado, o polvo: observações sobre a sobrevivência de hábitos aprendidos após a destruição de diversas partes do lobo vertical do cérebro levaram à conclusão aparentemente paradoxal de que "a memória está, ao mesmo tempo, em toda parte e em nenhum lugar em particular".[5]

Essas descobertas são extremamente intrigantes do ponto de vista mecanicista. Numa tentativa de justificá-las, o neurocientista Karl Pribram sugeriu que "vestígios" de memória são, de algum modo, distribuídos dentro do cérebro, de maneira análoga ao armazenamento de informações na forma de padrões de interferência num holograma.[6] Mas isso não é mais do que uma especulação vaga.

A hipótese da causação formativa proporciona uma interpretação alternativa, à luz da qual a persistência dos hábitos aprendidos, apesar de danos ao cérebro, é bem menos intrigante: os hábitos dependem de campos comportamentais que não ficam armazenados no cérebro, mas são dados diretamente por seus estados passados por meio de ressonância mórfica.

Algumas das implicações da hipótese da causação formativa em relação ao instinto e ao aprendizado são apreciadas nas seções seguintes, e testes experimentais são discutidos no Capítulo 11.

10.2 Instinto

Em todos os animais, alguns padrões de atividade motora são inatos e não aprendidos. Os mais fundamentais são aqueles dos órgãos internos, como o coração e o intestino, mas muitos dos padrões de movimento dos membros, asas e outras estruturas motoras também são inatos. Isso fica mais claro quando os animais podem se mover competentemente pouco depois de nascerem ou serem chocados.

Nem sempre é fácil distinguir entre comportamentos inatos e aprendidos. De maneira geral, comportamentos característicos que se desenvolvem em jovens animais criados em isolamento podem normalmente ser considerados inatos. Contudo, comportamentos que só aparecem quando estão em contato com outros membros de sua espécie também podem ser inatos, mas requerem estímulos dos outros animais para se manifestar.

Estudos do comportamento instintivo de uma ampla gama de animais levaram a várias conclusões gerais, que constituem os conceitos clássicos da etologia.[7] Eles podem ser resumidos da seguinte maneira:

(i) Instintos são organizados numa hierarquia de "sistemas" ou "centros" superpostos uns aos outros. Cada nível é ativado primariamente por um sistema no nível superior a ele. O centro mais elevado de cada um dos principais instintos pode ser influenciado por diversos fatores, inclusive hormônios, estímulos sensoriais das vísceras dos animais e estímulos do ambiente.

(ii) O comportamento que ocorre sob a influência dos principais instintos costuma consistir em cadeias de padrões de comportamento mais ou menos estereotipados chamados *padrões fixos de ação*. Quando um desses padrões fixos de ação constitui o ponto final de uma cadeia principal ou secundária de comportamentos instintivos, ele é chamado de *ato consumatório*. O comportamento na parte inicial de uma cadeia de comportamento instintivo, como a busca de alimento, por exemplo, pode ser mais flexível, e costuma ser chamado de *comportamento apetitivo*.

(iii) Cada sistema exige um estímulo específico para ser ativado ou *deflagrado*. Este estímulo ou ativador pode vir de dentro do corpo do animal ou do ambiente. Neste caso, costuma ser chamado de *estímulo-sinal*. Presume-se que um estímulo-sinal ou ativador atue sobre um mecanismo neurossensorial chamado de *mecanismo inato de liberação*, que provoca a reação.

Esses conceitos harmonizam-se visivelmente bem com as ideias de campos comportamentais e motores desenvolvidas no capítulo anterior. Os padrões fixos de ação podem ser entendidos sob a ótica de creodos, e os mecanismos inatos de liberação como as estruturas germinais dos campos motores apropriados.

10.3 Estímulo por sinais

As reações instintivas dos animais a estímulos-sinais mostram que, de algum modo, eles abstraem certas características específicas e repetitivas de seus ambientes:

> Um animal responde "cegamente" a apenas parte da situação ambiental total e negligencia outras partes, embora seus órgãos sensoriais sejam perfeitamente capazes de recebê-las... Esses estímulos efetivos podem ser descobertos facilmente testando-se a reação a diversas situações, diferindo num ou em

outro estímulo possível. Ademais, mesmo quando um órgão sensorial está envolvido na produção de uma reação, apenas alguns dos estímulos que ele pode receber são realmente ativos. Como regra, uma reação instintiva responde apenas a uns poucos estímulos, e a maior parte do ambiente tem pouca ou nenhuma influência, embora o animal possa ter o equipamento sensorial para receber numerosos detalhes. (Niko Tinbergen)[8]

Os exemplos dados a seguir ilustram esses princípios:[9]

A reação agressiva do peixe esgana-gata macho durante a estação de procriação a outros machos da espécie é provocada principalmente pelo estímulo-sinal da barriga vermelha: exemplares com formas muito toscas mas com barrigas vermelhas são atacados muito mais do que exemplares com a forma correta mas sem coloração vermelha. Resultados semelhantes foram obtidos em experimentos com o pintarroxo de peito vermelho: um macho que controla um território ameaça exemplares muito aproximados com peitos vermelhos, ou até um mero feixe de penas vermelhas, mas reage muito menos a exemplares acurados sem peitos vermelhos.

Jovens patos e gansos reagem instintivamente à aproximação de aves de rapina, num modo que depende da forma da ave em voo. Estudos com modelos de cartolina mostraram que a característica mais importante é um pescoço curto – típica de águias e outras aves predadoras – enquanto a forma e o tamanho das asas ou a altura são relativamente pouco importantes.

Em certas mariposas, o odor sexual ou o feromônio geralmente produzido pelas fêmeas faz com que os machos procurem copular com qualquer objeto que tenha esse odor.

Em gafanhotos da espécie *Ephippiger ephippiger*, machos atraem fêmeas dispostas a acasalar por meio de sua música. As fêmeas sentem-se atraídas por machos cantores a uma distância considerável, mas ignoram machos silenciosos mesmo quando estão bem próximos. Machos silenciados pela colagem de suas asas não conseguem atrair fêmeas.

Galinhas correm para salvar pintinhos em resposta a seus chamados de perigo, mas não se simplesmente os veem em perigo, como quando situados por trás de um vidro à prova de som, por exemplo.

Segundo a hipótese da causação formativa, a identificação desses estímulos-sinal dependem da ressonância mórfica de animais similares prévios expostos a estímulos similares. Devido ao processo de média automática, essa ressonância irá enfatizar apenas as características comuns dos padrões espaço-temporais de atividade provocados por esses estímulos no sistema nervoso. O resultado será que apenas certos estímulos específicos são abstraídos do ambiente, enquanto outros serão ignorados. Considere, por exemplo, os estímulos agindo sobre galinhas cujos pintinhos estão em perigo. Imagine uma coleção de fotografias tiradas de pintinhos em perigo em muitas ocasiões diferentes. Aquelas tiradas à noite não mostrarão nada; aquelas tiradas de dia vão mostrar pintinhos de diferentes tamanhos e formas vistos de frente, de trás, de lado ou de cima; além disso, podem estar próximos de outros objetos de todas as formas e tamanhos, ou mesmo escondidos atrás deles. Agora, se todas as fotos forem superpostas para produzir uma imagem composta, nenhuma característica será reforçada; o resultado será simplesmente um borrão. Em comparação, imagine uma série de gravações de áudio feitas enquanto as fotos foram tiradas. Todas têm o registro de pedidos de ajuda e avisos de perigo, e se esses sons forem superpostos vão se reforçar mutuamente, produzindo um aviso de perigo tornado automaticamente médio. Essas superposições de fotos e de gravações são análogas aos efeitos da ressonância mórfica dos sistemas nervosos de galinhas anteriores sobre uma galinha subsequente exposta a estímulos de um pintinho em perigo: os estímulos visuais não produzem nenhuma ressonância específica e não evocam reações instintivas, por mais patético que o pintinho possa parecer para um observador humano, enquanto os estímulos auditivos produzem reações.

Este exemplo serve para ilustrar o que parece ser um princípio geral: *formas* são, com muita frequência, ineficazes como estímulo-sinal. A razão provável é que são muito variáveis porque dependem do ângulo do qual as coisas são vistas. Em comparação, as cores são criticamente muito menos dependentes do ponto de vista, e os sons e os odores praticamente não dependem deste. De modo significativo, cores, sons e odores têm papéis importantes como ativadores de reações instintivas; e nos casos em que as formas *são* eficazes, há certa consistência no ponto de vista. Por exemplo, aves jovens sobre o chão veem os predadores voando sobre elas em silhueta, e de fato reagem a essas formas. E quando formas ou padrões servem de estímulo-sinal sexual, fazem-no em exibições de cortejo ou "apresentações" nas quais os animais assumem certas poses ou posições bem definidas com relação a seus possíveis parceiros. O mesmo se pode dizer de exibições de submissão e de agressão.

10.4 Aprendizado por meio da intuição

Pode-se dizer que ocorre um aprendizado quando há uma mudança adaptativa relativamente permanente no comportamento como resultado de experiências passadas. Podem ser distinguidas quatro categorias gerais:[10]

(i) O tipo mais universal, encontrado até em organismos unicelulares,[11] é a habitualização, que pode ser definida como a diminuição da reação como resultado de estímulo repetitivo que não é acompanhado por nenhum tipo de reforço. Um exemplo comum é a diminuição do alarme ou de reações de evasão a novos estímulos que se revelam inofensivos: os animais se acostumam a eles.

Esse fenômeno implica a existência de algum tipo de memória, que permite que os estímulos sejam reconhecidos quando ocorrem. Na hipótese da causação formativa, esse reconhecimento deve-se primariamente à ressonância mórfica do organismo com seus próprios estados passados, inclusive aqueles produzidos por novos estímulos sensoriais. Essa ressonância serve para manter, ou mesmo definir, a identidade do organismo consigo mesmo no passado (Seção 6.5). Estímulos repetitivos do ambiente para os quais as reações não são reforçadas tornar-se-ão efetivamente parte do próprio "histórico" do organismo. De modo contrário, quaisquer características novas do ambiente irão se destacar porque não são identificadas com facilidade: geralmente, o animal vai reagir com aversão ou alarme, exatamente porque os estímulos não são familiares.

No caso de certas reações estereotipadas, como o reflexo de retirada da guelra na lesma *Aplysia*, a habitualização pode ocorrer de forma semimecânica com base em especializações estruturais e bioquímicas preexistentes no sistema nervoso (Seção 10.1). Mas, se assim for, essa especialização é secundária, e parece provável que tenham evoluído de uma situação na qual a habitualização depende mais diretamente de ressonância mórfica.

(ii) Em todos os animais, padrões inatos de atividade motora aparecem à medida que os indivíduos crescem. Embora alguns sejam realizados à perfeição desde a primeira vez em que são executados, outros melhoram com o tempo.

As primeiras tentativas de uma jovem ave para alçar voo, por exemplo, ou as primeiras tentativas de um jovem mamífero para andar, podem ser parcialmente bem-sucedidas, mas melhoram após novas tentativas. Nem todas essas melhorias devem-se à prática: em alguns casos, é apenas uma questão de amadurecimento e ocorre da mesma maneira com a passagem do tempo em animais que ficaram imobilizados.[12] Contudo, muitos tipos de habilidades motoras melhoram de um modo que não pode ser atribuído ao amadurecimento.

Do ponto de vista da hipótese da causação formativa, esse tipo de aprendizado pode ser interpretado sob a ótica de regulação comportamental. A ressonância mórfica de incontáveis membros passados da espécie produz um creodo automaticamente médio, que governa as primeiras tentativas de um animal para realizar um padrão específico de movimento inato. Esse creodo-padrão pode produzir resultados apenas aproximadamente satisfatórios, em função, por exemplo, de desvios da norma nos órgãos sensoriais, no sistema nervoso ou nas estruturas motoras do animal. Com a realização dos movimentos, a regulação produzirá espontaneamente ajustes finos no creodo como um todo, e nos creodos de nível inferior sob seu controle. Esses creodos ajustados serão estabilizados por meio de ressonância mórfica com os estados passados do próprio animal com a repetição do padrão de comportamento.

(iii) Animais podem responder a um estímulo com uma reação que normalmente é evocada por um estímulo diferente. Esse tipo de aprendizado ocorre quando o novo estímulo é aplicado ao mesmo tempo que o original, ou imediatamente antes. Os exemplos clássicos são os reflexos condicionados estabelecidos por I. P. Pavlov em cães. Os cães salivavam quando lhes mostravam comida. Em diversas ocasiões, tocava-se uma sineta quando a comida era apresentada, e, depois de algum tempo, eles começavam a salivar ao som da sineta, mesmo se não houvesse comida.

Um exemplo extremo desse tipo de aprendizado ocorre no "imprinting" de aves jovens, especialmente patos e gansos. Pouco tempo depois de saírem dos ovos, respondem instintivamente a qualquer objeto de porte, seguindo-o. Normalmente, trata-se de sua mãe; mas também vão seguir mães adotivas, seres humanos ou mesmo objetos inanimados arrastados diante deles. Depois de um período de tempo relativamente pequeno, começam a identificar as características gerais do objeto móvel, e depois características específicas.

Depois, apenas a ave, pessoa ou objeto com os quais ficaram associados provocam esse comportamento.

De modo análogo, os animais costumam aprender a reconhecer as características individuais de seus parceiros ou prole por meio da visão, de sons, de cheiros ou toques. Esse reconhecimento leva tempo para se desenvolver: por exemplo, um casal de carquejas com filhotes recém-saídos dos ovos vai alimentar e até adotar filhotes alheios cuja aparência for semelhante à dos seus próprios filhotes; mas quando estes estão com duas semanas de vida, aproximadamente, eles os reconhecem individualmente, e doravante não toleram estranhos, por mais similares que sejam.[13]

Um processo comparável deve ser o responsável pelo reconhecimento de lugares particulares, como os locais de ninhos, por meio de pontos de referência e de outras características associadas a eles. De fato, esse tipo de aprendizado deve desempenhar um papel importante no desenvolvimento da identificação visual em geral. Como os estímulos de um objeto diferem segundo o ângulo no qual ele é visto, o animal deve aprender que estão todos conectados à mesma coisa. De forma análoga, as associações entre diferentes tipos de estímulo sensorial do mesmo objeto – visuais, auditivos, olfativos, gustativos e táteis – normalmente precisam ser aprendidas.

Quando o novo estímulo e o estímulo original ocorrem simultaneamente, pode, à primeira vista, parecer provável que os diferentes padrões de mudanças físicas e químicas que produzem no cérebro tornem-se gradualmente associados uns com os outros como resultado de repetições frequentes. Mas há duas dificuldades no caminho dessa interpretação de aparência simples. Primeiro, o novo estímulo pode não ser simultâneo com o habitual, mas preceder este. Neste caso, parece necessário supor que a influência do estímulo persiste por algum tempo, de forma que ainda está presente quando ocorre o estímulo usual. Esse tipo de memória pode ser imaginado por meio de uma analogia com um eco que gradualmente se esvai. A existência da memória de curto prazo está bem estabelecida;[14] pode ser replicável em termos de circuitos reverberantes de atividade nervosa no cérebro.[15]

O aprendizado associativo parece envolver descontinuidades definidas: ele ocorre em etapas, ou estágios. Isso pode se dever ao fato de a associação entre o novo estímulo e o original envolver o estabelecimento de um novo campo motor: o campo responsável pela resposta original pode, de algum modo, ser ampliado para incorporar o novo estímulo. Com efeito, ocorre uma *síntese* na qual uma nova unidade motora passa a existir. E uma nova unidade não pode emergir gradualmente, mas apenas por um salto súbito (ou por diversos saltos sucessivos).

(iv) Além de aprenderem a responder a um estímulo específico *após* tê-lo recebido, os animais também podem aprender a se comportar de maneira a atingirem uma meta como *resultado* de suas atividades. Na linguagem da escola behaviorista, isso se chama "condicionamento operante". A resposta "emitida" pelo animal precede o estímulo de reforço. Ratos em "caixas de Skinner" proporcionam os exemplos clássicos. Essas caixas contém uma alavanca que, ao ser pressionada, libera um pedaço de comida. Após diversas tentativas, os ratos aprendem a associar o acionamento da alavanca à recompensa. Analogamente, podem aprender a apertar uma alavanca para evitar o estímulo doloroso de um choque elétrico.

A associação de um padrão específico de movimento com uma recompensa ou com a aversão a uma punição parece acontecer como resultado de tentativa e erro. Mas já foi demonstrada a inteligência de uma ordem superior em primatas, especialmente nos chimpanzés. No início do século XX, Wolfgang Köhler descobriu que esses símios eram capazes de resolver problemas valendo-se de meios "intuitivos".[16] Por exemplo, chimpanzés eram colocados numa câmara elevada com paredes que não podiam ser escaladas. Do teto, pendia um grande cacho de bananas maduras, elevadas demais para serem atingidas. Depois de diversas tentativas de pegar as bananas erguendo-se sobre as pernas traseiras ou pulando, eles desistiram desses meios. Após algum tempo, um dos símios notou uma das diversas caixas de madeira que tinham sido postas na câmara desde o início do experimento, e depois as bananas. Ele arrastou a caixa e posicionou-a sob o cacho, ficando em pé sobre ela. Isso ainda não lhe permitiu chegar à altura desejada, e ele pegou outra caixa e colocou-a sobre a primeira, mas isso ainda não foi suficiente; finalmente, acrescentou uma terceira, subiu nela e pegou a fruta.

Muitos outros exemplos de comportamento intuitivo foram apresentados por investigadores subsequentes: num experimento, por exemplo, os chimpanzés aprenderam a usar gravetos para trazer comida posta fora das gaiolas e além de seu alcance. Eles o teriam feito mais cedo se pudessem ter brincado com os gravetos durante vários dias antes do experimento; nesse período, usariam os gravetos como extensões funcionais de seus braços. Assim, o uso dos gravetos para aproximar a comida representou a "integração de componentes motores adquiridos durante experiências anteriores a novos e apropriados padrões de comportamento".[17]

Em ambos os tipos de aprendizado, por tentativa e erro e por intuição, os creodos existentes são integrados a novos campos motores de nível superior. Essas sínteses só podem acontecer graças a "saltos" repentinos. Se os novos padrões de comportamento tiverem êxito, tenderão a se repetir. Logo, os novos campos motores serão estabilizados por meio de ressonância mórfica quando o comportamento aprendido tornar-se habitual.

10.5 Tendências inatas de aprendizado

A originalidade do aprendizado pode ser absoluta: um novo campo motor pode passar a existir não apenas pela primeira vez na história de um indivíduo, mas pela primeira vez em termos absolutos. Por outro lado, um animal pode aprender algo que outros membros de sua espécie já aprenderam no passado. Nesse caso, o surgimento do campo motor apropriado será facilitado pela ressonância mórfica de animais similares prévios. Se um campo motor torna-se cada vez mais estabelecido em muitos indivíduos por meio da repetição, o aprendizado ficará progressivamente mais fácil: haverá uma forte disposição inata para a aquisição desse padrão específico de comportamento.

Assim, o conhecimento aprendido que se repete com muita frequência tende a se tornar semi-instintivo. Por um processo inverso, o comportamento instintivo pode se tornar semiaprendido. Os cantos das aves ilustram com muita clareza as intergradações entre comportamento instintivo e aprendido.[18] Em algumas espécies, como o pombo-torcaz e o cuco, o padrão do canto varia pouco de ave para ave e é quase completamente inato. Mas em outras, como por exemplo o tentilhão, o canto tem uma estrutura geral característica da espécie, mas em seu detalhe fino ela difere de indivíduo para indivíduo; essas diferenças podem ser identificadas por outras aves e terem um papel importante na vida familiar e social das aves. Aves que crescem isoladas produzem versões simplificadas e um tanto quanto empobrecidas do canto do tentilhão, mostrando que sua estrutura geral é inata. No entanto, sob condições normais, elas desenvolvem e aprimoram seu canto imitando outros tentilhões. Este processo é ainda mais visível no caso dos tordos, por exemplo, que tomam emprestado elementos dos cantos de outras espécies. E alguns tipos de aves, notadamente os papagaios e mainás, quando mantidos em cativeiro costumam imitar seus pais adotivos humanos.

Em espécies cujo canto é quase inteiramente inato, a falta de variação individual é tanto efeito quanto causa dos creodos motores bem definidos e altamente estabilizados (Fig. 28A): quanto mais o mesmo padrão de movimento é repetido, maior será sua tendência a se repetir no futuro. Mas em espécies com diferenças individuais no canto, a ressonância mórfica produz creodos menos definidos (Fig. 28B): a estrutura geral do creodo será dada pelo processo de média automática, mas os detalhes vão depender do indivíduo e de sua própria experiência e hábitos, lembrados através da ressonância mórfica consigo mesmo no passado.

Capítulo 11

A HERANÇA E A EVOLUÇÃO
DO COMPORTAMENTO

11.1 A herança do comportamento

Na hipótese da causação formativa, a herança do comportamento depende da herança genética, *e* da herança epigenética, *e* dos campos morfogenéticos que controlam o desenvolvimento do sistema nervoso e do animal como um todo, *e* dos campos comportamentais e motores dados pela ressonância mórfica com animais similares prévios. Em comparação, segundo a teoria convencional, supõe-se que o comportamento inato esteja "programado" no DNA.

Um número relativamente pequeno de investigações experimentais foi realizado sobre a herança do comportamento, principalmente porque ela é de difícil quantificação. Mesmo assim, foram feitas várias tentativas: em experimentos com camundongos e ratos, por exemplo, o comportamento tem sido medido levando-se em consideração sua velocidade de corrida sobre esteiras; da frequência e duração da atividade sexual; quantificação da defecação, definidas como o número de bolos fecais depositados numa dada área por unidade de tempo; capacidade de aprender a vencer labirintos; e a suscetibilidade a convulsões audiogênicas, causadas por ruídos muito altos. Um componente herdável dessas respostas foi demonstrado cruzando-se animais com resultados totais altos ou baixos: a prole tende a ter resultados semelhantes aos de seus pais.[1]

O problema com investigações desse tipo é que elas revelam muito pouco sobre a herança de padrões de comportamento; ademais, os resultados são de difícil interpretação porque estão abertos a influências de muitos fatores diferentes. Por exemplo, uma velocidade menor na esteira ou uma frequência de acasalamento reduzida pode simplesmente dever-se a uma redução geral no vigor em consequência de uma deficiência metabólica herdada.

Em alguns casos, os motivos para alterações genéticas do comportamento foram investigados detalhadamente. No pequeno verme nematoide *Caenorhabditis*, certos mutantes que se mexem de maneira anormal mostram mudanças estruturais em seus sistemas nervosos.[2] Na *Drosophila*, descobriu-se que várias "mutações comportamentais" que abolem a reação normal à luz afetam os fotorreceptores ou os neurônios visuais periféricos.[3] Nos camundongos, sabe-se que várias mutações comportamentais afetam a morfogênese do sistema nervoso, levando a defeitos de regiões inteiras do cérebro. Em seres humanos, diversas anormalidades congênitas do sistema nervoso estão associadas com comportamentos anormais, como no caso da síndrome de Down. E o comportamento também pode ser afetado por defeitos fisiológicos e bioquímicos hereditários: nos humanos, por exemplo, a condição da fenilcetonúria, associada ao retardamento mental, deve-se a uma deficiência da enzima fenilalanina hidroxilase.

O fato de o comportamento inato ser afetado por alterações geneticamente determinadas na estrutura e função dos órgãos sensoriais, sistema nervoso, etc., não prova, evidentemente, que sua herança seja explicável em termos apenas de fatores genéticos; mostra apenas que um corpo normal é necessário para um comportamento normal. Pense novamente na analogia com o rádio: mudanças no aparelho afetam seu desempenho, mas isso não prova que a música que sai dos alto-falantes origina-se do próprio aparelho.

No âmbito do comportamento, mudanças bioquímicas, fisiológicas e anatômicas podem impedir o aparecimento de estruturas germinais, e por isso campos motores inteiros podem deixar de agir; ou podem ter diversos efeitos quantitativos sobre os movimentos controlados por esses campos. E, com efeito, investigações sobre a herança de padrões fixos de ação mostram que "não é difícil encontrar variações que afetam o desempenho de maneira discreta, mas a unidade ainda aparece de forma claramente identificável, se é que chega a aparecer".[4]

A herança de campos comportamentais e motores depende, provavelmente, dos fatores já discutidos em conexão com a herança de campos morfogenéticos (Capítulo 7). De modo geral, em híbridos entre duas raças ou espécies, a dominância dos campos comportamentais de uma sobre os da outra dependerá, provavelmente, da força relativa da ressonância mórfica dos tipos parentais (Fig.19). Se um progenitor pertencer a uma raça ou espécie bem estabelecida, e o outro a uma relativamente nova, com uma população passada pequena, os campos comportamentais daquele seriam dominantes. Mas se as raças ou espécies parentais fossem igualmente bem estabelecidas, os híbridos sairiam sob a influência de ambos em extensão similar.

De fato, é isso que parece acontecer. Em alguns casos, os resultados são bizarros porque os padrões de comportamento dos tipos parentais são incompatíveis uns com os outros. Um exemplo é o dos híbridos produzidos quando se cruza dois tipos de periquito-namorado. As duas espécies parentais fazem seus ninhos em tiras que arrancam das folhas de maneira similar, mas enquanto uma delas (*Agapornis fischeri*) leva as tiras para o ninho no bico, a outra (o periquito de rosto de pêssego) as carrega enfiadas entre suas penas. Os híbridos rasgam normalmente as tiras das folhas, mas depois se comportam de forma confusa, ora enfiando as tiras entre as penas, ora levando-as nos bicos; mas mesmo quando as levam nos bicos, erguem as penas da traseira e tentam enfiá--las entre elas.[5]

11.2 Ressonância mórfica e comportamento: um teste experimental

Na biologia mecanicista, traça-se uma distinção clara entre comportamento inato e aprendido; presume-se que o inato seja "geneticamente programado" ou "codificado" no DNA, enquanto o aprendido seria o resultado de mudanças físicas e químicas no sistema nervoso. Não há um modo concebível pelo qual tais mudanças pudessem modificar especificamente o DNA, como exigiria a teoria lamarckista; portanto, considera-se impossível que o comportamento aprendido adquirido por um animal seja herdado por sua prole (excluindo-se, é claro, a "herança cultural", pela qual a prole aprende padrões de comportamento com seus progenitores ou com outros adultos).

Em comparação, segundo a hipótese da causação formativa, não há diferença na espécie entre comportamento inato e aprendido: ambos dependem de campos motores dados por meio de ressonância mórfica (Seção 10.1). Portanto, esta hipótese admite uma possível transmissão de comportamento aprendido de um animal para outro, e leva a predições testáveis que diferem não apenas daquelas apresentadas pela teoria ortodoxa da herança, como também daquelas exibidas pela teoria lamarckista.

Considere o seguinte experimento. Animais de uma linha selvagem são postos em condições nas quais aprendem a reagir a um determinado estímulo de maneira característica. Depois, faz-se com que repitam esse padrão de comportamento muitas vezes. *Ex hypothesi*, o novo campo comportamental será reforçado pela ressonância mórfica, que não só fará com que o comportamento dos animais treinados torne-se cada vez mais habitual, como também afetará, embora de maneira menos específica, qualquer animal similar exposto a um estímulo semelhante: quanto maior o número de animais que aprenderam a tarefa no passado, mais fácil será para que animais similares subsequentes o aprendam. Portanto, num experimento desse tipo, deveria ser possível observar um aumento progressivo na taxa de aprendizado, não apenas nos animais que descendem de ancestrais treinados, como também em animais geneticamente similares descendentes de ancestrais não treinados. Essa predição difere daquela apresentada pela teoria lamarckista, segundo a qual apenas os descendentes dos animais treinados deveriam aprender mais depressa. E na teoria convencional, não deveria haver aumento na taxa de aprendizado dos descendentes de animais treinados ou não treinados.

Em síntese: uma taxa aumentada de aprendizado em gerações sucessivas de linhagens treinadas e não treinadas deveria apoiar a hipótese da causação formativa; um aumento apenas em linhagens treinadas, a teoria lamarckista; e um aumento em nenhuma delas, a teoria ortodoxa.

Com efeito, testes desse tipo já foram realizados. Os resultados apoiam a hipótese da causação formativa.

William McDougall iniciou o experimento original em 1920 em Harvard, na esperança de realizar um teste completo da possibilidade da herança lamarckista. Os animais experimentais foram ratos brancos, da linhagem Wistar, que foram cuidadosamente cruzados sob condições de laboratório durante muitas gerações. Suas tarefas consistiam em aprender a escapar de um tanque de água especialmente construído, nadando para uma de duas escadas que levavam para fora da água. A escada "errada" tinha iluminação clara, enquanto a escada "certa" não tinha. Se o rato saísse pela escada iluminada recebia um choque elétrico. As duas escadas eram iluminadas alternadamente, uma numa dada ocasião, a outra na seguinte. O número de erros cometidos por um rato antes que aprendesse a sair do tanque pela escada não iluminada proporcionava uma medida de sua taxa de aprendizado:

> Alguns ratos precisaram de 330 imersões, envolvendo aproximadamente metade desse número de choques, antes de aprenderem a evitar a escada iluminada. O processo de aprendizado envolvia, em todos os casos, o atingimento súbito de um ponto crítico. Durante um longo tempo, o animal mostrava claras evidências de aversão à escada iluminada, frequentemente hesitando diante dela, dando-lhe as costas ou subindo-a numa corrida desesperada; mas, não tendo captado a simples relação de correlação constante entre luz brilhante e choque, continuava a escolher a rota iluminada com a mesma frequência que a outra, ou quase a mesma. Depois, finalmente, chegava um ponto em seu treinamento no qual ele iria, caso se visse diante da luz brilhante, afastar-se definida e decisivamente dela, procurar a outra passagem e subir tranquilamente a escada escura. Depois de atingir este ponto, nenhum animal cometeu novamente o erro de subir a escada errada, ou o cometeu apenas em ocasiões muito raras.[6]

A cada geração, os ratos dos quais a geração seguinte seria gerada eram selecionados aleatoriamente *antes* que sua taxa de aprendizado fosse medida, embora o acasalamento só ocorresse após serem testados. Esse procedimento foi adotado para evitar qualquer possibilidade de seleção consciente ou inconsciente a favor de ratos de aprendizado mais rápido.

Esse experimento durou 32 gerações e levou quinze anos para ser concluído. De acordo com a teoria lamarckista, houve uma tendência acentuada para que ratos de gerações sucessivas aprendessem mais depressa. Isso é indicado pelo número médio de erros cometidos pelos ratos das oito gerações iniciais, que foi de 56, comparado com 41, 29 e 20 no segundo, terceiro e quarto grupo de oito gerações, respectivamente.[7] A diferença ficou aparente não apenas nos resultados quantitativos, como também no efetivo comportamento dos ratos, que ficaram mais cautelosos e hesitantes nas gerações posteriores.[8]

McDougall previu a crítica que, apesar de ter selecionado aleatoriamente os progenitores de cada geração, algum tipo de seleção a favor de ratos que aprendiam mais depressa teria interferido no processo. A fim de testar essa possibilidade, ele deu início a um novo experimento, com um grupo diferente de ratos, no qual os progenitores foram, de fato, selecionados com base em seus resultados de aprendizado. Numa série, apenas aqueles que aprendiam depressa procriavam a cada geração, e na outra apenas aqueles que aprendiam devagar. Como esperado, a prole dos que aprendiam depressa tendeu a aprender de maneira relativamente rápida, enquanto a prole dos que aprendiam devagar aprendeu de forma relativamente lenta. No entanto, mesmo nesta série, o desempenho das gerações posteriores melhorou acentuadamente, apesar de contínuas seleções a favor do aprendizado lento (Fig. 29).

Esses experimentos foram realizados com cuidado, e os críticos não conseguiram afastar os resultados com base em erros na técnica empregada. Mas chamaram a atenção para uma deficiência no projeto do experimento: McDougall deixou de testar sistematicamente a mudança na taxa de aprendizado de ratos cujos progenitores não tinham sido treinados.

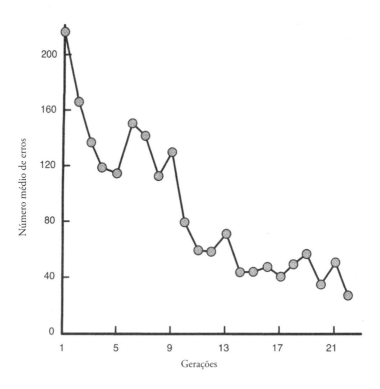

Figura 29 O número médio de erros em gerações sucessivas de ratos selecionados a cada geração em função da lentidão no aprendizado. (Dados de McDougall, 1938.)

A HERANÇA E A EVOLUÇÃO DO COMPORTAMENTO

Um desses críticos, Francis Crew, da University of Edinburgh, repetiu o experimento de McDougall com ratos derivados da mesma linhagem e usando um tanque com desenho similar. Ele incluiu uma linha paralela de ratos "não treinados", alguns dos quais foram testados a cada geração por sua taxa de aprendizado, enquanto outros, que não foram testados, serviram de progenitores da seguinte. Ao longo das dezoito gerações desse experimento, Crew não encontrou mudança sistemática na taxa de aprendizado, quer na linha treinada, quer na não treinada.[9] À primeira vista, isso pareceria lançar sérias dúvidas sobre as descobertas de McDougall. Entretanto, os resultados de Crew não eram comparáveis diretamente em três aspectos importantes. Primeiro, os ratos tiveram muito mais facilidade para aprender a tarefa em seu experimento do que nas primeiras gerações do experimento de McDougall. Esse efeito foi tão acentuado que um número considerável de ratos, tanto de linhagens treinadas como não treinadas, "aprendeu" a tarefa imediatamente, sem receber nem sequer um choque! Os resultados médios dos ratos de Crew, desde o início, foram similares aos de McDougall após mais de 30 gerações de treinamento. Nem Crew, nem McDougall puderam apresentar uma explicação satisfatória para essa discrepância. Mas, como disse McDougall, como o propósito da investigação era lançar luzes sobre qualquer efeito do treinamento sobre gerações subsequentes, um experimento no qual alguns ratos não receberam nenhum treinamento e muitos outros receberam pouquíssimo treinamento não teria qualificações para demonstrar esse efeito.[10] Em segundo lugar, os resultados de Crew mostraram flutuações importantes e aparentemente aleatórias de geração para geração, bem maiores do que as flutuações nos resultados de McDougall, o que pode muito bem ter obscurecido qualquer tendência de melhoria nos resultados das gerações posteriores. Terceiro, Crew adotou uma política de intenso cruzamento endogâmico, cruzando apenas irmãos com suas irmãs em cada geração. Ele não esperava que isso pudesse ter efeitos adversos, pois os ratos já vinham de um lote de cruzamentos endogâmicos:

A história de meu lote parece um experimento de endogamia. Há uma ampla base de linhagens familiares e um ápice estreito com duas linhagens remanescentes. A taxa de reprodução caiu e uma a uma as linhagens tornaram-se extintas.[11]

Mesmo nas linhagens restantes, nasceu um considerável número de animais com anomalias tão severas que precisaram ser descartados. Os efeitos nocivos dessa endogamia extrema poderiam ter mascarado qualquer tendência de melhoria da taxa de aprendizado. Juntos, esses defeitos do experimento de Crew significam que os resultados só podem ser considerados inconclusivos; e, de fato, ele mesmo considerava a questão ainda aberta.[12]

Felizmente, esse não foi o fim da história. Wilfred Agar e seus colegas na Universidade de Melbourne realizaram novamente o experimento, usando métodos que não sofriam das desvantagens daquele usado por Crew. Durante vinte anos, mediram as taxas de aprendizado de linhagens treinadas e não treinadas de 50 gerações sucessivas. Em concordância com McDougall, descobriram que havia uma tendência marcante para que ratos da linhagem treinada aprendessem mais depressa em gerações subsequentes. *Mas exatamente a mesma tendência foi encontrada na linhagem não treinada.*[13]

Pode-se perguntar por que McDougall não observou também um efeito similar nos ratos de suas linhagens não treinadas. A resposta é que ele observou. Embora ele tenha testado apenas ocasionalmente ratos de controle do lote não treinado original, ele percebeu "o inquietante fato de que os grupos de controle derivados desse lote nos anos de 1926, 1927, 1930 e 1932 mostraram uma diminuição no número médio de erros entre 1927 e 1932". Ele achou que esse resultado deveria ser fortuito, mas acrescentou:

> É possível que a queda no número médio de erros entre 1927 e 1932 represente uma mudança real de constituição do lote todo, uma melhoria dele (com relação a essa faculdade específica) cuja natureza não consigo sugerir.[14]

Com a publicação do relatório final pelo grupo de Agar em 1954, a prolongada controvérsia sobre o "Experimento Lamarckista de McDougall" terminou. A melhoria similar em linhas treinadas e não treinadas descartou uma interpretação lamarckista. A *conclusão* de McDougall foi refutada, o que parecia pôr fim à questão. Por outro lado, seus *resultados* foram confirmados.

Esses resultados pareciam completamente inexplicáveis; não faziam sentido em termos de quaisquer ideias atuais, e nunca houve um acompanhamento posterior. Mas faziam sentido à luz da hipótese da causação formativa. Naturalmente, não podem, por si sós, provar a hipótese; é sempre possível sugerir outras explicações, como, por exemplo, que as sucessivas gerações de ratos ficaram cada vez mais inteligentes por motivo desconhecido e não relacionado com seu treinamento.[15]

Em experimentos futuros, o modo menos ambíguo de testar os efeitos da ressonância mórfica seria fazer com que grandes números de ratos (ou qualquer outro animal) aprendessem uma nova tarefa num dado local; depois, verificar se houve um aumento na taxa de aprendizado com que ratos similares aprenderam a realizar a mesma tarefa em outro local, a centenas de quilômetros de distância. A taxa inicial de aprendizado nos dois locais deveria ser mais ou menos a mesma. Depois, segundo a hipótese da causação formativa, a taxa de aprendizado deveria aumentar progressivamente no local onde grandes números de ratos são treinados; e um aumento similar deveria ser detectável nos ratos do segundo local, embora muito poucos ratos tenham sido treinados ali. Obviamente, seria necessário tomar todas as precauções para evitar quaisquer influências tendenciosas, conscientes ou não, por parte dos experimentadores. Um modo para isso seria fazer com que os experimentadores do segundo local testassem a taxa de aprendizado dos ratos em diversas tarefas *diferentes*, em intervalos regulares – mensalmente, por exemplo. Então, no primeiro local, a tarefa específica na qual milhares de ratos seriam treinados seria escolhida aleatoriamente a partir desse conjunto de tarefas. Além disso, o momento em que o treinamento se iniciaria também seria escolhido aleatoriamente; poderia ser, por exemplo, quatro meses após o início dos testes regulares no segundo local. Os experimentadores no segundo local não seriam informados sobre a tarefa selecionada, tampouco sobre o início do treinamento no primeiro local. Se, nessas condições, um aumento acentuado na taxa de aprendizado da tarefa selecionada fosse detectado no segundo local após o treinamento ter sido iniciado no primeiro, esse resultado seria uma forte evidência a favor da hipótese da causação formativa.

Um efeito desse tipo pode ter ocorrido quando o grupo de Crew e o de Agar repetiram o trabalho de McDougall. Em ambos os casos, seus ratos começaram a aprender a tarefa de maneira consideravelmente mais rápida do que os de McDougall quando este iniciou seu experimento.[16]

Se esse experimento desse resultados positivos, não seria plenamente reproduzível por sua própria natureza: nas tentativas de repeti-lo, os ratos seriam influenciados pela ressonância mórfica dos ratos do experimento original. Para demonstrar diversas vezes o mesmo efeito, seria necessário mudar a tarefa ou a espécie usada em cada experimento.

11.3 A evolução do comportamento

Embora o registro fóssil proporcione evidências diretas da estrutura de animais passados, não revela praticamente nada sobre seu comportamento. Consequentemente, a maioria das ideias sobre a evolução do comportamento não podem se basear em evidências do passado, mas apenas em comparações entre espécies vivendo hoje. Portanto, para dar um exemplo, podemos construir teorias sobre a evolução do comportamento social de abelhas comparando espécies sociais existentes com espécies solitárias e espécies coloniais, que seriam presumivelmente mais primitivas. Contudo, por mais razoáveis que essas teorias possam parecer, nunca poderão ser mais do que especulativas.[17] Ademais, teorias de evolução comportamental dependem de *suposições* sobre o modo pelo qual o comportamento é herdado, pois muito pouco se conhece de fato.

A teoria neodarwinista presume que o comportamento inato está "programado" ou "codificado" no DNA, e que novos tipos de comportamento são causados por mutações aleatórias. Além disso, a seleção natural privilegia mutantes favoráveis; logo, desenvolvem-se os instintos. Também se presume que as mutações aleatórias deem aos animais a capacidade para tipos específicos de aprendizado. Assim, animais cuja sobrevivência e reprodução se beneficiam dessas capacidades são favorecidos pela seleção natural. E assim se desenvolvem as capacidades de aprendizado. Mesmo a tendência para o comportamento aprendido tornar-se inato pode ser atribuída a mutações aleatórias, pelo hipotético efeito Baldwin: animais podem responder a novas situações aprendendo a se comportar de forma apropriada; mutações aleatórias que fazem com que esse comportamento apareça sem a necessidade de aprendizado serão favorecidos pela seleção natural; logo, o comportamento que antes era aprendido pode tornar-se inato, mas não por causa de uma herança de características adquiridas, e sim porque mutações apropriadas acontecem por acaso e são selecionadas.

Parece não haver praticamente nenhum limite ao que pode ser explicado invocando-se mutações aleatórias favoráveis que alteram a "programação genética" do comportamento. Essas teorias neodarwinistas podem ser desenvolvidas de forma matemática por cálculos feitos com base nas fórmulas da genética populacional teórica.[18] Mas como essas especulações não podem ser testadas, não têm valor independente; meramente acrescentam-se às premissas mecanicistas das quais partem.

A hipótese da causação formativa leva a interpretações muito diferentes da evolução do comportamento. Se mudanças genéticas influenciam o comportamento, imagina-se que a seleção natural pode levar a alterações no *pool* genético das populações. Mas os padrões específicos de comportamento em si dependem da herança de campos comportamentais pela ressonância mórfica. Quanto mais um padrão de comportamento se repete, mais forte será essa ressonância. Assim, a repetição de comportamentos instintivos tenderá a fixar cada vez mais os instintos. Por outro lado, se padrões de comportamento variam de um indivíduo para outro, a ressonância mórfica não produzirá creodos bem definidos; logo, o comportamento será menos estereotipado. Quanto maior a variedade de comportamento, maior o escopo de variação para as gerações futuras. Esse tipo de evolução que permite o surgimento da inteligência ocorreu até certo ponto entre as aves, mais nos mamíferos e sobretudo nos humanos.

Em alguns casos, o comportamento semiaprendido pode ter se desenvolvido a partir de um histórico completamente instintivo. Um modo pelo qual isso poderia ter acontecido é a hibridização das raças com diferentes creodos, dando origem a campos motores compostos com mais amplitude para variações individuais.

Por outro lado, o comportamento semi-instintivo poderia ter evoluído de um comportamento originalmente aprendido, como resultado de repetições frequentes. Considere, por exemplo, o comportamento de diferentes raças caninas. Cães pastores foram treinados e selecionados durante muitas gerações por sua habilidade de reunir ovelhas, os *retrievers* por sua capacidade de recolher a caça, os *pointers* por saberem mostrar onde ela está, os raposeiros por perseguir raposas, e assim por diante. Geralmente, os cães mostram uma tendência inata de se comportar da forma que caracteriza sua raça antes mesmo de serem treinados.[19] Talvez essas tendências não sejam fortes a ponto de serem chamadas de instintos, mas são fortes o suficiente para mostrar que há apenas uma diferença de grau entre o instinto e a predisposição hereditária para aprender certos tipos de comportamento. Naturalmente, raças de cães evoluíram sob condições de seleção artificial e não natural, mas os mesmos princípios aplicam-se em ambos os casos.

Embora seja relativamente simples imaginar como alguns tipos de comportamento instintivo poderiam ter se desenvolvido com a repetição de comportamentos aprendidos, geração após geração, isso não pode explicar razoavelmente a evolução de todos os tipos de instinto, especialmente em animais com uma capacidade muito limitada de aprendizado. Possivelmente, alguns instintos novos emergiram de novas permutações e combinações de instintos preexistentes; um modo pelo qual isso pode ter acontecido seria por meio da hibridização entre raças ou espécies com diferentes padrões de comportamento. Outro modo pelo qual novas combinações poderiam surgir seria a incorporação de "atividades de deslocamento", as ações aparentemente irrelevantes realizadas por animais "divididos" entre instintos conflitantes. Certos elementos dos rituais de cortejo podem muito bem originar-se dessa forma.[20] Também é concebível que mutações ou a exposição a ambientes incomuns possam permitir que um animal se sintonize com os creodos motores de outras espécies (Seção 8.6).

Mas além da recombinação de creodos existentes, deve haver algum modo pelo qual campos motores inteiramente novos tenham surgido em animais cujo comportamento é quase que totalmente instintivo. Novos padrões de comportamento só poderiam emergir se a repetição cotidiana de comportamentos ancestrais fosse bloqueada, quer por uma mudança no ambiente, quer por uma mutação que alterou a fisiologia ou a morfogênese do animal. Na maioria desses casos, o animal pode agir de maneira descoordenada e ineficiente; ocasionalmente, porém, pode surgir um novo campo motor. E sempre que surge inicialmente um novo campo, deve haver um salto que não pode ser plenamente justificado em termos de causas energéticas ou formativas anteriores (Seções 5.1, 8.7).

Se o padrão de comportamento devido a um novo campo comportamental prejudicar a capacidade de sobrevivência e reprodução dos animais, ele não se repetirá com muita frequência; animais que persistirem nesse comportamento serão eliminados pela seleção natural. Mas se o novo padrão de comportamento ajudar os animais a sobreviver e a se reproduzir, haverá a tendência para que ele se repita e seja reforçado pela ressonância mórfica.

11.4 Comportamento humano

Animais superiores costumam se comportar de maneira mais flexível do que animais inferiores. No entanto, essa flexibilidade se restringe aos primeiros estágios de uma sequência de comportamento, especialmente a fase apetitiva inicial; os estágios posteriores, e em particular o estágio final, o ato consumatório, são realizados de maneira estereotipada, como padrões fixos de ação (Seção 10.1).

Em termos do modelo da paisagem, um campo motor importante pode ser representado por um vale amplo, que depois se estreita, com paredes cada vez mais íngremes, terminando enfim num cânion profundo (Fig. 28B). O vale amplo corresponde à fase apetitiva, na qual é possível seguir muitos caminhos alternativos; esses caminhos convergem depois ao se afunilarem na direção do creodo final e altamente canalizado do ato consumatório.

No comportamento humano, as faixas de caminhos nas quais se atingem metas comportamentais são bem mais amplas do que em qualquer outra espécie, mas aparentemente os mesmos princípios se aplicam: sob a influência dos campos comportamentais de nível superior, os padrões de ação se afunilam na direção de atos consumatórios estereotipados que geralmente são inatos. Por exemplo, as pessoas obtêm alimentos por muitos meios diferentes, seja diretamente pela caça, coleta, pesca, criação ou agricultura, seja indiretamente pela realização de diversas tarefas ou empregos. Depois, o alimento é preparado de várias formas, e levado à boca de muitas maneiras, como as mãos, palitos ou talheres. Mas são poucas as diferenças na maneira como o alimento é mastigado, e o ato consumatório de todo o campo motor da alimentação, que é a deglutição, é semelhante em todas as pessoas. Do mesmo modo, no comportamento governado pelo campo motor da reprodução, métodos de cortejo e sistemas de casamento variam muito, mas o ato consumatório da cópula, em cuja direção todos levam, é mais ou menos estereotipado. No macho, o padrão fixo de ação, que é a ejaculação, dá-se automaticamente, sendo efetivamente inato.

Logo, os padrões bem variados de comportamento humano costumam ser dirigidos para um número limitado de metas dadas pelos campos motores herdados de membros passados da espécie através de ressonância mórfica; de modo geral, essas metas relacionam-se com o desenvolvimento, manutenção ou reprodução do grupo individual ou social. Até brincadeiras e atividades exploratórias que não se direcionam imediatamente para tais metas costumam ajudar a atingi-las posteriormente, como acontece com outras espécies. Pois nem as brincadeiras, nem "o comportamento apetitivo exploratório generalizado" na ausência de recompensas imediatas confina-se aos humanos: ratos, por exemplo, exploram seu ambiente e investigam objetos mesmo quando estão saciados.[21]

Contudo, nem toda atividade humana se subordina aos campos motores que a canalizam rumo a metas biológicas ou sociais; parte dela destina-se explicitamente a fins transcendentais. Esse tipo de comportamento é visto em sua forma mais pura na vida dos santos.

Embora a gama de variação do comportamento humano seja bem ampla quando se leva em conta a espécie como um todo, em qualquer sociedade específica as atividades dos indivíduos tendem a recair num número limitado de padrões. As pessoas costumam repetir atividades tipicamente estruturadas que já foram realizadas inúmeras vezes por muitas gerações de antecessores. Entre elas, falar determinada língua; habilidades associadas com caça, lavoura, tecelagem, fabricação de ferramentas, culinária, e coisas assim; música e dança; e os tipos de comportamento específicos de certos papéis sociais. Podemos imaginar todos eles como campos mórficos.

Richard Dawkins criou a palavra *meme* para referir-se a uma "unidade de transmissão cultural, ou uma unidade de *imitação*".[22] Ele escolheu propositadamente uma palavra que soava como gene para enfatizar a analogia entre genes e memes como replicadores. Mas um dos problemas dessa expressão é que ela é atomística: implica que os memes são unidades independentes, no mesmo nível uns dos outros. Em comparação, pensar em herança cultural em termos de campos mórficos não tem essa implicação: os campos mórficos são organizados em hierarquias aninhadas (Fig. 10).[23]

Todos os padrões de atividade característicos de uma dada cultura podem ser considerados campos mórficos. Quanto maior sua frequência de repetição, mais firmemente estabilizados eles serão. Mas por causa da alucinante variedade de campos mórficos específicos de cada cultura, cada um dos quais com o potencial para canalizar os movimentos de qualquer ser humano, a ressonância mórfica não pode, por si mesma, levar um indivíduo a um conjunto de creodos em vez de outro. Assim, nenhum desses padrões de comportamento expressa-se espontaneamente: todos precisam ser aprendidos. Um indivíduo é iniciado em padrões específicos de comportamento por outros membros da sociedade. Depois, quando o processo de aprendizado se inicia, geralmente por imitação, o desempenho de um padrão característico de comportamento leva o indivíduo à ressonância mórfica com todos aqueles que realizaram esse padrão no passado. Consequentemente, o aprendizado é facilitado quando o indivíduo se "sintoniza" com campos mórficos específicos.[24]

Processos de iniciação são, com efeito, compreendidos tradicionalmente em termos bastante similares a esses. Imagina-se que os indivíduos entrem em estados ou modos de existência que os precedem e têm uma realidade transpessoal.

A facilidade de aprendizado pela ressonância mórfica seria difícil de se demonstrar empiricamente no caso de padrões de comportamento há muito estabelecidos; mas uma mudança na taxa de aprendizado deveria ser detectada mais facilmente com padrões motores de origem recente. Desse modo, por exemplo, deveria ser cada vez mais fácil aprender a andar de bicicleta, dirigir um carro, esquiar ou jogar um *videogame*, em função da ressonância mórfica acumulada pelo grande número de pessoas que já adquiriram essas habilidades. Contudo, mesmo se dados quantitativos confiáveis mostrassem que as taxas de aprendizado aumentaram, de fato, a interpretação seria complicada pela provável influência de outros fatores, como *design* aprimorado das máquinas, melhores métodos de ensino e maior motivação para aprender. Mas com experimentos especialmente idealizados, nos quais são tomadas precauções para manter constantes esses outros fatores, talvez seja possível obter evidências persuasivas para os efeitos preditos. Pesquisas experimentais recentes sobre a ressonância mórfica no aprendizado humano estão resumidas no Apêndice A.

A hipótese da causação formativa aplica-se a todos os aspectos do comportamento humano nos quais são repetidos padrões específicos de movimento. Mas não pode explicar a origens desses padrões. Aqui, como em outros pontos, o problema da criatividade está além do escopo da ciência natural, e só é possível obter-se uma resposta com bases metafísicas (Seções 5.1, 8.7 e 11.3).

Capítulo 12

Quatro conclusões possíveis

12.1 A hipótese da causação formativa

A hipótese da causação formativa é uma hipótese testável sobre as regularidades observáveis objetivamente na natureza. Não pode explicar a origem de novas formas e de novos padrões de comportamento, tampouco a experiência subjetiva. Tais explicações só podem ser dadas por teorias da realidade bem mais abrangentes do que as da ciência natural, ou, em outras palavras, por teorias metafísicas.

Atualmente, questões científicas e metafísicas costumam ser confundidas por conta da conexão íntima entre a teoria mecanicista da vida e a teoria metafísica do materialismo. Esta ainda seria defensável caso a teoria mecanicista fosse superada na biologia pela hipótese da causação formativa, ou por qualquer outra hipótese. Mas ela perderia sua posição privilegiada; ela teria de concorrer livremente com outras teorias metafísicas.

Para ilustrar a importante diferença entre o âmbito da ciência e o da metafísica, nas Seções seguintes esboçam-se brevemente quatro teorias metafísicas diferentes. As quatro são compatíveis com a hipótese da causação formativa. Do ponto de vista da ciência natural, a escolha entre elas é aberta.

12.2 Materialismo modificado

O materialismo parte da premissa de que apenas a matéria é real; logo, tudo o que existe ou é matéria, ou depende totalmente da matéria para sua existência.

No entanto, o conceito de matéria não tem significado fixo: à luz da física moderna, ele já foi ampliado para incluir campos físicos, e partículas materiais foram consideradas formas de energia. A filosofia do materialismo foi modificada conforme esses critérios, sendo às vezes chamada de fisicalismo para refletir essa mudança.

Os campos mórficos estão associados com sistemas materiais; eles também podem ser considerados aspectos da matéria (Seção 3.5). Desse modo, o materialismo ou o fisicalismo poderiam ser mais modificados ainda para incorporar a ideia da causação formativa.[1] Na discussão a seguir, essa nova forma da filosofia materialista será referida como materialismo modificado.

O materialismo nega *a priori* a existência de qualquer agente causal não material; o mundo físico é causalmente fechado. Logo, não pode existir algo como um eu não material que age sobre o corpo, como parece existir desde um ponto de vista subjetivo. Na verdade, a experiência consciente, de certo modo, ou é a mesma coisa que estados materiais do cérebro, ou simplesmente corre em paralelo a esses estados sem afetá-los.[2] Mas enquanto no materialismo convencional os estados cerebrais são determinados por uma combinação entre causação energética e eventos aleatórios, no materialismo modificado eles são, além disso, determinados pela causação formativa. Com efeito, a experiência consciente poderia ser imaginada como um aspecto ou epifenômeno dos campos mórficos atuando sobre o cérebro.

A experiência subjetiva do livre-arbítrio não pode, *ex hypothesi*, corresponder à influência causal de um eu não material sobre o corpo. No entanto, é concebível que parte dos eventos aleatórios no cérebro possam ser subjetivamente vivenciados como escolhas livres; mas essa aparente liberdade nada é senão um aspecto ou epifenômeno da ativação aleatória de um campo mórfico no lugar de outro.

Se toda experiência consciente é simplesmente um acompanhamento dos campos mórficos atuando sobre o cérebro, ou corre em paralelo a eles, então a memória consciente, como a memória dos hábitos (Seção 10.1) deve depender da ressonância mórfica de estados passados do cérebro. Memórias conscientes ou inconscientes não seriam armazenadas no cérebro.

No contexto do materialismo convencional, a evidência dos fenômenos parapsicológicos só pode ser negada, ignorada ou minimizada. Mas o materialismo modificado permite uma atitude mais positiva. É possível mesmo formular uma explicação para a telepatia sob a ótica dos campos mórficos,[3] e da psicocinese em termos da modificação de eventos probabilísticos em objetos sob a influência de campos comportamentais.[4]

A origem de novas formas, novos padrões de comportamento e novas ideias não pode ser explicada levando-se em consideração as causas energéticas e formativas preexistentes (Seções 5.1, 8.7, 11.3 e 11.4). Além disso, o materialismo nega a existência de qualquer agente criativo não material que pudesse dar origem a eles. Consequentemente, eles não teriam causa. Portanto, sua origem deve ser atribuída ao acaso, e a evolução só pode ser vista em termos do jogo entre acaso e necessidade física.

Em síntese, segundo o materialismo modificado, a experiência consciente é um aspecto dos campos mórficos que atuam no cérebro ou corre paralelamente a eles. Toda criatividade humana, como a criatividade evolutiva, deve, em última análise, ser atribuída ao acaso. Seres humanos adotam suas crenças (inclusive a crença no materialismo) e realizam suas ações como o resultado de eventos aleatórios e de necessidades físicas dentro de seus cérebros. A vida humana não tem propósito além da satisfação de necessidades biológicas e sociais; tampouco a evolução da vida, ou o universo como um todo, tem qualquer propósito ou direção.

12.3 O eu consciente

Ao contrário da filosofia do materialismo, admite-se que o eu consciente tenha uma realidade que não é meramente derivada da matéria. É possível aceitar, em vez de negar, que o eu consciente individual tem a capacidade de fazer escolhas livres. Então, por analogia, pode-se presumir que outras pessoas sejam seres conscientes com capacidade similar.

Essa visão de "senso comum" leva à conclusão de que o eu consciente e o corpo *interagem*. Mas como se dá essa interação?

No contexto da teoria mecanicista da vida, o eu consciente só pode ser um tipo de "fantasma na máquina".[5] Para os materialistas, esse conceito parece inerentemente absurdo. E até os defensores da posição interacionista não puderam especificar como ocorre essa interação, além de sugerir que ela pode depender, de algum modo, de uma modificação de eventos quânticos no cérebro.[6]

A hipótese da causação formativa permite que esse problema antigo e persistente seja visto sob nova luz. Pode-se imaginar que o eu consciente interage não com uma máquina, mas com campos mórficos. Esses campos mórficos estão associados com o corpo e dependem de seus estados físicos e químicos. Mas o eu não é a mesma coisa que os campos mórficos, nem sua experiência é meramente um paralelo das mudanças que ocorrem no cérebro em função da causação energética e formativa. Ele "entra" nos campos mórficos, mas permanece acima destes.

Por meio desses campos, o eu consciente está intimamente conectado com o ambiente externo e com os estados do corpo em percepção e em atividade conscientemente controlada. A experiência subjetiva que não lida diretamente com o ambiente presente ou com a ação imediata – como, por exemplo, nos sonhos, nos devaneios e no pensamento discursivo – não precisa necessariamente ter qualquer relação próxima com as causas energéticas e formativas que atuam sobre o cérebro.

À primeira vista, essa conclusão pode parecer contraditória com a evidência que mostra que estados de consciência estão comumente associados a atividades fisiológicas características. Sonhos, por exemplo, tendem a ser acompanhados por movimentos rápidos dos olhos e por ritmos elétricos de frequências específicas no cérebro.[7] Mas tal evidência não prova que os detalhes específicos dos sonhos correm em paralelo com essas mudanças fisiológicas: estas poderiam simplesmente ser uma consequência não específica da entrada da consciência no estado onírico.

Esse ponto fica mais fácil de se compreender com a ajuda de uma analogia. Considere a interação entre um carro e seu condutor. Sob certas circunstâncias, quando o carro está sendo efetivamente conduzido, seus movimentos estão intimamente conectados às ações do motorista, e dependem de sua percepção quanto à estrada à frente, às placas de sinalização, a mostradores que indicam o estado interno do veículo, e assim por diante. Mas sob outras circunstâncias, essa conexão é menos íntima: por exemplo, quando o carro está parado e com o motor rodando, o motorista pode estar estudando um mapa. Embora houvesse uma relação geral entre o estado do carro e aquilo que ele estava fazendo – ele não podia ler o mapa enquanto dirigia – não haveria conexão específica entre as vibrações do motor e as características do mapa que ele estava estudando. Do mesmo modo, a atividade elétrica rítmica no cérebro não precisa ter relação específica com as imagens vivenciadas em sonhos.

Como o eu tem características que lhe são próprias, como ele atua sobre o corpo e o mundo exterior pelos campos mórficos? Há duas maneiras pelas quais ele poderia fazê-lo: primeira, selecionando entre diferentes campos mórficos possíveis, fazendo com que um curso de ação seja adotado em preferência a outro; e segunda, servindo de agente criativo pelo qual novos campos mórficos passam a existir, como por exemplo no aprendizado por meio da intuição (Seção 10.4). Em ambos os casos, ele atuaria como uma causa formativa, mas que é, dentro de certos limites, livre e não determinada do ponto de vista da causação física. Ele pode, de fato, ser imaginado como uma causa formativa de causas formativas.

Sobre essa interpretação, ações conscientemente controladas dependem de três tipos de causação: causação consciente, causação formativa e causação energética. Em comparação, teorias interacionistas tradicionais, do tipo "fantasma na máquina", admitem apenas duas, a causação consciente e a energética, sem a causação formativa entre elas. O materialismo modificado admite um par diferente, causação formativa e energética, e nega a existência da causação consciente. E o materialismo convencional admite apenas uma: a causação energética.[8]

Nos animais inferiores, a forte canalização de padrões instintivos de comportamento provavelmente deixa pouco ou nenhum espaço para a causação consciente; mas entre os animais superiores, a canalização inata e relativamente fraca do comportamento apetitivo pode proporcionar um escopo limitado. Nos humanos, a imensa gama de ações possíveis dá origem a muitas situações ambíguas nas quais é possível fazer escolhas conscientes, tanto nos níveis inferiores, entre possíveis métodos de se atingir metas já proporcionadas por campos mórficos de nível superior, como nos superiores, entre campos mórficos concorrentes.

Nessa visão, a consciência dirige-se primariamente para a escolha entre ações possíveis, e sua evolução tem estado intimamente conectada com o crescente escopo de causação consciente.

Num estágio incipiente da evolução humana, esse escopo deve ter aumentado enormemente com o desenvolvimento da linguagem, tanto diretamente, através da capacidade de produzir um número indefinido de padrões sonoros na verbalização de frases e sentenças, quanto indiretamente, através de todas essas ações viabilizadas por esse meio de comunicação detalhado e flexível. No desenvolvimento associado do pensamento conceitual, o eu consciente deve, em algum estágio e por salto qualitativo, ter percebido que era o agente da causação consciente.

Embora a criatividade consciente atinja seu mais elevado desenvolvimento na espécie humana, provavelmente ela também tem um papel importante no desenvolvimento de novos padrões de comportamento em animais superiores, e pode até ter alguma importância nos animais inferiores. Mas a causação consciente só ocorre dentro de estruturas já estabelecidas da causação formativa dadas pela ressonância mórfica de animais passados; ela não pode justificar os campos comportamentais em cujo contexto se expressa, nem pode ser considerada causa da forma característica da espécie. E menos ainda pode explicar a origem de novas formas no reino vegetal. Desse modo, o problema da criatividade evolutiva permanece sem solução.

A realidade do eu consciente como fonte de criatividade pode ser admitida, mas a existência de qualquer agente criativo transcendendo organismos individuais pode ser negada. Todas as outras formas de criatividade podem ser atribuídas ao acaso. Ir além disso envolve a admissão de fontes de criatividade que transcendem organismos individuais, como discutido a seguir.

12.4 O universo criativo

Embora um agente criativo capaz de dar origem a novas formas e a novos padrões de comportamento no curso da evolução transcenda necessariamente os organismos individuais, ele não precisa transcender toda a natureza. Ele poderia, por exemplo, ser imanente à vida como um todo; neste caso, corresponderia ao que Henri Bergson chamou de *élan vital*,[9] ou impulso vital. Ou poderia ser imanente ao planeta como um todo, ou ao sistema solar, ou ao universo todo. Poderia até haver uma hierarquia de criatividades imanentes em todos esses níveis.

Tais agentes criativos poderiam dar origem a novos campos mórficos por um tipo de causação muito similar à causação consciente analisada anteriormente. De fato, se tais agentes criativos forem admitidos, é difícil evitar a conclusão de que eles devem, de algum modo, ser eus conscientes.

Se existe tal hierarquia de eus conscientes, então aqueles situados nos níveis superiores podem muito bem expressar sua criatividade por meio dos que estão nos níveis inferiores. E se tal agente criativo de nível superior atua sobre a consciência humana, os pensamentos e ações aos quais dão origem podem, na realidade, ser vivenciados como provenientes de uma fonte externa. Essa experiência de *inspiração* é um fato bem conhecido.

Além disso, se tais "eus superiores" são imanentes à natureza, então é concebível que sob certas condições os seres humanos possam tornar-se diretamente conscientes de que foram acolhidos ou incluídos entre eles. E, de fato, a experiência de uma unidade interior com a vida, ou com a Terra, ou com o universo, tem sido descrita com frequência, a um ponto em que é exprimível.

Mas embora uma hierarquia imanente de eus conscientes possa justificar a criatividade evolutiva no universo, não poderia ter dado origem ao universo em si. E essa criatividade imanente tampouco teria qualquer meta se não existisse nada além do universo em cuja direção ela poderia se dirigir. Logo, a natureza toda estaria evoluindo continuamente, mas sem direção, cegamente.

Essa posição metafísica admite a eficácia causal do eu consciente, *e* a existência de agentes criativos que transcendem organismos individuais, mas imanente à natureza. Entretanto, nega a existência de qualquer agente criativo supremo transcendendo ao universo como um todo.

12.5 Realidade transcendente

O universo como um todo só poderia ter uma causa e um propósito se ele próprio tivesse sido criado por um agente consciente transcendente a ele.

Se esse ser consciente transcendente fosse a fonte do universo e de tudo que existe nele, de certo modo todas as coisas criadas participariam de sua natureza. A "integralidade" mais ou menos limitada dos organismos em todos os níveis de complexidade seria vista como um reflexo da unidade transcendente da qual dependem e da qual derivam, em última análise.

Logo, esta quarta posição metafísica afirma a eficácia causal do eu consciente, *e* a existência de uma hierarquia de agentes criativos imanente à natureza, *e* a realidade de uma fonte transcendente do universo.

Apêndice A

NOVOS TESTES PARA A
RESSONÂNCIA MÓRFICA

Há duas abordagens para um teste da hipótese da causação formativa: a primeira, por meio de campos mórficos, que conectam partes de uma unidade mórfica no *espaço*; a segunda, por meio da ressonância mórfica e de sua influência cumulativa no *tempo*.

Pesquisas sobre o aspecto espacial dos campos mórficos trataram principalmente de campos sociais e perceptivos. Resumi as descobertas em meus livros *Seven Experiments That Could Change the World, Dogs That Know When Their Owners Are Coming Home* e *The Sense of Being Stared At*.[1] Os textos completos, em inglês, de meus trabalhos científicos sobre esses assuntos, publicados em revistas e submetidos à apreciação crítica de outros cientistas, estão disponíveis em meu website, www.sheldrake.org.

Neste Apêndice, sugiro uma gama de novos testes para a própria ressonância mórfica. Quando novos campos mórficos surgem, são fracos. Eles não foram estabilizados pela ressonância mórfica de sistemas passados similares. Quanto maior a frequência com que ocorre um processo mórfico, maior a ressonância mórfica, mais forte o campo mórfico e mais compulsiva a força do hábito. Com o aumento da ressonância mórfica, os processos mórficos tornam-se mais rápidos e os campos mórficos, mais estáveis. Essas predições da hipótese da causação formativa são testáveis numa ampla variedade de sistemas, desde a física de baixa temperatura até o aprendizado humano.

A.1 Condensados de Bose-Einstein

Quando unidades mórficas tiverem ocorrido por bilhões de anos e sido repetidas incontáveis vezes, não serão detectadas mudanças na taxa de sua formação. Tampouco mudará sua estabilidade. Seus hábitos estarão fixados. Por exemplo, a formação de átomos de hidrogênio, de moléculas de metano e cristais de cloreto de sódio não mostrará nenhuma mudança mensurável. Para detectar a ressonância mórfica, é necessário estudar *novos* sistemas auto-organizados.

No âmbito da física, que processos observáveis aqui na Terra provavelmente nunca ocorreram em outra parte do universo? Fenômenos em temperaturas extremamente baixas.

A temperatura de fundo do universo, conforme revelado pela radiação cósmica de fundo em micro-ondas, é de 2,7°K, ou, em outras palavras, 2,7°C acima do zero absoluto. Mas em laboratórios é possível resfriar sistemas a uma temperatura inferior a 1°C acima do zero absoluto, bem mais fria do que o resto do universo, segundo se sabe. Nessas temperaturas ultrabaixas, os sistemas físicos comportam-se de maneira bem estranha.

O mais conhecido fenômeno de baixa temperatura é a formação dos condensados de Bose-Einstein, um novo estado da matéria, acima e além dos familiares estados sólido, líquido, gasoso e plásmico. Satyendranath Bose e Albert Einstein previram a existência desses condensados em 1927. O primeiro a ser investigado foi o hélio-4 em 1938. Quando resfriado a 2,17°K, ele se torna um superfluido, fluindo sem atrito. O primeiro condensado de Bose-Einstein "puro" foi feito em 1995, com o rubídio-87. Tais condensados têm muitas propriedades estranhas e são, na verdade, superátomos, grupos de átomos que se comportam como um único átomo.

Presumivelmente, os condensados de Bose-Einstein feitos nos laboratórios de física modernos são inteiramente novos na natureza, e nunca ocorreram antes na história do universo (a menos que tenham sido feitos em laboratórios de física por alienígenas em outros planetas). Como se comportam como totalidades unificadas, pode haver um ponto no qual os campos quânticos e os campos mórficos convergem.

Se os condensados de Bose-Einstein são, de fato, organizados por campos mórficos, então quanto maior a frequência de produção de determinado tipo de condensado num laboratório, mais fácil será sua produção sob condições similares em outros lugares do mundo, e mais estável ele será.

Para testar a ressonância mórfica, prepara-se um novo tipo de condensado e depois torna-se a prepará-lo repetidamente sob condições padronizadas. A taxa com que se forma é monitorada. Se a ressonância mórfica estiver em ação, o condensado irá formar-se mais rapidamente quanto mais esse processo for repetido, e a estabilidade do conjugado irá aumentar.

A.2 Pontos de fusão

Como discutido no Capítulo 5, a ressonância mórfica deveria levar a uma maior taxa de cristalização quanto mais vezes um composto for cristalizado. Através da ressonância com cristais similares anteriores, o campo de um tipo específico de cristal deveria se fortalecer.

Um aumento na força do campo mórfico deveria também tornar mais estáveis os cristais; deveria ser mais difícil destruí-los. Os cristais se rompem quando são aquecidos até seu ponto de fusão. A ressonância mórfica deveria fazer com que o ponto de fusão de novos tipos de cristal aumentasse.

Esta é uma predição espantosa. Os pontos de fusão são chamados de "constantes físicas" porque se supõe que não mudam. Embora sejam afetados por diversas variáveis, tais como pressão atmosférica e a presença de impurezas, geralmente parte-se da premissa de que amostras puras de dada substância, sob pressão atmosférica normal, têm o mesmo ponto de fusão o tempo todo e em todos os lugares. Todos sabem que o ponto de fusão do gelo é, sempre foi e sempre será, 0°C. Imensos manuais de constantes físicas relacionam os pontos de fusão de vários milhares de substâncias. Poucos aspectos da ciência parecem tão certos. Tendo estudado química, eu também tomava como líquida e certa a constância dos pontos de fusão.

Depois da publicação da primeira edição deste livro, apresentei um seminário sobre ressonância mórfica no Departamento de Química da Universidade de Vermont, no qual discuti o aumento nas taxas de cristalização de novos compostos. Um químico lembrou que se os campos mórficos de cristais ficavam mais fortes pela ressonância mórfica, então os pontos de fusão também deveriam aumentar. Ele tinha razão. Comecei a investigar se isso acontecia mesmo.

Primeiro, perguntei a diversos químicos especializados em química sintética se chegaram a perceber a tendência de aumento do ponto de fusão de novas substâncias. Sim, tinham; essa observação parecia ser comum. Mas tinham uma explicação pronta: com o passar do tempo, a habilidade dos químicos aumenta. As impurezas reduzem os pontos de fusão, e portanto os pontos de fusão aumentam porque os químicos fazem amostras mais puras. Eu perguntei, "Como podemos saber se as amostras posteriores eram mesmo mais puras?" A resposta mais comum foi: "Devem ser mais puras porque seus pontos de fusão são mais elevados". O argumento era razoável, mas circular.

Depois, analisei os pontos de fusão de uma vasta gama de substâncias químicas orgânicas em manuais e revistas de química do início, de meados e do final do século XX. Minha meta era comparar os pontos de fusão de compostos que se cristalizaram na natureza durante milhões de anos com aqueles de compostos que foram cristalizados pela primeira vez em laboratórios. Se existe uma tendência geral para que as amostras dos químicos sejam mais puras, então ambos os tipos de cristais deveriam mostrar aumentos semelhantes em seus pontos de fusão. Mas se os pontos de fusão são influenciados pela ressonância mórfica, imagina-se que apenas os pontos de fusão de substâncias recentemente cristalizadas devessem aumentar. Compostos que se cristalizam sob condições naturais não deveriam apresentar essa tendência, por dois motivos.

Primeiro, é provável que haja limites além dos quais os pontos de fusão não podem ir. Outros fatores tornam-se limitadores. Isso é válido para todos os processos. Por exemplo, depois que Roger Bannister percorreu pela primeira vez uma milha em quatro minutos, em 1954, a velocidade continuou a aumentar; o recorde atual é de 3 minutos e 43 segundos. Mas é pouco provável que os recordes continuem a ser quebrados até a milha ser percorrida em 3 minutos, ou em 1 minuto, ou em 1 segundo. Outros fatores tornam-se limitadores – o sistema muscular, a capacidade cardíaca para bombear sangue suficiente, e até o atrito – chegaria um ponto no qual os suportes atléticos dos corredores pegariam fogo. De modo geral, a ressonância mórfica deveria levar a mudanças que atingiriam limites. E isso se aplicaria tanto aos pontos de fusão quanto a quaisquer outros tópicos.

Em segundo lugar, haverá tanta ressonância mórfica de cristais passados que nenhuma mudança adicional será observável. Contra um pano de fundo da ressonância de quadrilhões de cristais passados, a ressonância de uns poucos milhares a mais não faz diferença sensível.

Obviamente, os pontos de fusão dos manuais baseiam-se em relatórios da literatura química que precedem os próprios manuais, e os pontos de fusão numa edição de um manual costumam ser copiados para a edição seguinte, ou de outros manuais. Logo, a data das mudanças nos pontos de fusão não é precisa, e o valor apresentado num determinado manual poderia se referir a uma determinação realizada anos ou mesmo décadas antes.[2] Mesmo assim, os manuais são atualizados de tempos em tempos, e novos pontos de fusão substituem os mais antigos.

Os pontos de fusão mais atualizados são encontrados nos catálogos químicos. Concentrei-me no *Catalogue Handbook of Fine Chemicals* [*Catálogo--Manual de Produtos Químicos Finos*] da Aldrich Chemical Company. Em muitos casos, os pontos de fusão da Aldrich eram mais elevados do que nos manuais de referência encontrados nas bibliotecas. Mas quão confiáveis seriam os valores da Aldrich? Em 1991, adquiri amostras de 40 produtos químicos diferentes da Aldrich e pedi que seus pontos de fusão fossem medidos no Departamento de Materiais do Imperial College of Science and Technology da Universidade de Londres.[3] Os valores estavam bem próximos daquilo que a empresa alegava, geralmente com diferenças inferiores a 1-2°C. Desse modo, os pontos de fusão do catálogo da Aldrich pareciam um guia confiável para valores contemporâneos.

Muitos aumentos nos pontos de fusão durante o século XX foram superiores a 5°C. A sacarina, por exemplo, o mais antigo adoçante artificial, foi sintetizada inicialmente em 1878. Em 1902, seu ponto de fusão era 220°C. Em 1996, era de 229°C – um aumento de 9°C. A fenolftaleína, usada em laboratórios químicos como indicador de acidez, foi feita pela primeira vez em 1880. Em 1907, seu ponto de fusão era de 252°C; em 1989, era de 262°C – um aumento de 10°C. Os éteres de coroa são uma família de moléculas em forma de coroa usadas como agentes quelantes, sintetizados inicialmente em 1976. O membro da família mais usado, 18-coroa-6, começou com um ponto de fusão de 39°C. Em 1989, o ponto atingia 45°C – um aumento de 6°C.

Outros compostos com pontos de fusão crescentes foram substâncias químicas que ocorrem naturalmente em organismos vivos, mas diluídos demais para se cristalizarem na natureza. Embora as substâncias químicas em si existam há muitos milhões, talvez bilhões de anos, provavelmente cristalizaram-se pela primeira vez quando foram isoladas e concentradas em laboratórios a partir do século XIX. A adrenalina, por exemplo, isolada pela primeira vez em 1895, tinha ponto de fusão de 201ºC em 1901. Em 1989, esse valor era de 215ºC – um aumento de 14ºC. A cortisona, isolada na década de 1930 do córtex adrenal, tinha um ponto de fusão de 205ºC em 1936; em 1989, era de 225ºC – um aumento de 20ºC.

No curso dessa pesquisa, encontrei uma anomalia gritante: a vitamina B_2, também conhecida como riboflavina, cristaliza-se na natureza, por exemplo, nos olhos dos lêmures e também em algumas células de fungos.[4] Portanto, os cristais de riboflavina não deveriam mostrar mudança no ponto de fusão, no máximo uma pequena mudança. Contudo, houve um aumento de 275ºC em 1940 para 290ºC em amostras contemporâneas. Mas o valor de 1940, extraído da quinta edição do *Merck Index*, era apenas um de uma gama de pontos de fusão, entre 271ºC e 293ºC, relatado entre as décadas de 1930 e 1950.[5] Essa variabilidade confusa pode ter uma explicação simples: sabe-se hoje que a riboflavina tem três formas cristalinas diferentes, com pontos de fusão diferentes.[6]

Em minha pesquisa junto a uma vasta gama de substâncias químicas, descobri algumas com pontos de fusão constantes e outras cujos pontos de fusão aumentaram. Muito poucos pontos de fusão abaixaram. No início da década de 1990, correspondi-me com o editor de um dos principais manuais para perguntar se ele chegou a estudar o padrão de mudança de edição para edição. Ele não tinha feito isso. Ficou surpreso com a disseminada tendência de elevação dos pontos de fusão, tendo presumido que quaisquer mudanças seriam o resultado de erros aleatórios, aptos igualmente a subir ou a baixar. Mas não era esse o caso.

A Fig. A.1 compara os pontos de fusão históricos de compostos que têm sido cristalizados na natureza há milhões de anos com derivados químicos desses compostos que não existiam antes dos séculos XIX ou XX. A salicina é encontrada na casca de salgueiros, choupos e em outras plantas, e tem sido usado em medicina desde a Grécia Antiga. Foi isolada pela primeira vez em 1827. Seu derivado químico, o ácido acetilsalicílico, também conhecido como aspirina, foi sintetizado pela primeira vez em 1853. A aspirina foi introduzida na prática médica em 1899 e depois tornou-se um dos remédios mais populares do mundo, com um consumo anual de umas 50 mil toneladas.[7] O ponto de fusão da salicina foi constante ao longo do século XX, mas o ponto de fusão da aspirina aumentou aproximadamente 8ºC.

O ácido penicilínico é excretado naturalmente por diversas espécies de fungos do gênero *Penicillium*, e foi isolado e identificado inicialmente em 1913, anos antes da descoberta das propriedades antibióticas da penicilina

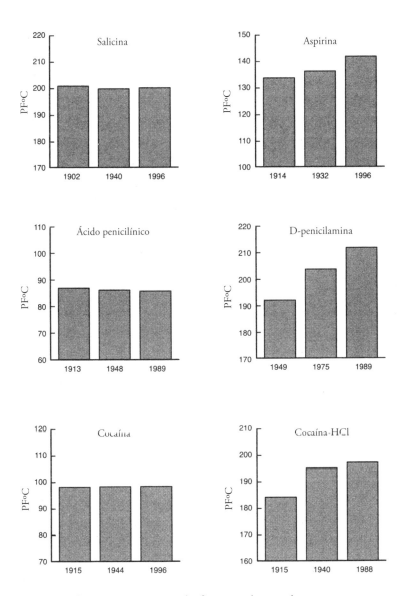

Figura A.1 Mudanças nos pontos de fusão ao longo do tempo em compostos naturais (esquerda) e compostos sintéticos relacionados (direita).

em 1929. Diversos compostos relacionados foram isolados e sintetizados na década de 1940.[8] Um deles foi a D-penicilamina, um produto de antibióticos da penicilina utilizado terapeuticamente como remédio contra reumatismo. O ponto de fusão do ácido penicilínico permaneceu mais ou menos constante, enquanto o da D-penicilamina aumentou em 20ºC.

A cocaína ocorre nas folhas de plantas de coca como base livre numa concentração de até 1%.[9] Presumivelmente, ao longo de milhões de anos ela tem sido cristalizada quando as folhas se ressecam. Em comparação, o hidrocloreto de cocaína, a cocaína comercial, é novo; é produzido tratando os extratos da folha de coca com ácido hidroclorídrico. O ponto de fusão da cocaína permaneceu constante, enquanto o do hidrocloreto de cocaína aumentou em 13ºC.

Em 1997, uma organização cética holandesa, Stichting Skepsis, escreveu-me questionando minhas observações sobre mudanças em pontos de fusão. Enviei-lhes meus dados. Eles analisaram a literatura e chegaram a conclusões bem similares. Eles concordaram com a afirmação de que alguns pontos de fusão tinham aumentado, mas depois voltaram ao argumento de que esses aumentos devem ter sido devidos a melhorias na pureza e não à ressonância mórfica. Eles não tinham evidências para apoiar sua premissa. Num artigo que publicaram na revista *Skeptical Inquirer*, simplesmente afirmaram: "Não há outra explicação".[10]

É possível fazer muitas outras pesquisas sobre a história dos pontos de fusão. Investiguei apenas uma pequena parte da imensa literatura química. Infelizmente, porém, esses registros não costumam incluir qualquer informação sobre pureza, e portanto essa evidência histórica nunca poderá ser conclusiva. O único modo de avançar é fazer testes especiais.

Eis um exemplo. Pegue seis novas substâncias químicas feitas numa universidade ou empresa química. Cristalize as seis e meça seus pontos de fusão. Guarde as amostras num refrigerador. Depois, em outro laboratório, faça uma dessas substâncias químicas, selecionada ao acaso, em grandes quantidades, e cristalize-a repetidas vezes. Isso deve elevar a um aumento no ponto de fusão desse composto específico, mas não no dos outros cinco. No primeiro laboratório, agora meça novamente os pontos de fusão das seis amostras. O ponto de fusão da amostra de teste aumentou? Os pontos de fusão das outras cinco amostras permaneceram iguais?

A.3 Transformações em cristais

Muitas substâncias químicas assumem mais do que uma forma cristalina. Os exemplos mais conhecidos são as formas alternativas de elementos químicos, chamados de alótropos. Tanto o grafite quanto o diamante são formas cristalinas de carbono, com os átomos unidos como uma malha hexagonal no grafite e uma malha tetraédrica no diamante. O grafite pode ser transformado em diamante sob alta temperatura e pressão, que é o modo como se produzem diamantes artificiais. O estanho tem um alótropo cinzento com uma estrutura cristalina cúbica e nenhuma das propriedades metálicas. Quando aquecido acima de 13,2ºC ele se transforma em estanho branco, que é metálico e tem uma estrutura em malha tetragonal. Outros elementos com formas cristalinas alotrópicas incluem o enxofre, o fósforo e o plutônio.

Os cristais de muitos sais e moléculas também existem em formas alternativas, que são chamados de polimorfos e não alótropos. Por exemplo, o carbonato de cálcio ocorre em rochas como calcita ou aragonita. A aragonita é mais solúvel, e ocorre como pequenos cristais dentro de basaltos, bem como nas cascas de moluscos. A calcita é encontrada em rochas sedimentares, como o calcário, em cristais de espato da Islândia e nas cascas de bivalves como as ostras. A aragonita se transforma em calcita quando aquecida a 470ºC.

O nitrato de potássio também existe em duas formas alternativas similares à calcita e à aragonita. O tipo aragonita torna-se o tipo calcita a 127,5ºC. A transição foi estudada em detalhe em cristais isolados aquecidos lentamente e depois resfriados enquanto observados continuamente por meio de luz refletida pelos cristais: os polimorfos têm padrões de reflexão distintos. Os cristais do tipo aragonita levaram vários minutos para se transformar em calcita pouco acima da temperatura de transição. Quando os cristais de calcita foram resfriados novamente, a estrutura original de aragonita foi restaurada em poucos minutos com detalhes surpreendentes, com os átomos alinhados do mesmo modo em que estavam no cristal original, levando os investigadores a concluir que houve um "efeito memória".[11]

Transformações entre polimorfos também ocorrem em muitos cristais de substâncias químicas orgânicas. Por exemplo, um composto sulfuroso chamado N-metil-1-tia-5-azoniaciclooctano-1-óxido de perclorato (NMTAOP) tem dois polimorfos, alfa e beta, com uma temperatura de transição de 17ºC.

Em estudos com cristais isolados, quando a forma alfa foi aquecida a alguns graus acima de 17°C, ela mudou para a forma beta em alguns minutos, conforme medido pelas propriedades ópticas dos cristais. A transformação inversa deu-se quando a forma beta foi resfriada a 14°C, mas foram necessários vários dias para que o processo se completasse. Esse ciclo de transformação pôde ser repetido diversas vezes.[12]

Assim como a cristalização de um composto a partir de uma solução deveria ocorrer tão mais rapidamente quanto mais frequentemente o processo fosse repetido (conforme discutido na Seção 5.6), a transformação de um polimorfo em outro deveria ocorrer tão mais depressa quanto mais frequente fosse a formação desse polimorfo. Logo, as transformações de cristais poderiam proporcionar um modo de testar a ressonância mórfica.

As transformações precisam ser monitoradas continuamente, seja por meio de propriedades ópticas, como nos exemplos do nitrato de potássio e do NMTAOP, seja por outros meios: alguns cristais mudam de cor quando se transformam, e em outros casos suas propriedades elétricas ou magnéticas mudam.[13] As transformações podem ser produzidas por aquecimento ou resfriamento, ou pela aplicação de alta pressão, ou por uma combinação desses métodos. Será que as transformações ocorrem mais rapidamente sob condições normais quanto mais frequente a formação de um novo polimorfo?

Como no caso dos pontos de fusão, é importante escolher compostos sintéticos para esse estudo. Não se esperariam mudanças na taxa de transformação de polimorfos que ocorrem na natureza, como calcita e aragonita, pois eles têm existido naturalmente há milhões de anos; transformações sob alta pressão e temperatura têm ocorrido com frequência na crosta terrestre mediante processos geológicos. Felizmente, há muitos compostos orgânicos sintéticos que nunca existiram na natureza, pelo que sabemos, e cujos polimorfos têm origem recente.

A.4 Adaptações em culturas de células

Células de plantas e de animais podem ser cultivadas fora dos organismos dos quais provêm, e algumas podem ser propagadas em culturas celulares em vidros de laboratório durante anos. Em virtude da ressonância mórfica, se algumas células da cultura se adaptam a um novo desafio, células similares deveriam ser capazes de se adaptar ao mesmo desafio mais rapidamente quando são separadas.

Já há evidências de que tal efeito ocorre. Miroslav Hill, um biólogo celular, fez uma descoberta muito surpreendente na década de 1980 quando era diretor de pesquisas no Centre National de la Recherche Scientifique em Villejuif, na França. Aparentemente, as células estariam influenciando outras células similares a distância.

Hill e seus colegas estavam trabalhando com culturas de células derivadas de *hamsters*. Estavam tentando encontrar células mutantes resistentes à tioguanina, uma toxina. O procedimento-padrão consistia em expor células ao veneno e ver se alguma sobrevivia como resultado de raras mutações aleatórias que lhes permitissem resistir a ele. Nenhuma resistiu.

Nesse estágio, o procedimento normal teria sido expor as células a substâncias químicas que causam mutações a fim de aumentar o número de mutações aleatórias, e depois tentar novamente. A premissa convencional é que as mutações ocorrem ao acaso; nada têm a ver com adaptações ao ambiente. No lugar disso, o grupo de Hill decidiu seguir um truque empregado por técnicos de laboratório, não mencionado nos manuais oficiais dos laboratórios. Em vez de testar grandes números de células de uma única vez para descobrir mutantes raros e resistentes a ataques, os técnicos testaram gerações sucessivas de células. Em intervalos regulares, eles faziam rotineiramente uma subcultura de células, tomando células que cresciam rapidamente e colocando algumas delas num novo meio de cultura. Esse processo é chamado de passagem. Por ocasião de cada passagem, eles também punham algumas das células sobre as células agonizantes em frascos contendo a toxina. Em pouco tempo, começaram a surgir células resistentes.

Hill e seus colegas decidiram buscar a resistência à tioguanina usando um método de "ensaio em série", que diferia do procedimento dos técnicos pelo fato de se usar novos frascos de meio tóxico a cada passagem. As células de *hamster* eram cultivadas num meio de cultura normal, e enquanto ainda cresciam, eram divididas em duas amostras. Uma era posta num novo meio de cultura para que continuasse a crescer; a outra era posta num novo frasco de meio tóxico. Assim, a cada passagem, algumas células eram avaliadas pela resistência à tioguanina e as outras continuavam a crescer normalmente (Fig. A.2).

No início, todas as células postas no meio de ensaio com tioguanina foram mortas. Após diversas passagens, porém, algumas células conseguiram sobreviver no meio tóxico. Elas tinham sofrido uma mutação. Na passagem

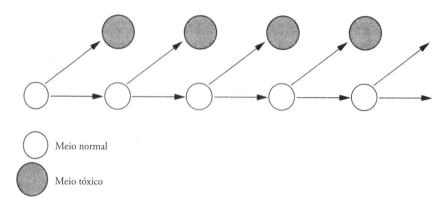

Figura A.2 Técnica de ensaio em série de Miroslav Hill. A cada passagem, algumas células eram transferidas para o meio tóxico e algumas para o meio normal.

seguinte, mais células ainda sobreviveram à toxina. A taxa de mutação estava aumentando. Os descendentes dessas células também conseguiram crescer no meio de ensaio tóxico; herdaram essa resistência.[14]

Hill e seus colegas fizeram outro experimento para verificar se o mesmo processo poderia ser repetido com um veneno diferente, a etionina, que não tinha sido usada anteriormente em estudos de toxicidade com células de *hamster*. Nas trinta passagens iniciais, ao longo de um período de quinze semanas, todas as células expostas à etionina morreram.

> As passagens subsequentes foram caracterizadas por um súbito aparecimento de mutantes. Foram ficando mais frequentes de passagem em passagem... Assim, ocorreram mutantes resistentes à etionina em culturas que cresceram sem seleção, e surgiram, nessas culturas crescentes, como resposta a um ataque de etionina a células em culturas paralelas, fisicamente separadas.[15]

As células resistentes à etionina deram origem a descendentes que herdaram sua resistência.

Depois, a equipe de Hill investigou se as mesmas técnicas permitiriam que as células de *hamster* se adaptassem a temperaturas elevadas. As células foram cultivadas, como de hábito, a 37°C, e a cada passagem foi retirada uma amostra e analisado seu crescimento a 40,6°C.

As células da primeira amostra morreram em três dias, na segunda sobreviveram a uma séria crise e deram origem a onze colônias, e na terceira estabeleceram-se após uma crise que mal foi percebida. Essas células cresceram continuamente como linhagem a 40,6ºC.

Numa segunda fase do experimento, essa linhagem de células foi mantida em crescimento a 40,6ºC e foram retiradas amostras a cada passagem, ensaiadas a 41,3ºC. Nenhuma célula sobreviveu a essa elevada temperatura em 31 passagens. Depois, começaram a surgir células tolerantes em pequenos números, depois com mais frequência e finalmente em grandes números. Essa nova cepa conseguiu ser cultivada indefinidamente a 41,3ºC. Em experimentos posteriores, a equipe de Hill conseguiu estabelecer uma cepa que podia crescer em temperatura ainda mais elevada, 42ºC, mas não pôde ir além disso.

A conclusão de Hill foi que "é mais provável as células sobreviverem a um ataque caso seus parentes próximos já tenham passado por um ataque". Ele argumentou que isso mostrava que "há um fluxo adicional de informação, que não é mediado pelo DNA, que pode ser referido como informação adaptativa".

Como essa informação adaptativa foi transmitida aos parentes próximos? Hill sugeriu que isso se deu porque algumas das células sob ataque e algumas das células da cultura normal eram irmãs, separadas na passagem mais recente. Como descendiam da mesma célula-mãe, ficaram "entrelaçadas" no sentido da física quântica.

Segundo a teoria quântica, sistemas que fizeram parte do mesmo sistema no passado mantêm-se associados, mesmo quando estão a quilômetros de distância, de modo que uma mudança num deles é acompanhada imediatamente por uma mudança no outro, um fenômeno que Albert Einstein descreveu como "ação fantasmagórica a distância". Há boa evidência experimental de que o entrelaçamento (também conhecido como não localidade quântica, ou não separabilidade quântica) acontece de fato. Hill sugeriu que células-irmãs não são apenas análogas a sistemas quânticos entrelaçados, mas que o são de fato.

Hill propôs que algumas das células que lutavam pela sobrevivência se adaptariam de forma a resistir à toxina, e suas células-irmãs, entrelaçadas, passariam por uma adaptação similar embora não fossem expostas à toxina. Alguns descendentes dessas células-irmãs não expostas foram levadas para a passagem seguinte sob condições do experimento, e quando foram atacadas já eram resistentes. Assim, passagem por passagem, a proporção de células resistentes aumentou nas células que cresciam sob condições normais (Fig. A.3a).

A hipótese da ressonância mórfica proporciona uma interpretação alternativa. Algumas células sob ataque podem sofrer mudanças adaptativas, como sugere Hill. E células atualmente sob ataque sintonizam-se com essa adaptação via ressonância mórfica com células que antes estiveram sob ataque. A proposta de Hill envolve uma transmissão de informações adaptativas através do espaço, provenientes de células-irmãs sob ataque para células-irmãs na cultura normal. A ressonância mórfica envolve uma transmissão de informações adaptativas

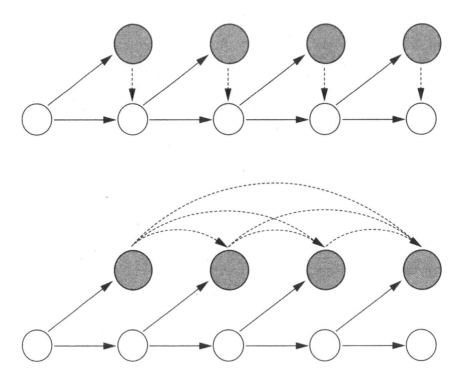

Figura A.3 Acima: A interpretação "entrelaçada" do efeito Hill. Células adaptadas no meio tóxico afetam suas irmãs no meio normal por meio do entrelaçamento (linhas pontilhadas).

Abaixo: A interpretação da ressonância mórfica para o efeito Hill. Células adaptadas no meio tóxico influenciam células subsequentes no meio tóxico por meio da ressonância mórfica (linhas pontilhadas curvas).

através do espaço, de células passadas sob ataque a células atuais sob ataque (Fig. A.3b).

Essas interpretações fazem predições diferentes que podem ser testadas via experimentos. Poderiam ser usadas células de camundongos no lugar de células de *hamsters* para evitar uma ressonância mórfica com os experimentos anteriores de Hill.

Duas linhas de células, A e B, são derivadas de uma cultura ancestral comum. A é simplesmente transferida para um novo meio normal em passagem após passagem, sem amostras sujeitas a ataque. B ganha uma subcultura seguindo o procedimento de ensaios em série de Hill, com algumas das células postas sob ataque a cada passagem (Fig. A.4). Digamos que surjam células resistentes na linha B na passagem 5. A hipótese do entrelaçamento prediz que a adaptação deve aumentar nas células normais da linha B, mas não na linha A. Começando com a passagem 5, a linha A agora recebe uma subcultura em cada passagem segundo o procedimento de Hill, e as subculturas são submetidas ao mesmo ataque que a linha B (Fig. A.4). A hipótese do entrelaçamento sugere que haverá cinco passagens antes que as células sob ataque comecem a desenvolver resistência, como antes. Mas a hipótese da ressonância mórfica sugere que a resistência deveria começar a aparecer em uma ou duas passagens, em função da ressonância mórfica de células da linha B.

A.5 Tolerância ao calor em plantas

Animais e plantas costumam adaptar-se a mudanças em seus ambientes. Por exemplo, humanos que se mudam para grandes altitudes aclimatam-se mediante diversas reações fisiológicas, inclusive criando mais células sanguíneas vermelhas. Carneiros que são levados para climas frios e úmidos produzem lã mais espessa. Plantas levadas para novos climas ajustam seus hábitos fisiológicos e de crescimento.

Jardineiros estão acostumados com essas mudanças, e sabem que plantas cultivadas em estufas podem precisar de "endurecimento" para sobreviverem ao ar livre. As plantas são movidas para uma estrutura fria e gradualmente expostas a condições externas durante o dia, depois à noite, antes de serem plantadas ao ar livre. O "endurecimento" pode levar duas ou três semanas. Diversas mudanças bioquímicas têm lugar nas plantas e elas costumam desenvolver camadas mais espessas de cera em suas folhas. Sob condições normais,

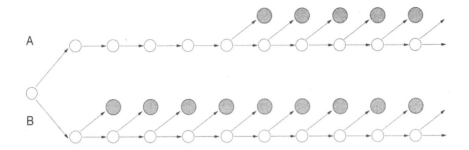

Figura A.4 Um experimento para distinguir entre efeitos do entrelaçamento e da ressonância mórfica na adaptação de células a um meio tóxico.

Abaixo: Com passagens sucessivas, células da linha B são postas num meio tóxico. Depois de cinco passagens, digamos, células adaptadas começam a aparecer e aumenta a proporção de células adaptadas nas passagens subsequentes.

Acima: O procedimento de ensaios em série começa depois de cinco passagens na linha A. Se apenas o entrelaçamento estivesse funcionando, não apareceriam células adaptadas no meio tóxico durante cinco passagens, aproximadamente; se a ressonância mórfica estivesse funcionando, elas apareceriam quase que de imediato.

as plantas passam pelo endurecimento ao frio no início do inverno, quando a temperatura cai, ajudando-as a resistir a danos causados pela geada que mata as plantas que não foram endurecidas.

Quando as plantas são levadas a novos ambientes por jardineiros ou fazendeiros, podem continuar a se adaptar ao longo de diversas gerações. Charles Darwin estava convencido de que os novos hábitos adquiridos pelas plantas ao se aclimatarem eram herdados, por exemplo, quando variedades de cereais habitualmente plantados na primavera foram plantados no outono e se tornaram variedades de inverno:

> Na conversão recíproca de trigo, cevada e ervilhaca de verão e de inverno umas nas outras, o hábito produz um efeito acentuado no decorrer de poucas gerações. Aparentemente, a mesma coisa acontece com as variedades de milho que, levados do Sul dos Estados Unidos para a Alemanha, em pouco tempo se acostumaram com suas novas casas.[16]

Trofim Lysenko e seus colegas da União Soviética continuaram a estudar a interconversão de variedades de trigo do inverno e da primavera, e aplicaram esses princípios à agricultura soviética em larga escala, com algum sucesso. Mas a questão tornou-se muito politizada, e os neodarwinistas do Ocidente disseram que as descobertas dos pesquisadores soviéticas eram falsas.[17] A herança de hábitos adaptativos é proibida pelo neodarwinismo; apenas genes podem ser herdados.

Darwin não era um neodarwinista. Em seu livro *The Variation of Animals and Plants Under Domestication* [*A Variação de Animais e Plantas Domesticados*], ele reuniu evidências impressionantes da herança de características adquiridas. Ele achava que os hábitos herdáveis tinham um papel importante na evolução, juntamente com a variação espontânea e a seleção natural: "Não precisamos... duvidar que sob a natureza novas raças e novas espécies iriam se tornar adaptadas a climas amplamente diferentes, por variação, auxiliada pelo hábito, e regulada pela seleção natural".[18]

A ressonância mórfica proporciona um meio pelo qual os hábitos podem ser herdados e está de acordo com as ideias do próprio Darwin. Mas por mais que concorde com Darwin, ainda é apenas uma hipótese. Será que tem mesmo um papel na adaptação de plantas a novas condições?

Proponho um teste simples no qual plantas de uma cepa endogâmica, como uma variedade padrão de ervilha, digamos, são cultivadas desde a semente num ambiente controlado sob temperaturas elevadas, quase letais. A proporção que sobrevive é registrada. O mesmo procedimento é repetido várias vezes. Uma proporção crescente de plantas deveria sobreviver por causa da ressonância mórfica daquelas que se adaptaram com sucesso nas tentativas anteriores.

Esse experimento poderia ser feito com duas linhas paralelas. Em C, cultivam-se plantas do lote original de sementes, de modo que não há possibilidade de que qualquer mudança adaptativa seja passada pelos gene (Fig. A.5 acima). Qualquer aumento na adaptação ao longo do tempo seria resultado de ressonância mórfica.

Na linha D, são tiradas sementes de plantas que sobreviveram à alta temperatura e são usadas para cultivar a geração seguinte (Fig. A.5 abaixo). Nessa linha, qualquer aumento na adaptação de geração para geração seria devida a uma combinação entre ressonância mórfica e herança epigenética.

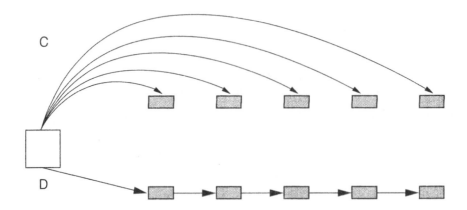

Figura A.5 Um experimento sobre tolerância ao calor em plantas.
Acima: Sementes de uma variedade endogâmica são cultivadas sob condições de alta temperatura em tentativas sucessivas. Se a ressonância mórfica estiver atuando, elas deverão mostrar maior adaptação nas tentativas sucessivas.
Abaixo: Sementes tiradas de plantas adaptadas ao calor são usadas na tentativa seguinte. A maior adaptação ao calor em gerações sucessivas poderia dever-se a uma combinação entre herança epigenética e ressonância mórfica.

O reconhecimento da herança epigenética só ocorreu após a virada do milênio, e proporciona uma base legitimamente mecanicista para a herança de características adquiridas. Agora que há uma explicação mecanicista disponível, o tabu contra a herança das características adquiridas foi removido (Seção 7.7). Evidências para a herança de características adquiridas, antes anômalas e rejeitadas ou ignoradas, foram reabilitadas.[19]

Se a adaptação ao calor tem efeitos epigenéticos herdáveis, a progênie de plantas adaptadas irá tolerar altas temperaturas melhor do que plantas cultivadas a partir do lote original de sementes (Fig. A.5). A herança epigenética não só será passada a padrões de ativação e desativação de genes, como também, ao mesmo tempo, fará com que a progênie de plantas adaptadas seja mais similar a plantas previamente adaptadas, e por isso afetada mais fortemente pela ressonância mórfica delas. Quaisquer melhorias na adaptação das plantas na linha D seria resultante tanto de herança epigenética direta como de maior ressonância mórfica.

A expectativa convencional seria que a linha C não mostraria mudanças. A hipótese da causação formativa prevê que ambas as linhas, C e D, mostrarão uma tolerância maior ao calor em tentativas sucessivas, e que a linha D mostrará esse efeito mais intensamente.

A.6 A transmissão da aversão

A aversão condicionada é uma forma rápida e duradoura de aprendizado. Animais evitam comer alguma coisa que lhes fez mal. Se você come algo novo e pouco depois passa mal, provavelmente vai evitar esse alimento depois. A aversão condicionada também acontece em invertebrados. Suas vantagens evolutivas são óbvias – ela ajuda os animais a evitarem alimentos nocivos, e, portanto, a sobreviverem melhor.

A aversão condicionada está associada ao tronco cerebral, parte do cérebro que ajuda a controlar o estômago, a secreção de sucos gástricos e os vômitos. O aprendizado neste nível opera inconscientemente. Se um paciente de câncer recebe uma quimioterapia que lhe provoca mal-estar e come alguma coisa logo antes do enjoo começar, provavelmente esse alimento irá lhe causar náuseas pelo resto de sua vida, muito embora saiba que o tratamento de câncer, e não o alimento, foi o culpado pelo mal-estar. A aversão condicionada sobrepõe-se à compreensão consciente.

A aversão condicionada poderia ser transmitida por meio de ressonância mórfica? Se animais de determinada espécie adquiriram aversão à ingestão de um tipo nocivo de alimento, será que animais da mesma espécie tenderão a evitar esse alimento como resultado da ressonância mórfica de animais similares que já têm aversão por ele? Alguns experimentos preliminares sugerem que isso pode acontecer.

Em 1988, escrevi um artigo sobre ressonância mórfica no *Guardian*, um jornal britânico. Pouco depois, o mesmo jornal publicou uma resposta de Steven Rose, um neurocientista que me desafiou a testar essa "hipótese aparentemente absurda" em seu laboratório na Open University. Rose era bem conhecido na Grã-Bretanha por suas fortes posições políticas – era marxista – e seu robusto estilo polêmico.

Aceitei seu desafio e obtive os fundos para que os testes fossem realizados por uma estudante, Amanda Harrison, no laboratório de Rose. Ela trabalhou sob a supervisão de Rose e não foi informada da hipótese sendo testada.

Naquela época, Rose estava estudando mudanças no cérebro de pintinhos com um dia de vida como resultado de aversão condicionada. Os pintinhos bicam instintivamente pequenos objetos brilhantes em seu ambiente, e o procedimento-padrão de Rose consistia em expor os pintinhos a um estímulo-teste, como um pequeno diodo emissor de luz verde (LED). Pouco depois de bicarem o objeto, os pintinhos ficavam levemente enjoados por conta da aplicação de uma injeção de cloreto de lítio. Como resultado, desenvolveram uma aversão a bicar o mesmo tipo de objeto novamente. Pintinhos de controle foram expostos a um estímulo de controle, como uma conta prateada de colar. Depois de bicarem a conta prateada, os pintinhos de controle receberam uma injeção inofensiva de solução salina, e não desenvolveram aversão ao objeto. Essa forma de aprendizado era diferente da aversão condicionada ao gosto, pois envolvia um estímulo visual, mas, como a aversão ao gosto, proporcionava uma forma rápida de aprendizado, que necessitava apenas de uma tentativa.

Rose e eu idealizamos um experimento com um novo estímulo, um LED amarelo que não tinha sido usado antes em experimentos desse tipo, para evitar qualquer efeito residual de ressonância mórfica com experimentos prévios de aversão realizados com LEDs verdes. Com efeito, descobrimos que os pintinhos bicavam um LED amarelo muito mais prontamente do que um LED verde: havia uma demora geral de 4,1 segundos até eles bicarem o LED amarelo e 19,0 segundos com o verde.[20] Para estímulo de controle, usamos uma conta prateada.

Todos os dias, durante 37 dias, os mesmos testes foram realizados com lotes novos de pintinhos de um dia. Metade do lote de pintinhos, selecionados ao acaso, foi testado com o LED amarelo, e a outra metade com a conta prateada. Depois, induziu-se um leve mal-estar nos pintinhos expostos ao LED amarelo. Três horas depois, foram testados novamente, expostos tanto ao LED amarelo como à conta prateada. A maioria evitou bicar o LED amarelo, mas não teve aversão pela conta prateada. Os pintinhos de controle que tinham bicado a conta prateada receberam uma injeção de solução salina, e também foram testados três horas depois, tanto com a conta prateada como com o LED amarelo.

Eu tinha predito que se a ressonância mórfica estivesse em ação, sucessivos lotes de pintinhos de um dia deveriam demonstrar uma aversão cada vez maior ao LED amarelo quando expostos a ele pela primeira vez. Nenhuma aversão à conta prateada seria esperada com os pintinhos de controle. Rose predisse que a aversão dos pintinhos não aumentaria, quer nos de controle, quer nos testados.

E o que os dados mostraram? Antes de mais nada, houve um efeito que nenhum de nós tinha predito, embora, analisando o problema em retrospectiva, deveríamos tê-lo feito. A estudante que realizou os testes nunca tinha manuseado pintinhos antes, e levou uma semana até aprender a lidar com eles e realizar os testes adequadamente. Os dados dos primeiros dias mostraram um grande efeito de aprendizado – não dos pintinhos, mas da estudante. Depois disso, ela aprendeu as técnicas e houve um padrão consistente. Com relação aos controles, os pintinhos de testes expostos pela primeira vez ao LED amarelo tornaram-se progressivamente avessos a bicá-lo (Fig. A.6). Este efeito foi significativo do ponto de vista estatístico.

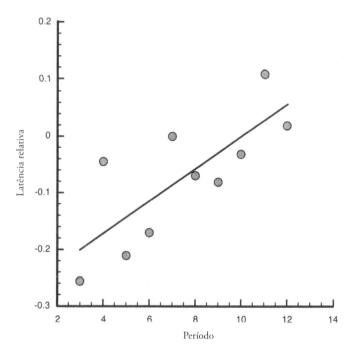

Figura A.6 Um experimento sobre aversão condicionada com pintinhos de um dia. Pintinhos de "teste" foram expostos a um diodo emissor de luz amarela (LED) e pintinhos de controle a uma conta prateada. Houve uma demora maior até bicarem o LED com relação ao estímulo de controle em períodos sucessivos de três dias. A medida da demora, ou "latência", foi a proporção de pintinhos que não bicou o estímulo no prazo de dez segundos. (Dados de Sheldrake, 1992.)

Em minha opinião, os dados foram consistentes com a operação da ressonância mórfica. Na opinião de Rose, não foram.[21]

*   *   *

Talvez a melhor oportunidade para novas pesquisas sobre a transmissão da aversão esteja nos ratos. A aversão condicionada é um importante problema prático para a indústria de controle de ratos. Se os ratos recebem iscas que contém uma toxina de ação rápida, o veneno mata poucos ratos no início, mas em pouco tempo os outros ratos o evitam. Rapidamente, eles se tornam "tímidos para iscas". Por este motivo, os venenos de ratos mais eficazes são os de ação lenta, como a varfarina, que não causa doenças logo após ser ingerida. A varfarina, que foi licenciada para uso como raticida em 1952, é um anticoagulante e funciona lentamente porque mata os ratos por hemorragia interna. Alguns sangram até morrer após serem mordidos por outros ratos.

Depois de a varfarina estar em uso por uns dez anos, começaram a surgir cepas resistentes de ratos na Grã-Bretanha, depois em outras partes da Europa, nos Estados Unidos e na Ásia. Na década de 1970, os fabricantes de venenos reagiram ao desafio produzindo uma segunda geração de raticidas, as "supervarfarinas" como o brodifacoum. A resistência a esses novos agentes tóxicos está aumentando agora no mundo todo.[22]

Quando os venenos anticoagulantes deixam de erradicar os ratos de uma infestação, os especialistas em controle de pragas costumam voltar a usar um veneno contra ratos de ação rápida como o fosfito de zinco. Como os ratos não demoram para ficar avessos às iscas, usa-se uma técnica chamada pré-isca. Oferece-se aos ratos um alimento atraente que não contém veneno, e, quando se acostumam com ele, acrescenta-se o fosfito de zinco. Os ratos não estarão mais cautelosos e comerão o suficiente para matá-los.

Sem a pré-isca, os ratos podem comer apenas uma pequena porção de isca envenenada. Ficam doentes mas se recuperam e tornam-se tímidos para a isca por causa da aversão condicionada ao gosto. Os ratos são animais sociais, e indivíduos tímidos para a isca comunicam sua aversão a outros membros do grupo mediante "aprendizado social". Um componente do aprendizado social é a imitação, especialmente a imitação dos progenitores por parte de seus filhotes. Outro componente é sentir o cheiro do hálito de outros membros da colônia, permitindo que outros ratos saibam o que foi comido antes. A ressonância mórfica também pode ter um papel importante no aprendizado social. Mas quando a timidez para iscas se espalha por uma colônia, fica impossível isolar a contribuição relativa da ressonância mórfica de outros tipos de transmissão de informação. Para testar a ressonância mórfica, seria necessário comparar o comportamento de colônias situadas a quilômetros de distância.

Eis um projeto experimental simples. Dois novos tipos de alimento, G e H, recebem sabores incomuns, que os ratos provavelmente nunca teriam encontrado antes. Dez colônias são selecionadas para esse experimento, situadas a quilômetros de distância umas das outras. Cinco dessas colônias são selecionadas ao acaso e tanto G quanto H são oferecidos para elas. A taxa com que os ratos os ingerem são registradas. Agora, um dos alimentos é escolhido ao acaso – digamos, o G – e envenenado com pequenas doses de fosfito de zinco. Os ratos ficam tímidos para a isca e evitam G.

Depois, os ratos das outras cinco colônias recebem para comer G e H sem veneno. Se a ressonância mórfica estiver atuando, os ratos devem mostrar uma tendência a evitar G, mas não H.

Experimentos similares poderiam ser feitos sob condições mais controladas com colônias cativas de ratos ou camundongos, mas para minimizar sofrimentos desnecessários seria melhor realizar esses experimentos em situações nas quais os animais já serão mesmo envenenados.

A.7 A evolução do comportamento animal

Em *The Presence of the Past*, descrevi a difusão de um novo padrão de comportamento que sugere a ressonância mórfica: o furto de nata por chapins-azuis. Na Grã-Bretanha, o leite fresco era (e ainda é) entregue na soleira das casas todas as manhãs, menos aos domingos. Na década de 1920, chapins-azuis e diversas espécies relacionadas de aves começaram a furtar nata removendo as tampas e bebendo-a pelo gargalo das garrafas.

O primeiro registro desse hábito data de 1921 em Southampton, e sua difusão pela Grã-Bretanha foi monitorada por observadores amadores de pássaros entre 1930 e 1947. As principais espécies a furtar nata são o chapim-azul, o chapim-real e o chapim-carvoeiro. Depois que o furto de nata foi descoberto num lugar específico, espalhou-se localmente por imitação.

Geralmente, os chapins não se mudam para lugares situados a mais de uns poucos quilômetros de seu ninho, e o surgimento desse hábito a distâncias de mais de 25 quilômetros provavelmente representou novas descobertas por aves isoladas. Uma análise detalhada dos registros dos cientistas da University of Cambridge mostrou que o furto de nata deve ter sido descoberto de modo independente 89 vezes, no mínimo, nas Ilhas Britânicas. A difusão do hábito acelerou-se com o passar do tempo.[23]

Esse hábito também apareceu na Europa continental, especialmente na Suécia, Dinamarca e Holanda. Os registros holandeses são particularmente interessantes. As entregas de leite pararam durante a Segunda Guerra Mundial e recomeçaram em 1947. Os chapins vivem apenas alguns anos, e provavelmente nenhum dos que tinham aprendido esse hábito antes da guerra sobreviveu até aquele ano. Mesmo assim, os ataques a garrafas de leite recomeçaram rapidamente. "Parece certo que o hábito foi iniciado em muitos locais diferentes por diversos indivíduos."[24]

Entretanto, o furto de nata parece estar diminuindo. No final da década de 1980, os chapins atacavam as garrafas de leite entregues em nossa casa em Londres. No início da década de 1990, passamos do leite integral para o semidesnatado, como muitas outras pessoas, e os ataques cessaram em pouco tempo. Faz mais de dez anos que não vejo uma garrafa atacada por chapins, embora ainda haja muitos chapins em nossa vizinhança. Parece que as aves desistiram de fazê-lo, já que não há muita nata para se furtar.

Vários exemplos da rápida evolução de novos padrões de comportamento sugerem que a ressonância mórfica poderia ter seu papel.

Segundo um eminente naturalista texano, Roy Bedechek, quando o arame farpado foi introduzido no final do século XIX, os céticos previram que ele nunca seria adequado para os pastos de cavalos. Os animais corriam em sua direção e "cortavam suas próprias gargantas, arrancavam enormes pedaços de carne de seus peitos, e os ferimentos que não eram fatais ou os meros arranhões ficavam infestados por larvas de varejeira". Em 1947, ele escreveu, "Lembro-me da época em que não havia praticamente um cavalo em fazendas ou ranchos do Texas que não tinha alguma cicatriz causada por encontros com arame farpado".[25] Entretanto, em meados do século XX, isso não era mais um problema sério: "Em meio século, o cavalo aprendeu a evitar arame farpado. Os cavalos raramente correm contra ele. A espécie toda aprendeu sobre um novo medo".

Bedechek também comentou sobre como mudaram as reações dos cavalos ante os carros:

> Quando os automóveis surgiram, o tráfico puxado a cavalos era desorganizado. O automobilista mais considerado saía da estrada e desligava o motor assim que avistava uma parelha de cavalos. Não só isso, como o motorista saía do carro e ajudava o condutor a levar os cavalos assustados e resfolegantes a passar por ele. Muitos automóveis foram danificados e muitos pescoços foram quebrados para apresentar o cavalo ao automóvel e estabelecer sua tolerância a ele. Muitas foram as demandas por leis para manter os automóveis em seu lugar... Não temos mais disparadas enlouquecedoras cada vez que uma parelha de cavalos se defronta com um automóvel.[26]

Outro exemplo de evolução comportamental em animais de fazenda diz respeito aos mata-burros, que são buracos com uma série de tubos de aço paralelos ou vigas sobre ele. Eles tornam fisicamente impossível a passagem do gado por eles, e servem tanto de portão como de cerca; impedem a passagem do gado, mas permitem a travessia livre de veículos e pessoas. Os mata-burros foram inventados nos Estados Unidos no século XIX para impedir que animais perambulassem até as ferrovias. Começaram a ser usados nas estradas norte-americanas por volta de 1905,[27] e hoje são muito usados em diversos países.

Quando os mata-burros surgiram, os animais podem ter tido de aprender a duras penas que não podiam passar por eles. Mas isso não acontece mais. Animais de fazenda parecem evitar instintivamente essas grades e nem sequer tentam atravessá-las.

Há muitas décadas, fazendeiros do oeste norte-americano descobriram que podiam economizar dinheiro em mata-burros usando grades falsas, consistentes de faixas pintadas na estrada. As grades pintadas funcionaram, porque os animais nem sequer tentavam atravessá-las.

Em resposta a meus questionamentos, diversos rancheiros do oeste dos Estados Unidos me disseram que não é mais preciso expor antes as reses aos verdadeiros mata-burros. Animais que nunca viram um mata-burro de verdade evitam os falsos. Quando jovens reses se aproximam de uma grade pintada, elas "pisam nos freios com as quatro patas", como expressou um rancheiro. Correspondi-me com pesquisadores nos departamentos de Ciência Animal da

Colorado State University e da Texas Agricultural and Mechanical University (A & M) que confirmaram esse comentário.

O professor Ted Friend, da Texas A & M, testou sistematicamente as reações de diversas centenas de cabeças de gado às grades pintadas, e descobriu que animais ingênuos evitavam-nas tanto quanto aqueles que tinham sido expostos antes às verdadeiras grades. Ovelhas e cavalos também mostraram uma aversão inata às grades pintadas. Contudo, o feitiço de uma grade falsa pode ser quebrado. Quando as vacas foram direcionadas para uma delas sob pressão, ou quando a comida estava do outro lado, às vezes uma delas examinava cautelosamente as faixas e as atravessava. Quando um membro de uma boiada fazia isso, outros o seguiam. Dali em diante, a grade falsa deixava de funcionar como barreira.[28]

Talvez os mata-burros pintados funcionassem simplesmente porque criavam a ilusão de uma queda. Neste caso, deveriam ter funcionado o tempo todo, e os rancheiros nem precisariam ter usado grades reais antes. Seria interessante descobrir se espécies *selvagens* nunca expostas antes a mata-burros demonstrariam uma aversão comparável a atravessá-los. Seria bom saber se o gado reagiria igualmente bem a diversos padrões de faixas, ou apenas a faixas que se parecessem com mata-burros.

É interessante observar que está se desenvolvendo uma nova resposta a mata-burros. Em 1985, ovelhas próximas a Blaenau Ffestiniog, em Gales, começaram a escapar de seus pastos rolando sobre as grades. O mesmo fizeram ovelhas suecas perto de Malmoehus. Um editorial no *Guardian* em 1985 comentou:

> Até onde sabemos, as ovelhas da região de Dales em Yorkshire, principalmente Swaledale ou Dalesbred, ainda precisam dominar a técnica de atravessar mata--burros encolhendo-se e rolando sobre eles. Mas as ovelhas de Blaenau Ffestiniog, que são de uma raça diferente, aprenderam a fazer isso (para transtorno da cidade, que talvez precise colocar uma cerca) e o mesmo se pode dizer das ovelhas das terras baixas do sul da Suécia. Entre as várias questões que surgiram, pergunta-se quanto tempo levará para as Swaledale aprender a fazê-lo e se, quando o fizerem, estarão demonstrando a teoria da causação formativa.[29]

Doze anos depois, as ovelhas começaram a atravessar mata-burros em Hampshire. No início, usaram uma técnica de "comandos", na qual uma delas se deitava no mata-burro e as outras caminhavam sobre ela. Mas depois elas começaram a atravessar rolando sobre as barras da grade, como as ovelhas galesas.[30] Um comportamento similar foi observado na região de Valais, na Suíça.[31]

Em 2004, dezenove anos de os editores do *Guardian* terem previsto essa possibilidade, ovelhas da região de Moors, em Yorkshire, começaram a escapar das fazendas rolando sobre os mata-burros para pastar nos jardins dos aldeões.[32]

Animais, tanto selvagens quanto domesticados, continuam a evoluir em resposta a mudanças criadas pelo homem em seu ambiente, e o surgimento de novos padrões de comportamento proporciona oportunidades para documentar a disseminação desses padrões. O acompanhamento do furto de nata na Grã-Bretanha por observadores amadores de pássaros nas décadas de 1930 e 1940 proporciona um bom precedente para pesquisas com ampla participação. Tais estudos nunca poderão fornecer dados tão precisos quanto experimentos de laboratório, mas podem lançar luzes sobre o possível papel da ressonância mórfica na evolução, com implicações bem diferentes da teoria neodarwiniana.

A.8 Memória coletiva humana

Segundo a hipótese da ressonância mórfica, seria mais fácil para as pessoas aprenderem hoje aquilo que foi aprendido por muitas pessoas no passado. Todos se valem da memória coletiva humana e, por sua vez, contribuem para ela.

Em 1982, a revista britânica *New Scientist* criou um concurso para que se apresentassem ideias para testar a ressonância mórfica. A ideia vencedora foi a de um psicólogo, Richard Gentle, com um experimento envolvendo canções de ninar turcas. Ele sugeriu que se pedisse a pessoas que falam inglês memorizassem duas poesias breves em turco, uma tradicional canção de ninar conhecida por milhões de turcos ao longo dos anos, e a outra, uma nova poesia feita reorganizando-se as palavras da autêntica canção de ninar. Os participantes não saberiam qual era qual. Depois de períodos iguais dedicados à memorização de cada uma das poesias, eles seriam testados para se descobrir de qual se lembraram melhor. Se a ressonância mórfica estivesse atuante, a poesia tradicional seria mais fácil de se memorizar do que a nova.

Esse é um exemplo de teste de "campo antigo", pelo qual o aprendizado de alguma coisa com um campo mórfico estabelecido há muito tempo é comparado com o aprendizado de alguma coisa nova. Foram realizados muitos testes de ressonância mórfica com campos antigos. A maioria produziu resultados positivos.

Acolhi a sugestão de Gentle mas usei poesia japonesa no lugar de canções de ninar turcas. Um grande poeta japonês, Shuntaro Tanikawa, apresentou-me amavelmente uma autêntica canção de ninar conhecida por gerações de crianças japonesas, e dois poemas compostos especialmente para se assemelharem a ela em sua estrutura, uma com significado e a outra sem sentido algum. Em testes realizados na Grã-Bretanha e nos Estados Unidos, as pessoas efetivamente se lembraram bem melhor da canção autêntica do que das outras poesias.[33] Mas esse experimento suscitou uma dificuldade que se aplica a todos os experimentos com campos antigos. Como é possível ter certeza de que as novas poesias, com as quais a antiga foi comparada, têm estrutura intrínseca similar? Talvez as verdadeiras canções de ninar tenham ficado populares justamente porque suas características facilitam a memorização. Embora seja mais provável que um poeta produza novas poesias similares do que um amador, é difícil saber se as novas poesias seriam intrinsecamente comparáveis às antigas na ausência de qualquer efeito de ressonância mórfica.

A maioria dos testes com campos antigos tem envolvido *scripts* estrangeiros. Gary Schwartz, professor de psicologia na University of Yale, realizou um dos primeiros. Sua ideia era que palavras comuns deveriam estar associadas a campos mórficos que facilitam sua identificação. Por exemplo, a palavra inglesa "cat" [gato] é reconhecida como um todo – como uma Gestalt – e envolve um campo mórfico sustentado pela ressonância de milhões de leitores no passado. Em comparação, um anagrama sem sentido das mesmas letras, como "tca", não tem essa ressonância. Schwartz raciocinou que pessoas que não estão familiarizadas com um *script* estrangeiro podem achar mais fácil reconhecer palavras reais nessa linguagem do que palavras falsas.

Schwartz selecionou 48 palavras com três letras do Antigo Testamento hebraico, 24 comuns e 24 raras, e depois gerou um anagrama sem sentido para cada uma delas, produzindo um total de 96 palavras. Mais de 90 participantes que desconheciam hebraico observaram essas palavras, uma a uma, projetadas numa tela em ordem aleatória. Pediram-lhes para adivinhar o significado de cada palavra, escrevendo a primeira palavra em inglês que lhes vinha à mente. Depois, elas estimaram, numa escala de 0 a 4, o grau de confiança que teriam em cada palpite. Não lhes disseram o propósito do experimento, nem que algumas palavras estavam embaralhadas. Esse teste dependia inteiramente do padrão visual das palavras escritas: ele não envolvia a oitiva das palavras ou tentativas de pronunciá-las.

Alguns participantes chegaram a adivinhar corretamente o significado de algumas palavras hebraicas, mas Schwartz excluiu-os da análise com base na possibilidade de que tivessem algum conhecimento de hebraico. Depois, ele examinou as respostas dos participantes que sempre adivinhavam os significados errados. Foi digno de destaque o fato de que, na média, tinham mais confiança em seus palpites quando viam palavras reais do que palavras embaralhadas, mesmo sem saber que algumas das palavras eram reais e as outras falsas. O efeito foi aproximadamente duas vezes mais forte com as palavras comuns do que com as palavras reais. Os resultados foram bastante significativos em termos estatísticos.[34]

Só depois de Schwartz testar os participantes é que ele os informou que metade das palavras eram reais e a outra metade embaralhada. Depois, mostrou-lhes novamente as palavras, uma a uma, pedindo-lhes para adivinharem quais eram reais e quais não eram. Os resultados não foram melhores do que o acaso. Os participantes não foram capazes de fazer conscientemente aquilo que tinham feito inconscientemente. Schwartz interpretou a confiança maior dos participantes em seus palpites dos significados das palavras reais levando-se em conta um "efeito inconsciente de reconhecimento de padrões".

Alan Pickering, psicólogo na Hatfield Polytechnic da Inglaterra, usou palavras persas no lugar de palavras hebraicas, escritas em caracteres persas. Seu teste, como o de Schwartz, envolveu palavras reais e palavras embaralhadas. Os participantes observavam uma palavra durante dez segundos. Depois, pediam-lhes que a desenhassem. Juízes independentes avaliaram as reproduções de palavras verdadeiras e falsas. Nem o experimentador, nem os juízes sabiam quais eram as reais e quais eram embaralhadas. As palavras verdadeiras foram reproduzidas com precisão significativamente maior do que as falsas.

Experimentos subsequentes realizados como projetos de alunos por Nigel Davidson com palavras persas e por Geraldine Chapman com palavras árabes produziram resultados positivos similares.

Arden Mahlberg, psicólogo norte-americano, realizou um teste similar com o código Morse. Ele construiu uma nova versão atribuindo pontos e traços às diferentes letras do alfabeto. Os participantes não conheciam o código Morse. Ele comparou sua habilidade para aprender o novo código e o verdadeiro código Morse, apresentando o material na forma escrita. (As letras S e O foram excluídas pois muitos daqueles que não conhecem o código Morse estão familiarizados com o código S.O.S.). Na média, os participantes aprenderam o verdadeiro código Morse de forma significativamente mais precisa do que o novo código.[35]

Suitbert Ertel, professor de psicologia da Universidade de Göttingen, na Alemanha, investigou os possíveis efeitos da ressonância mórfica sobre o reconhecimento de ideogramas japoneses hiragana, um componente fonético do sistema de escrita japonês. Apresentaram aos participantes nove ideogramas hiragana diferentes em ordem aleatória, projetados sobre uma tela durante oito segundos. Depois, receberam uma folha de respostas com vinte ideogramas hiragana diferentes, entre os quais os nove ideogramas que tinham acabado de ver estavam misturados ao acaso. Pediram-lhes que assinalassem os ideogramas que achavam que tinham acabado de ver. O mesmo teste foi repetido com os ideogramas em diferentes ordens aleatórias. Cada participante teve seis tentativas, e geralmente o reconhecimento dos ideogramas hiragana melhorou a cada tentativa.[36]

Ertel predisse que se a ressonância mórfica tivesse algum papel, os ideogramas hiragana seriam identificados mais facilmente quando estavam apresentados da forma correta do que se estivessem de cabeça para baixo, pois milhões de japoneses estavam acostumados a reconhecer esses ideogramas em sua posição normal. E foi exatamente o que ele descobriu.

Num experimento posterior, ele usou ideogramas hiragana artificiais inventados por um *designer* gráfico. Antes de apresentar os testes de aprendizado, ele e seus alunos mostraram aos participantes ideogramas hiragana autênticos e artificiais e perguntaram quais seriam os verdadeiros. Não conseguiram encontrar diferenças. Então, a equipe de Göttingen realizou os testes habituais de memória, e descobriu que os ideogramas reais eram lembrados melhor do que os falsos, segundo as predições da hipótese de ressonância mórfica.

Ertel e sua equipe realizaram então mais um teste, que eles consideraram crucial. Compararam o efeito de colocar os verdadeiros ideogramas de cabeça para baixo com o de colocar ideogramas falsos de cabeça para baixo. Ertel argumentou que com os ideogramas hiragana falsos, a rotação não teria efeito porque a ressonância mórfica não tem papel algum na identificação desses ideogramas, qualquer que seja a sua orientação gráfica.

Os resultados foram confusos e a interpretação de Ertel foi difícil de se acompanhar. Nas duas tentativas iniciais, quase não houve, de fato, diferença no reconhecimento dos ideogramas hiragana de ponta-cabeça ou na posição correta (Fig. A.7). Mas nas tentativas seguintes, os ideogramas hiragana falsos foram melhor lembrados quando estavam na posição correta. Ertel argumentou que a taxa de aprendizado mais rápida nos testes posteriores, com os hiragana falsos postos na posição correta, deveu-se a "fatores intrínsecos" que nada tinham a ver com a ressonância mórfica. Surpreendentemente, porém, ele não apresentou uma análise estatística para mostrar se esse efeito era significativo ou não.

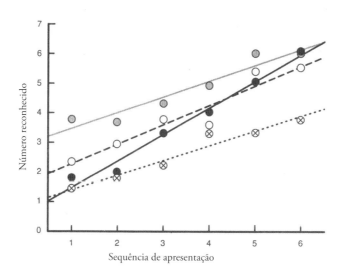

Figura A.7 Os resultados do experimento de Suitbert Ertel sobre o reconhecimento de ideogramas hiragana. O eixo vertical mostra o número de palavras reconhecidas em seis tentativas sucessivas. Os quatro conjuntos de pontos de dados referem-se a ideogramas verdadeiros e falsos, na posição correta e de cabeça para baixo. (Reproduzido por cortesia de Suitbert Ertel.)

Contudo, os ideogramas hiragana falsos de Ertel foram *desenhados* de modo a se parecerem com ideogramas hiragana verdadeiros quando estivessem na posição correta. Pode ser que o fizessem justamente por ter um aspecto correto, "de cabeça para cima", tornando-os parecidos com os ideogramas verdadeiros. Esse "fator intrínseco" pode não ser uma alternativa à ressonância mórfica, mas depende da semelhança genérica com os ideogramas hiragana na posição correta, algo que lhes era próprio desde o início.

Em retrospectiva, Ertel imaginou que ele e seus alunos tivessem cometido um erro em seus testes iniciais, quando tentavam descobrir se os ideogramas hiragana falsos eram mesmo similares aos verdadeiros: "Lentamente, fomos percebendo que não tínhamos instruído corretamente os participantes dos testes preliminares. Deveríamos ter pedido para que olhassem os quarenta símbolos no papel e assinalassem os que pareciam *mais simples, mais agradáveis e menos estranhos* para eles. Essas eram as características intrínsecas que outro teste já havia mostrado como interessantes. Em vez disso, informamos os participantes de que havia vinte símbolos japoneses autênticos e vinte símbolos artificiais, e pedimos que assinalassem os vinte autênticos".

A complexidade das interpretações de Ertel ilustra como é difícil obter resultados claros em experimentos com campos antigos.

Robert Schorn, Gottfried Tappeiner e Janette Walde realizaram recentemente um teste com campo antigo na Universidade de Innsbruck. Usaram estímulos consistentes de símbolos políticos, religiosos e econômicos, como bandeiras, emblemas e logotipos que já foram conhecidos mas que caíram no esquecimento, ou que são familiares para muitas pessoas em outros países, como o símbolo da Coca-Cola na China, marcas indianas ou símbolos religiosos do Extremo Oriente. Para cada um desses símbolos, um *designer* criou um símbolo de controle correspondente, com padrão geral e complexidade similares.

Para descobrir se os novos símbolos podiam mesmo ser comparados, os experimentadores realizaram sete pré-testes com mais de duzentos participantes, aos quais se pediu para indicar quais dos símbolos em cada par eram menos críveis ou reais. No experimento principal, eles empregaram símbolos falsos que eram tão críveis quanto os originais, se não mais. Mostravam aos participantes pares de símbolos, um verdadeiro e um falso, numa ordem aleatoriamente determinada, e pediam-lhes que julgassem quais de cada par tinham mais "espírito". Eles selecionaram os símbolos verdadeiros com mais frequência do que os falsos, de forma significativa.[37]

Num segundo teste, a equipe de Innsbruck comparou palavras verdadeiras escritas em russo com caracteres cirílicos com anagramas sem sentido dessas palavras. Novamente, os estímulos verdadeiros e falsos foram apresentados em pares, e os participantes deviam dizer quais tinham mais "espírito". As palavras verdadeiras foram selecionadas significativamente mais do que os anagramas.

Alguns desses testes foram feitos pela internet, ilustrando o potencial para uma participação pública mais ampla em testes automáticos de ressonância mórfica.

Kimberly Robbins e Chris Roe, da Universidade de Northampton, Inglaterra, realizaram o mais recente experimento com campo antigo usando caracteres chineses genuínos e falsos. O esquema do experimento foi semelhante ao de Ertel. Primeiro, os participantes contemplaram uma apresentação em PowerPoint consistindo em cinco caracteres chineses verdadeiros e cinco falsos numa sequência aleatória, observando cada caractere por três segundos. Não lhes foi dito que alguns eram verdadeiros e outros falsos. Depois, receberam uma folha impressa com vinte caracteres, e pediram-lhes que fizessem um círculo em torno dos dez que tinham visto. Os outros dez caracteres eram "iscas", e novamente cinco eram verdadeiros e cinco eram falsos. Os participantes reconheceram os caracteres verdadeiros de forma bem mais significativa do que os falsos. Com as iscas, os participantes tiveram significativamente mais falsas memórias dos caracteres verdadeiros do que dos falsos, o que foi consistente com o efeito da ressonância mórfica.[38]

Mesmo assim, todos os testes de campos antigos têm dificuldade de controlar os "fatores intrínsecos" que podem tornar antigos símbolos, palavras ou poesias mais memoráveis ou mais atraentes do que outros inventados recentemente. Mas fatores intrínsecos e ressonância mórfica são alternativas autênticas? Os próprios fatores intrínsecos podem depender da ressonância mórfica.

A.9 Aprimorando o desempenho humano

Os testes mais simples com campos novos começam com dois novos padrões. A primeira etapa consiste em descobrir com que facilidade eles podem ser aprendidos ou reconhecidos. A segunda etapa consiste em formar ressonância mórfica com um e não com o outro. Se a ressonância mórfica estiver atuante, aquele que foi "fortalecido" deve ser posteriormente mais fácil de aprender ou de reconhecer; não deve haver tal mudança com o controle.

O primeiro teste de campo novo foi realizado com imagens ocultas, seguindo uma sugestão de Nicholas Humphrey. Tais imagens não parecem fazer sentido à primeira vista, ou então contém apenas vagas sugestões de padrões (Fig. A.8a). Ver a imagem subjacente (Fig. A.8b) envolve um súbito salto de Gestalt; a imagem assume um significado definido. Depois que isso aconteceu, é difícil não identificar a imagem oculta, e é duro acreditar que os outros não conseguem vê-la. Se a ressonância mórfica estiver em ação, uma imagem oculta deveria ser mais fácil de se identificar caso muitas pessoas já a tivessem visto.

Figura A.8a Uma imagem oculta, como a usada num teste da ressonância mórfica pela televisão. A imagem é revelada na Figura A.8b.

Figura A.8b A imagem oculta na Figura A.8a.

No verão de 1983, uma emissora britânica de televisão, a Thames Television, possibilitou-me realizar um experimento desse tipo. As duas imagens enigmáticas foram produzidas especialmente por um artista e foram idealizadas para serem de difícil visualização, para que apenas uma pequena minoria pudesse identificar as imagens ocultas. Antes da emissão televisiva na Grã-Bretanha, enviei essas imagens para colaboradores na Europa, na África e nas Américas. Cada experimentador mostrou as duas imagens, por um minuto cada uma, a um grupo de participantes antes da transmissão, e depois para outro grupo de participantes comparáveis. O número de pessoas que identificou a imagem oculta foi registrado.

Nem eu, nem os experimentadores, sabíamos qual das imagens seria exibida na televisão. No programa de TV em si, uma foi escolhida ao acaso e mostrada para 2 milhões de espectadores, aproximadamente. Depois de vários segundos a resposta foi revelada, e depois "fundida" com a imagem enigmática para que a imagem, antes oculta, ficasse prontamente evidente. A mesma imagem foi exibida novamente ao término do programa.

O percentual de participantes que reconheceu a imagem de controle antes e depois do programa de TV não mudou, enquanto o percentual que reconheceu a imagem mostrada pela TV na Grã-Bretanha aumentou. Esse efeito foi estatisticamente significativo, com uma probabilidade menor do que uma em cem de o resultado ter ocorrido por acaso.[39]

O experimento foi repetido usando imagens diferentes no canal de TV da BBC em novembro de 1984, durante um programa de ciência popular chamado *Tomorrow's World* [*O Mundo de Amanhã*]. Novamente, havia duas imagens ocultas. Experimentadores do mundo todo testaram grupos de participantes para descobrir quantos deles conseguiam identificar as imagens ocultas num prazo de 30 segundos. Esses testes foram realizados ao longo de cinco dias antes da transmissão de TV na Grã-Bretanha, e com participantes comparáveis num período de cinco dias após a transmissão. No programa de TV, uma das duas imagens foi selecionada aleatoriamente e exibida a 8 milhões de espectadores, aos quais a resposta foi revelada.

Essa imagem ficou, de fato, bem mais fácil de se identificar em outros lugares, enquanto não houve mudança com o controle. Mas esse efeito positivo ficou confinado a participantes na Europa continental; não houve efeito nos Estados Unidos. A disparidade foi surpreendente. A ressonância mórfica não deveria depender da distância. Uma explicação possível é que na Europa, na qual a diferença de horário para a Grã-Bretanha era de apenas uma hora, as pessoas estavam mais "em fase" com a audiência da TV britânica do que as pessoas nos Estados Unidos, cuja diferença de horário ia de cinco a oito horas.

Foi realizado um novo experimento com imagens ocultas em fevereiro de 1985, com uma transmissão pela TV alemã feita pela Norddeutscher Rundfunk. Mais uma vez, foram usadas duas imagens, das quais apenas uma foi mostrada na televisão. Esse experimento foi coordenado por Susan Fassberg em Freiburg im Breisgau. Ela providenciou para que milhares de participantes fossem testados em diversas partes do mundo, principalmente na Grã-Bretanha. Como nos experimentos anteriores, não houve mudança significativa na proporção de pessoas que reconheceram a imagem de controle, mas a proporção dos que reconheceram a imagem de teste *diminuiu* na Grã-Bretanha e em outros lugares após ter sido vista por cerca de meio milhão de pessoas no norte da Alemanha!

O declínio foi significativo, no nível de probabilidade de 2%. Do ponto de vista da ressonância mórfica, deveria ter havido um aumento. Do ponto de vista cético, não deveria haver mudança. Ninguém previu uma diminuição.

O resultado mostrou que havia outros fatores em ação, mas o quais? Ninguém sabia. Essa intrigante descoberta desestimulou outras pessoas da ideia de fazer novos testes pela televisão, cuja organização era bem complicada.

Em 1987, o Institute of Noetic Sciences (IONS), perto de San Francisco, Califórnia, anunciou um prêmio pela melhor pesquisa estudantil sobre ressonância mórfica. Um grupo de juízes independentes avaliou as propostas, e os resultados foram anunciados em 1991.[40]

A vencedora do prêmio estudantil foi Monica England, estudante de psicologia da Universidade de Nottingham, na Inglaterra. Seu teste foi estimulado pela evidência empírica de que algumas pessoas acham mais fácil fazer as palavras cruzadas do jornal no dia seguinte à sua publicação do que no dia em que são lançadas, um efeito que poderia ser devido à ressonância mórfica de milhares de pessoas que já resolveram o passatempo.

O experimento envolveu duas palavras cruzadas de um jornal londrino, o *Evening Standard*, que não é distribuído em Nottingham. O jornal colaborou gentilmente, fornecendo duas palavras cruzadas inéditas uma semana antes de serem publicadas: uma "fácil" e outra "rápida". A fácil tinha pistas crípticas simples, e a rápida tinha pistas com uma única palavra que exigia sinônimos como respostas.

Monica England testou aproximadamente 50 estudantes no dia antes da publicação das palavras cruzadas em Londres, e outros 50 no dia seguinte. Os dois grupos de participantes também receberam duas palavras cruzadas de controle, que tinham sido publicados no *Evening Standard* duas semanas antes. Os participantes tinham dez minutos com cada enigma para resolver a maior quantidade de palavras que pudesse.

Na média, os participantes apresentaram significativamente mais respostas para as palavras cruzadas fáceis após elas terem sido publicadas do que antes. Não houve alteração com as palavras cruzadas de controle. Em comparação, com as palavras cruzadas rápidas não houve diferença significativa nas palavras cruzadas de teste em relação às de controle.

Repeti esse experimento em 1990, novamente usando palavras cruzadas fáceis e rápidas do *Evening Standard* e testando pessoas com a ajuda de expe-

UMA NOVA CIÊNCIA DA VIDA

rimentadores que viviam longe de Londres, onde os participantes não teriam visto esse jornal londrino. Novamente, os resultados com as duas palavras cruzadas foram comparados com os controles. Houve uma ligeira melhoria nos resultados com as palavras cruzadas fáceis após terem sido publicadas, mas essa mudança não foi significativa em termos estatísticos. Em comparação, houve um aumento estatisticamente significativo com as palavras cruzadas rápidas. Assim, os resultados foram inconsistentes, produzindo um efeito positivo com uma das palavras cruzadas, mas não com a outra, como no experimento de Monica England. Em seu teste, as palavras cruzadas fáceis mostraram um efeito positivo, e no meu foram as rápidas.

Enquanto refletia sobre esses resultados, percebi que eu tinha tomado como certo que todos os enigmas de palavras cruzadas eram novos, e que presumira que eles não seriam afetados pela ressonância mórfica de palavras cruzadas do passado. Então, indaguei como eram elaboradas as palavras cruzadas, e descobri que os compiladores costumam reciclar pistas de palavras cruzadas anteriores. Logo, essas palavras cruzadas simples não representavam um bom teste para a ressonância mórfica, pois muitas das pistas não eram novas, na verdade.

Zoltan Dienes, então no departamento de psicologia da Oxford University, ganhou o prêmio do IONS para formandos. Seus participantes tinham de decidir rapidamente se uma sequência de letras que viam numa tela de computador representava uma palavra inglesa significativa ou se não significava nada. Esse experimento envolveu um fenômeno conhecido dos psicólogos como "*priming* de repetição", que acontece quando uma palavra (ou algum outro estímulo) é reconhecido mais rapidamente após repetidas exposições a ela. Dienes raciocinou que os participantes posteriores poderiam ter mais facilidade para identificar estímulos caso outros o tivessem feito anteriormente.

Os participantes viram sequências de letras numa tela de computador, e tinham de indicar se a sequência era uma palavra verdadeira ou não apertando teclas de computador tão depressa quanto possível. Dienes usou dois conjuntos de palavras verdadeiras e falsas. Um conjunto de palavras "compartilhadas" foi apresentado a todos os 90 participantes, enquanto o segundo conjunto, "único", foi mostrado apenas a cada décimo participante. Portanto, o experimento envolveu 80 "incentivadores" que só viam os estímulos compartilhados, e dez "ressonadores" que viam os estímulos compartilhados juntamente com os estímulos "únicos". Se a ressonância mórfica estivesse em ação, a velocidade com que os estímulos compartilhados eram julgados corretamente deveria aumentar com relação à velocidade com que os estímulos únicos eram julgados corretamente. Para maximizar a ressonância entre os participantes, todos os experimentos foram realizados num ambiente controlado, com sinais visuais, olfativos e auditivos distintos.

O resultado foi positivo e estatisticamente significativo. Quanto mais frequentemente uma palavra falsa tinha sido vista antes, mais depressa os ressonadores subsequentes reagiam a ela. Contudo, quando Dienes tentou repetir esse experimento na Universidade de Sussex, não houve efeito significativo.[41]

O professor Suitbert Ertel realizou dois experimentos com campos novos além dos testes com campos antigos discutidos anteriormente. O primeiro foi realizado por meio de uma revista chamada *Übermorgen*. O experimento baseou-se em anagramas, como "*Seterleirei*" em vez de "*Reiseleiter*", e a tarefa para os leitores da revista consistia em descobrir as palavras normais. Pedia-se aos leitores que repetissem cada anagrama e sua palavra correspondente com a maior frequência possível. Quando as tinham memorizado, mandavam um cartão postal para os experimentadores, no qual colocavam seus telefones. Seus nomes entraram num sorteio, e 30 deles receberam exemplares gratuitos de um de meus livros. Eles teriam de enfrentar uma possível acareação por telefone para determinar se sabiam as palavras, e uma amostra aleatória de 50 pessoas realmente recebeu telefonemas, com resultados satisfatórios. Cerca de mil leitores participaram.

Esses leitores não sabiam que o experimento também incluía 60 alunos da Universidade de Dresden, onde a revista não era distribuída. Esses alunos foram testados com os mesmos dez anagramas e com dez anagramas adicionais que não tinham sido reforçados por leitores de *Übermorgen*. Será que os alunos resolveriam os anagramas fortalecidos melhor do que os controles? Na média, sim, mas o efeito não foi estatisticamente significativo.[42]

O segundo experimento de Ertel foi realizado por intermédio de outra revista, *PM*. Foi idealizado para ser uma diversão para os leitores, e usou palavras artificiais em alemão em frases ou provérbios convencionais. O significado das palavras artificiais tinha de ser adivinhado a partir de seu contexto, como "*Die blampe Leier*", "*Das ist doch ein blamper Hut*", na qual "*blampe*" foi inventada para substituir "*alt*". Dez palavras novas tinham de ser aprendidas dessa maneira, num total de 100 frases. A contagem de novos significados (p. ex., o significado *alt* = *blampe* ocorreu oito vezes) resultou num número de telefone de dez dígitos para o qual os leitores deveriam ligar. Se o número estivesse correto, eles receberiam uma confirmação de uma secretária eletrônica. Mandar um cartão postal com o número correto dava aos participantes o direito de participar de um sorteio para 50 exemplares do meu livro. No total, 1.017 leitores da revista *PM* participaram.

Novamente, a influência desse fortalecimento foi testada em Dresden, onde os participantes tinham de apertar um botão dizendo "artificial" ou "real" o mais depressa possível após uma palavra aparecer numa tela de computador. As palavras artificiais reforçadas foram misturadas com vinte outras palavras artificiais que não tinham sido reforçadas. Os alunos de Dresden foram testados antes e depois do reforço da *PM*. Não houve diferença em seus acertos entre as palavras reforçadas e as de controle.

Um problema desse teste estava no fato de as condições nas quais os participantes viram as palavras foram muito diferentes do contexto no qual os leitores de *PM* as observaram. Um grupo de pessoas estava resolvendo charadas numa revista em suas casas ou em outro ambiente informal. Os outros estavam sendo testados em sua velocidade de reação a computadores num laboratório. Essas diferenças podem ter enfraquecido qualquer efeito de ressonância.

Em suma, testes de campos novos em pequena escala não produziram resultados consistentes, repetíveis. Mas talvez não tenham sido suficientemente sensíveis; a ressonância pode ter sido fraca demais para ser detectável com apenas algumas centenas ou alguns milhares de reforçadores.

A ressonância mórfica pode ser investigada numa escala bem mais ampla estudando-se mudanças no desempenho humano ao longo do tempo. O desempenho de novas habilidades mostra uma tendência de melhora com o tempo? *Videogames* ficam mais fáceis de se jogar? Novos esportes, como *skate* e windsurfe, ficam mais fáceis de se aprender? Evidências empíricas sugerem que sim, mas essas mudanças não são documentadas quantitativamente, e a situação é complicada por outros fatores, como melhorias nos equipamentos, moda, melhores técnicas de ensino, e assim por diante.

Uma das poucas áreas nas quais dados detalhados estão disponíveis para um período de muitos anos são os resultados de testes de QI (Quociente de Inteligência). Por volta de 1980, percebi que se a ressonância mórfica funciona, o desempenho médio dos testes de QI deveria estar aumentando, não porque as pessoas estão ficando mais inteligentes, mas porque os testes de QI deveriam estar ficando mais fáceis de se fazer em função da ressonância mórfica de milhões de pessoas que já os fizeram antes. Procurei dados que me permitissem testar essa predição, mas não consegui encontrar valores publicados. Por isso, fiquei intrigado em 1982 ao descobrir que os resultados médios de QI no Japão tinham aumentado 3% por década desde a Segunda Guerra Mundial.[43] Pouco depois, soube (para alívio de muitos americanos) que os QIs tinham subido numa taxa similar nos Estados Unidos.

James Flynn detectou esse efeito nos Estados Unidos em seu estudo de testes de inteligência realizados por autoridades militares norte-americanas. Ele descobriu que recrutas que eram simplesmente medianos quando comparados com seus contemporâneos eram acima da média quando comparados com recrutas de uma geração anterior, que tinham realizado exatamente o mesmo teste (Fig. A.9). Ninguém tinha percebido essa tendência porque os examina-

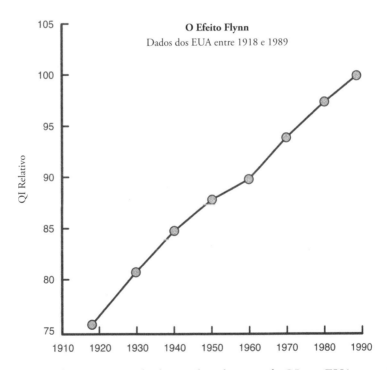

Figura A.9 Mudanças nos resultados médios de testes de QI nos EUA entre 1918 e 1989, com relação aos valores de 1989. (Dados de Horgan, 1995.)

dores comparam rotineiramente o resultado de um indivíduo com outros da mesma idade, testados ao mesmo tempo; num dado momento, o resultado médio de QI é de 100, por definição.[44]

Agora, sabe-se que ocorreram aumentos comparáveis em outros vinte países, inclusive Austrália, Grã-Bretanha, França, Alemanha e Holanda.[45] Foram feitas muitas tentativas de explicar o "efeito Flynn", mas nenhuma teve sucesso.[46] Por exemplo, uma parte muito pequena desse efeito pode ser atribuída à prática na realização desses testes. Na verdade, tais testes têm ficado menos comuns nos últimos anos. Melhoras na educação também não podem explicá-lo. Tampouco, como alguns sugeriram, o aumento da exposição à televisão. Os índices de QI começaram a aumentar décadas antes do advento da televisão na década de 1950, e, como Flynn comentou ironicamente, a televisão costumava ser considerada "uma influência emburrecedora até esse efeito surgir".[47] Quanto mais se pesquisa, mais misterioso fica o efeito Flynn. O próprio Flynn descreve-o como "frustrante".[48] Mas a ressonância mórfica poderia proporcionar uma explicação natural.

Se o efeito Flynn é mesmo explicável em termos de ressonância mórfica, isso mostra que tais efeitos ressonantes são relativamente pequenos. Se milhões de pessoas fazendo testes de QI levaram a um aumento de apenas alguns pontos percentuais nos resultados, então em experimentos envolvendo algumas centenas de pessoas, ou no máximo alguns milhares, os efeitos da ressonância mórfica podem ser pequenos demais para se detectar contra o "ruído aleatório" devido a amplas variações no desempenho de participante para participante.

A ressonância mórfica também pode ter uma influência sobre a "inflação das notas", o fenômeno do aumento nas notas acadêmicas ao longo do tempo. Uma avaliação das notas em faculdades e universidades norte-americanas mostra que desde a década de 1960, as notas nos Estados Unidos têm aumentado numa taxa de 0,15 por década numa escala que vai até 4,0. Na Grã-Bretanha, a proporção de alunos que obtêm notas A nos exames das escolas e nas universidades também tem aumentado de forma consistente. Esse fenômeno tem causado um intenso debate: algumas pessoas lamentam que os padrões estão ficando menos rigorosos, e outras afirmam que os alunos estão produzindo trabalhos melhores. Mas a ressonância mórfica pode, mais uma vez, proporcionar uma explicação simples. Os exames padronizados estão ficando mais fáceis porque muita gente já passou por eles antes.

Quando meu filho mais velho, Merlin Sheldrake, ia prestar o GCSE (General Certificate of Secondary Education) ou Certificado Geral do Ensino Secundário britânico, com 16 anos, ele e um grupo de colegas da escola idealizaram um plano engenhoso para melhorar suas notas sem maiores esforços. A cada exame, eles responderiam antes as últimas questões, e voltariam depois ao começo, seguindo a sequência normal. Assim, eles estariam por volta de dez minutos atrás de todos os outros que estivessem na Grã-Bretanha fazendo o mesmo exame na mesma hora, e deveriam, portanto, receber um reforço da ressonância mórfica. Eles puseram efetivamente a ideia em prática, raciocinando que se a ressonância mórfica existisse, suas notas poderiam melhorar; se não existisse, não teriam nada a perder.

Essa ideia suscita a possibilidade de um experimento dentro do contexto de exames em grande escala. A ordem das questões a serem respondidas por uma amostra aleatória de estudantes poderia ser alterada. As notas ficariam significativamente maiores nas questões que outros estudantes teriam respondido antes?

Testes de campos novos para a ressonância mórfica também poderiam ser realizados em grande escala usando enigmas recém-publicados, como Sudokus ou jogos de computador. Esses testes exigiriam a cooperação das empresas produtoras dos jogos ou dos enigmas. Como nos experimentos com a imagem oculta e as palavras cruzadas, seria necessário um enigma ou jogo de controle que não fosse lançado durante o período do teste. Seria necessário reunir grupos de participantes em lugares nos quais não houvesse acesso aos jogos ou enigmas recém-lançados, e tais testes seriam feitos antes e depois do lançamento desses jogos ou enigmas em outros lugares.

A.10 Computadores ressonantes

A hipótese da causação formativa aplica-se a sistemas auto-organizados como cristais, células e sociedades animais. Campos mórficos atuam impondo padrões a eventos que, de outro modo, seriam indeterminados. Logo, a ressonância mórfica não se aplica a máquinas. Máquinas não são sistemas auto-organizados, mas são feitos de componentes reunidos em fábricas segundo projetos humanos. Seu funcionamento é estritamente determinado – eles são projetados para serem previsíveis, para fazer as mesmas coisas repetidamente. Mesmo

UMA NOVA CIÊNCIA DA VIDA

quando computadores incorporam "aleatoriedade" em sua programação, os números aleatórios geralmente são proporcionados por algoritmos pseudor-randômicos, e não por fontes de autêntico "ruído" aleatório.

Francisco Varela, um neurocientista, tentou fazer testes de ressonância mórfica num computador na década de 1980. Ele o programou para realizar a mesma sequência de operações com 100 milhões de repetições, e mediu o tempo dessas repetições. Não houve aceleração. Varela publicou esse resultado no *Skeptical Inquirer*, afirmando que ele falseava a hipótese da causação forma-tiva.[49] Ele argumentou que as mudanças impostas a *chips* de silício pelo fun-cionamento do computador eram equivalentes a cristalizações repetitivas, e portanto deveriam ocorrer mais rapidamente caso a hipótese da ressonância mórfica estivesse correta.

Respondi que havia uma diferença de espécie entre a formação espontânea de um cristal e as mudanças impostas a um *chips* de silício num computador. Mais importante ainda, o experimento foi malconcebido em termos técnicos. Computadores funcionam por meio de uma série rápida de operações pulsadas pelo relógio interno do computador. No computador de Varela, o relógio deu o ritmo de instruções ao programa com uma unidade de tempo de um micros-segundo. Mesmo que os *chips* de silício tivessem respondido mais depressa às instruções pulsadas em função da ressonância mórfica, a sequência de opera-ções foi fixada pelo relógio e não poderia ter se acelerado.[50] Muitos leitores da *Skeptical Inquirer* apontaram de maneira independente esse erro fatal no teste.[51]

Numa manhã na primavera de 1990, fui subitamente inundado por tele-fonemas de jornalistas de ciência e por departamentos de ciência da computa-ção de universidades. A causa da excitação foi um artigo publicado numa revista britânica, *Computer Shopper*, descrevendo alguns resultados notáveis sobre os quais eu nada sabia. O artigo dizia que uma cientista italiana da computação, a dra. Lora Pfilo, tinha realizado recentemente um experimento com algoritmos genéticos, tentando descobrir a melhor solução para um pro-blema de engenharia deixando que possíveis soluções fossem lançadas umas contra as outras ao longo de "gerações" sucessivas. A simulação estava sendo feita na máquina de conexão da Universidade de Bolonha, um maciço com-putador paralelo com 256 mil processadores. O artigo dizia que a dra. Pfilo notou que na primeira vez que o programa rodou, levou 40 minutos para ser concluído; mas na segunda vez, levou 23.

272

Ela achou um pouco preocupante a súbita redução no tempo de processamento – talvez o programa não tivesse rodado direito em função de alguma queda de energia. Ela rodou novamente o programa e, embora os resultados batessem com os resultados obtidos na segunda rodada, o tempo de processamento tinha caído para 13 minutos. Ela rodou o programa outras vezes, e o tempo acabou chegando em 1 minuto e 12 segundos. O resultado a espantou. Qual seria esse fator causal extra que levara à redução no tempo de execução? Em janeiro, ela entrou em contato com um colega visitando a Universidade de Milão – Kvitlen Duren, professor de matemática do Institut Svit Chotiri de Kiev.

O artigo prosseguiu com uma entrevista com o professor Duren, que estava em Londres para visitar a Royal Society. Ele também afirmou ter percebido uma redução no tempo de processamento num de seus computadores, mas não em outro que estava executando o mesmo algoritmo genético. Ele descobriu que o computador que rodava mais depressa tinha alguns circuitos adicionais, inclusive um aparelho de *hardware* para gerar números aleatórios baseado num diodo Zener invertido que gerava aleatoriedade quântica. O outro computador trabalhava com um algoritmo numérico pseudorrandômico padrão. O professor Duren teria dito o seguinte:

> Tivemos grande dificuldade para aceitar isso no início, mas o que deve ter acontecido é que, de certo modo, a informação das execuções anteriores estava sendo "armazenada" lá. Nesse ponto, minha boa amiga Lora Pfilo entrou em contato comigo e, no decorrer de uma conversa geral, descobrimos que ambos observáramos o mesmo efeito. Aquilo que eu estava chamando de aceleração causal, ela chamava de ressonância mórfica... O que acontece na máquina de conexão é que existe uma indeterminação quântica no planejamento dos processos múltiplos. A indeterminação é suficiente para produzir os efeitos encontrados por Lora.

Telefonei para a revista *Computer Shopper* e pedi para entrar em contato com o autor do artigo. Pouco depois, ele me telefonou e disse, "Antes de irmos em frente, por favor, olhe para a data dessa edição da *Computer Shopper*". Eu o fiz. Era 1º de abril.

O autor, Adrian Owen, e seu colega John Kozak, convidaram-me para encontrá-los num *pub* local um pouco mais tarde. O professor Duren, apresentado no artigo, não era outro senão John Kozak com uma barba falsa. Lora Pfilo era um anagrama de "April fool".* Eles me disseram que ficaram intrigados com a ressonância mórfica e pensaram em maneiras pelas quais ela poderia aplicar-se a computadores. Eles também tentaram imaginar um artigo de 1º de abril que fosse plausível o suficiente para estimular o interesse geral, sem que fosse reconhecido imediatamente como uma brincadeira. Foram bem-sucedidos, além de suas mais loucas expectativas.

Em 1993, Steven Rooke, de Tucson, Arizona, experiente programador de computadores, explorou a possibilidade de realizar na prática aquilo que o artigo da *Computer Shopper* tinha descrito. Ele usou um sistema de computação gráfica, um diodo Zener invertido como fonte de ruído quântico e um programa de algoritmo genético que convergia para uma imagem-alvo. A questão era se, numa série randomizada de execuções, a taxa de convergência sobre esse alvo iria aumentar. Rooke teve de superar diversos problemas técnicos, e os resultados dos testes de ressonância mórfica foram inconclusivos. Mas seus programas geraram imagens gráficas extraordinariamente belas, que ele passou a produzir comercialmente.

Analisando em retrospectiva sua experiência, em outubro de 2007, ele questionou se o gerador de eventos quânticos e os programas de computador estavam ajustados o suficiente para formarem um campo mórfico:

> Mesmo que um processo de convergência de um programa genético possa ressoar com processos que antes ocorreram fugazmente no tempo, parece provável que seja necessário um acoplamento muito mais firme entre a coisa que gera a fonte de aleatoriedade (o gerador de eventos quânticos) e a coisa nova sendo produzida. Idealizar tais experimentos é algo repleto de dificuldades, inclusive o acompanhamento de soluções prévias, para saber se uma solução nova realmente é nova; todo trabalho preparatório deveria ser feito apenas com números pseudoaleatórios.[52]

Nos campos mórficos, todas as partes diferentes do sistema estão ligadas e os campos trabalham afetando processos aleatórios. O problema destacado por Rooke é que os números aleatórios foram alimentados no computador, mas o

---

* Aquele que cai nas brincadeiras de 1º de abril (N. do T.).

gerador de números aleatórios não estava ligado ao sistema de nenhum outro modo. Para que ficasse acoplado de perto, o gerador de números aleatórios teria de ser afetado pelos processos que ele mesmo estava afetando. Um modo de criar um sistema mais acoplado, sugerido por Ralph Abraham, consistiria no uso de *feedback* óptico – o modelo mais simples seria apontar uma câmera de vídeo para uma tela que exibe o resultado da câmera em baixa definição, deixando espaço para ruídos aleatórios.

Mas há uma nova e surpreendente possibilidade. Estamos acostumados à ideia de que todos os computadores são digitais; mas nos primeiros dias da informática, na década de 1950, os computadores analógicos eram sérios candidatos ao caminho do futuro. Eles permitiam o desenvolvimento de padrões complexos e auto-organizados de atividade por meio de circuitos oscilantes um tanto caóticos em aparelhos eletrônicos. William Ross Ashby, pioneiro britânico na cibernética, publicou um influente livro chamado *Design for a Brain* [*Projeto para um Cérebro*] em 1952, mostrando como circuitos cibernéticos analógicos poderiam imitar a atividade cerebral, inclusive com saltos de um nível ou estado para outro. Depois, os computadores digitais assumiram o cenário e os sistemas analógicos foram esquecidos.

Num ressurgimento recente, a abordagem analógica levou a resultados espantosos na criação de "máquinas vivas" na forma de robôs analógicos insetoides. Essas máquinas realizam feitos de auto-organização e até mesmo de aprendizado e memória, cuja complexidade esconde o fato de que essas máquinas contêm menos do que dez transistores e não têm nenhum computador em seu interior. Mark Tilden, inventor dessas máquinas, construiu sistemas eletrônicos que se baseiam em estímulos de sensores à medida que os robôs se movem. A atividade dos circuitos rítmicos, semelhantes a ondas, é parcialmente caótica e imprevisível, e é influenciada por aquilo que aconteceu antes. Como disse Tilden, "Quando as condições se repetem duas vezes exatamente da mesma maneira, um computador digital vai reagir exatamente do mesmo modo. Esses aparelhos analógicos podem ou não fazer a mesma coisa duas vezes! Você pode influenciá-los, mas na verdade não tem poder algum sobre eles".[53] O trabalho de Tilden inspirou uma nova forma de construção de máquina "baseada em reações", chamada de robótica BEAM (Biology Electronics Aesthetics Mechanics ou Biotechnology Ethology Analogy Morphology) – [Biologia Eletrônica Estética Mecânica, ou de Biotecnologia Etologia Analogia Morfologia].

Campos mórficos podem ser estabelecidos em máquinas eletrônicas? Ninguém sabe. Mas para pesquisar sobre essa questão, um bom ponto de partida poderiam ser robôs auto-organizadores analógicos baseados em ondas que incluem elementos verdadeiramente aleatórios.

Se os campos mórficos surgissem nesses sistemas analógicos probabilísticos, teriam automaticamente uma memória inerente, sem a necessidade de aparatos de armazenamento de memória como discos rígidos ou *chips* de memória. Eles também entrariam em ressonância mórfica com computadores similares ao redor do mundo, sem a necessidade de comunicação por fios, cabos ou sinais de rádio. Compartilhariam uma memória coletiva. Nasceria uma tecnologia inteiramente nova.

Apêndice B

CAMPOS MÓRFICOS E A ORDEM IMPLICADA

Um diálogo com David Bohm

David Bohm foi um eminente físico quântico. Quando jovem, trabalhou junto a Albert Einstein na Universidade de Princeton. Com Yakir Aharonov, descobriu o efeito Aharonov-Bohm. Mais tarde, foi professor de física teórica no Birkbeck College, na Universidade de Londres, e autor de vários livros, inclusive Causality and Chance in Modern Physics [Causalidade e Acaso na Física Moderna][1] *e* Wholeness and the Implicate Order (A Totalidade e a Ordem Implicada).*[2] Ele morreu em 1992. Este diálogo foi publicado inicialmente em* ReVision Journal, *e as notas editoriais são de Renée Weber, editora dessa revista.*[3]

BOHM: Suponha que analisemos o desenvolvimento do embrião, nesses problemas nos quais você sente que a atual abordagem mecanicista não funciona. O que a teoria dos campos morfogenéticos faria que as outras não fazem?

SHELDRAKE: O organismo em desenvolvimento estaria dentro do campo morfogenético, e o campo guiaria e controlaria a *forma* do desenvolvimento do organismo. O campo tem propriedades não só no espaço, mas no tempo. Waddington demonstrou isto com seu conceito de creodo [*ver Fig. 5*], representado por modelos de vales com esferas rolando por eles na direção de um ponto final. Esse modelo parece mecanicista na primeira vez em que você o vê.

---

* Publicado pela Editora Cultrix, São Paulo, 1992.

Mas quando você pensa nele apenas por um minuto, você vê que esse ponto final, para o qual a esfera está rolando pelo vale, está no *futuro*, e está, por assim dizer, atraindo a esfera para ele. Parte da força desse modelo depende do fato de que, se você deslocar a esfera para as laterais do vale, ela vai rolar para baixo novamente e atingir o mesmo ponto final; isso representa a capacidade de organismos vivos para atingirem a mesma meta, mesmo que você os desagregue – corte um pedaço do embrião e ele consegue crescer novamente; você atingirá o mesmo ponto final.

Bohm: Na física, a lei de Lagrange é bem similar; essa lei recai num certo nível mínimo, como no caso do creodo. Não é uma analogia exata, mas você pode dizer que, de certo modo, a clássica órbita atômica surge seguindo algum tipo de creodo. Esse é um modo de ver a física clássica. E talvez você pudesse até introduzir alguma ideia de estabilidade física com base no creodo. Mas do ponto de vista da ordem implicada, creio que você teria de dizer que esse campo formativo é um conjunto completo de potencialidades, e que em cada momento há uma seleção na qual o potencial será concretizado, dependendo até certo ponto do histórico passado e, até certo ponto, da criatividade.

Sheldrake: Mas esse conjunto de potencialidades é um conjunto limitado, pois as coisas tendem mesmo para um ponto final específico. Refiro-me ao fato de embriões de gatos crescerem até virarem gatos, e não cães. Assim, pode haver uma variação sobre o curso exato que podem seguir, mas há uma meta ou ponto final geral.

Bohm: Mas haveria uma série de contingências que determinariam o gato em si.

Sheldrake: Exatamente. Contingências de todos os tipos, influências ambientais, possivelmente flutuações autenticamente aleatórias. Mesmo assim, o ponto final do creodo definiria a área geral na qual ele irá acabar.

De qualquer maneira, o ponto sobre o conceito de Waddington acerca do creodo, que é levado bastante a sério por muitos biólogos, é que ele contém essa ideia de um ponto final, no futuro, no tempo; e a estrutura, as próprias paredes do creodo, não são em nenhum sentido normal da palavra coisas materiais, físicas. Infelizmente, Waddington não definiu o que eram. Em minha opinião, eles representam esse processo da causação formativa através do campo morfogenético. Waddington usou, na verdade, a expressão "campo morfogenético". Agora, o problema com o conceito de Waddington é que, quando ele foi atacado por mecanicistas, que alegavam que essa era uma ideia mística ou maldefinida, ele recuou e disse, bem, isso é um modo de falar sobre interações químicas e físicas normais. René Thom, que adotou os conceitos de creodos e de campos morfogenéticos e desenvolveu-os como modelos topológicos (nos quais chamou os pontos finais de "atratores morfogenéticos"), tentou forçar Waddington a explicar melhor o que era o creodo. Waddington, sempre que pressionado por alguém, mesmo René Thom, recuava. E por isso ele deixou o conceito num estado bem ambíguo.

Bem, Brian Goodwin e pessoas como ele veem creodos e campos morfogenéticos como aspectos das formas platônicas eternas; ele tem uma metafísica bem platônica. Ele vê esses campos formativos como arquétipos eternamente gerados, imutáveis e, de certo modo, necessários. Ele é quase neopitagórico; harmonia, equilíbrio, forma e ordem podem ser gerados por algum princípio matemático fundamental, em alguma maneira necessária, que age como um fator causal na natureza de um modo inexplicável mas imutável.

A diferença entre isso e aquilo que estou dizendo é que creio que esses campos morfogenéticos são formados causalmente a partir daquilo que aconteceu antes. Assim, você tem essa introjeção, por assim dizer, de formas explícitas, para usar sua linguagem, e depois nova projeção.

BOHM: Sim. Isso que você está dizendo – a relação entre formas passadas e presentes – está na verdade relacionado com a questão do tempo como um todo – "Como devemos entender o tempo?" Bem, em termos da totalidade além do tempo, a totalidade na qual tudo está implicado, aquilo que se forma ou que passa a existir num dado momento presente é simplesmente uma projeção do todo. Ou seja, algum aspecto do todo surge naquele momento e aquele momento é apenas esse aspecto. Do mesmo modo, o momento seguinte é apenas outro aspecto do todo. E o ponto interessante é que cada momento se assemelha a seus predecessores, mas também é diferente deles. Explico isso usando os termos técnicos "injeção" e "projeção". Cada momento é uma projeção do todo, como dissemos. Mas esse momento é então injetado ou introjetado de volta no todo. Assim, o momento seguinte envolveria, em parte, uma reprojeção dessa injeção, e assim indefinidamente. [*Nota do editor: Como analogia simplista, temos o oceano e suas ondas: cada onda surge ou é "projetada" da totalidade do oceano; essa onda então mergulha de volta no oceano, ou é "injetada" de volta no todo, e depois surge a próxima onda. Cada onda é afetada pelas ondas anteriores simplesmente porque todas se erguem e caem, ou são projetadas e injetadas, pelo oceano como um todo. Assim, há um tipo de "causalidade" envolvida, mas não que a onda A cause linearmente a onda B, mas que a onda A influencia a onda B em virtude de ter sido absorvida de volta na totalidade do oceano, que depois dá origem à onda B. Segundo Bohm, a onda B é, em parte, uma "reprojeção" da "injeção" da onda A, e assim por diante. Cada onda, portanto, seria similar às ondas anteriores, mas também diferente em certos aspectos – tamanho, forma, etc. Bohm sugere que existe um tipo de "causalidade", mas que é mediada pela totalidade do oceano implicado, e não meramente pelas ondas separadas, isoladas e explicadas. Finalmente, isso significa que essa "causação" seria não local, pois aquilo que acontece em qualquer parte do oceano afetaria todas as outras partes.*] Cada momento, portanto, vai conter uma projeção da reinjeção dos momentos anteriores, o que é uma espécie de memória; assim, isso resultaria numa replicação geral de formas passadas, o que me parece similar àquilo que você está falando. [*Nota do editor: Isso está de acordo com as reformulações de Bohm sobre a mecânica quântica atual. Na discussão a seguir, Bohm vai mostrar que a mecânica quântica atual, tal como costuma ser interpretada, deixa completamente de explicar a replicação de formas passadas ou o conceito de processo temporal, uma falha que, em parte, levou Bohm a propor a "injeção" e a "projeção" via a ordem implicada.*]

SHELDRAKE: Assim, essa reinjeção no todo desde o passado significaria uma relação causal entre aquilo que acontece num dado momento e aquilo que acontece depois?

BOHM: Sim, essa é a relação causal. Quando abstraída da ordem implicada, parece haver pelo menos uma tendência, não exatamente uma relação causal exata, para que certo conteúdo do passado seja seguido por um conteúdo relacionado no futuro.

SHELDRAKE: Sim. Então, se acontece alguma coisa num lugar em dado momento, aquilo que acontece lá é reinjetado no todo.

BOHM: Mas o fato foi mudado de algum modo; ele não é reinjetado exatamente, pois antes foi projetado.

SHELDRAKE: Sim, ele está um pouco mudado, mas é alimentado de volta no todo. Isso pode exercer uma influência que, como está sendo mediada pelo todo, pode ser sentida em outra parte. Não precisa ser local.

BOHM: Certo, poderia estar em qualquer parte.

SHELDRAKE: Bem, isso se parece muito com o conceito da ressonância mórfica, segundo o qual coisas que acontecem no passado, mesmo que estejam separadas umas das outras no espaço e no tempo, podem influenciar coisas similares no presente, através do, ao longo do ou sobre o – seja como queira colocar – espaço e tempo. Há essa conexão não local. Isto me parece muito importante, pois significaria que esses campos têm conexões causais (mas não locais) com coisas que aconteceram antes. Elas não seriam, de certo modo, manifestações inexplicáveis de um conjunto eterno e atemporal de arquétipos. Campos morfogenéticos, que produzem repetições de formas e padrões habituais, seriam derivados de campos anteriores (aquilo que você pode chamar de "memória cósmica"). Quanto maior a frequência com que determinada forma ou campo aconteceu, maior a probabilidade de que ocorra novamente, que é aquilo que estou tentando expressar com essa ideia de ressonância mórfica e de média automática de formas prévias. É este aspecto da teoria que a torna empiricamente testável, pois esse aspecto leva a predições, como: se ratos aprendem alguma coisa num lugar, como um novo truque, por exemplo, então ratos de todas as partes deveriam conseguir aprender o mesmo truque mais depressa. Isso o torna diferente da teoria de Goodwin sobre arquétipos eternos, que não levaria àquela predição porque seriam sempre os mesmos. E é isto que estou dizendo que surge da tradição de pensamento que tem permeado a biologia há 60 anos, a ideia de campos morfogenéticos. Esses campos sempre foram muito maldefinidos, e foram interpretados ou como Waddington o fez, para serem apenas um modo de falar das forças mecanicistas convencionais, ou uma abordagem metafísica como a de Goodwin.

BOHM: Sim. Bem, se fôssemos usar a analogia do receptor de ondas de rádio que você discutiu no seu livro: o receptor tem a capacidade de amplificar sinais de ondas de rádio muito fracas. Como você diz, podemos considerar a onda de rádio como um campo morfogenético. E a energia do receptor (que vem de uma tomada na parede) está ganhando formato ou forma pela informação da própria onda de rádio, de modo que você obtém um som musical saindo do alto-falante. Bem, nesse caso, você pode dizer que a onda de rádio tem uma energia muito pequena em comparação com a energia do rádio, que vem da tomada na parede. Logo, numa analogia grosseira, há dois níveis de energia: um é do tipo de energia que não tem forma mas que está sujeita a ser formada por impulsos muito fracos. O outro é um campo que é muito mais sutil e que tem muito pouca energia no sentido habitual da palavra, mas tem uma qualidade de forma que pode ser adotada pela energia do receptor de rádio. O ponto é que podemos entender a ordem implicada dessa maneira; os níveis mais sutis da ordem implicada estão afetando a energia nos níveis menos sutis. As energias implicadas são muito finas; elas nem sequer seriam consideradas energias em termos comuns, e essas energias implicadas estão dando margem à produção de elétrons e prótons e às diversas partículas da física. E essas partículas estão replicando há tanto tempo que estão muito bem determinadas ou fixadas na "memória cósmica".

SHELDRAKE: Sim, creio que seria possível abordar o ponto desse modo. Mas se esses campos morfogenéticos têm uma energia sutil ou não – não sei o que pensar a respeito. Quando escrevi meu livro, tentei traçar uma diferença nítida entre causação formativa e o tipo comum de causação (causação energética), do tipo com o qual as pessoas estão familiarizadas (por exemplo, empurrar coisas, eletricidade). Por dois motivos: primeiro, eu queria deixar claro que essa causação formativa é um tipo diferente daquilo que normalmente pensamos como sendo causação. (Pode não ser tão diferente quando levamos em consideração a causação através de campos, como na física.) Mas a segunda razão é que é uma parte importante da minha teoria o fato de esses campos mórficos poderem se propagar através do tempo e do espaço, que eventos passados possam influenciar outros eventos em outros lugares. Mas se esses campos são concebidos como energéticos, no sentido normal da palavra, a maioria das pessoas vai presumir que eles só podem se propagar localmente segundo algum tipo de lei do inverso do quadrado, pois a maioria das energias conhecidas – luz, gravidade, magnetismo – diminui com a distância.

BOHM: Mas isso não é uma conclusão forçosa. Uma das primeiras interpretações da teoria quântica que desenvolvi era em termos de uma partícula movendo-se num campo.

SHELDRAKE: O potencial quântico.

BOHM: Sim. Ora, o potencial quântico tem muitas das propriedades que você atribui a campos morfogenéticos e creodos; ou seja, ele guia a partícula de algum modo, e há quase sempre vales profundos e platôs, e as partículas podem começar a se acumular em platôs, produzindo franjas de interferência. Mas o interessante é que a energia quântica potencial tinha o mesmo efeito, independentemente de sua intensidade, de modo que mesmo a distância ela pode produzir um tremendo efeito; esse efeito não segue uma lei do inverso do quadrado. Apenas a forma do potencial tem um efeito, e não sua amplitude ou magnitude. Assim, comparamos isso a um navio sendo guiado pelo radar; o radar está rastreando formas e informações de todas as partes. Dentro de seus limites, ele não depende da força da onda de rádio. Por isso, podemos dizer que nesse sentido o potencial quântico está atuando como um campo formativo no movimento dos elétrons. O campo formativo não poderia ser posto num espaço tridimensional [*ou local*], teria de ser posto num espaço tri-n dimensional, para que houvesse conexões não locais ou conexões sutis de partículas distantes (que vemos no experimento Einstein-Podolsky-Rosen). Assim, haveria uma totalidade no sistema, de modo que o campo formativo não poderia ser atribuído apenas a essa partícula; só poderia ser atribuído ao todo, e alguma coisa que acontece com partículas distantes pode afetar o campo formativo de outras partículas. Portanto, haveria uma transformação [*não local*] do campo formativo de um certo grupo para outro grupo. Logo, creio que se você tentar compreender o que a mecânica quântica quer dizer com um modelo assim, obterá uma analogia bem forte com um campo formativo.

SHELDRAKE: Sim, pode até ser uma homologia; pode ser um modo diferente de falar da mesma coisa.

BOHM: A principal diferença é que a mecânica quântica não trata do tempo, e portanto não tem nenhum modo para explicar o efeito cumulativo de formas passadas. Para fazê-lo, seria preciso uma extensão do modo como a física trata do tempo.

SHELDRAKE: Mas você não obtém o tempo na física quando tem um colapso da função de onda?

BOHM: Sim, mas isso está fora da estrutura da física quântica atual. Esse colapso não é tratado por nenhuma lei, o que significa que o passado é, por assim dizer, levado. [*Nota do editor: Este é o ponto em que, como mencionado antes, Bohm discute algumas das inadequações da mecânica quântica atual – em particular, sua incapacidade de explicar o processo, ou a influência do passado sobre o presente. Então, ele sugere suas reformulações – injeção, projeção, a ordem implicada, etc. – que podem remediar essas inadequações. E essas reformulações, aparentemente, são muito similares às teorias de Sheldrake.*] Veja, a mecânica quântica atual não tem nenhum conceito de movimento, de processo ou de continuidade no tempo; na verdade, ela lida apenas com um momento, uma observação, e a probabilidade de que uma observação será seguida por outra. Mas obviamente existe um processo no mundo físico. O que quero dizer é que o processo pode ser compreendido a partir da ordem implicada como essa atividade de reprojeção e de reinjeção. Assim, a teoria da ordem implicada, levada até aqui, supera em muito a atual mecânica quântica. Na verdade, lida com o processo, o que a mecânica quântica não faz, exceto pela referência a um aparato de observação que, por sua vez, precisa ser referido a outra coisa qualquer.

SHELDRAKE: Você diria que nesse nível o processo é uma reprojeção?

BOHM: Sim.

SHELDRAKE: E uma reinjeção ao mesmo tempo?

BOHM: A reinjeção é exatamente o que a equação de Schrödinger descreve. E a reprojeção é a etapa seguinte, com a qual a mecânica quântica não lida (exceto pela suposição arbitrária de que a função de onda "entra em colapso" de um modo que não tem lugar nas leis da física, como a equação de Schrödinger).

Mas há outra coisa com que a moderna mecânica quântica não lida. É estranho, mas a física atual não tem contato com o conceito de realidade. Veja, a física clássica tem pelo menos alguma noção de realidade ao dizer que a realidade consiste numa coleção de partículas que se movem e interagem de certo modo. Mas na física quântica não há nenhum conceito de realidade, pois a física quântica afirma que suas equações não descrevem nada real, meramente descrevem a probabilidade de algo que um observador poderia ver caso tivesse um instrumento de certo tipo, e portanto se supõe que esse instrumento seja necessário para a realidade do fenômeno. Mas o instrumento, por sua vez, seria formado por partículas similares, obedecendo às mesmas leis, o que iria exigir, por sua vez, outro instrumento para dar-lhes realidade. Isso prosseguiria numa regressão infinita. Para dar fim à regressão, Wigner propôs que aquilo que dá realidade a tudo é a consciência do observador em si.

SHELDRAKE: Mas isso não me parece muito satisfatório.

BOHM: Nem para mim, mas aparentemente Wigner ficou feliz com a solução, bem como outros. O ponto é que, a menos que você amplie a mecânica quântica, não há nela espaço para a realidade, não há espaço para nenhuma das coisas de que você está falando. Por isso, devo dizer que a mecânica quântica, tal como é hoje, é um conjunto muito truncado, limitado e abstrato de fórmulas que dão certos resultados limitados, relacionados apenas com um momento de um experimento. Mas a partir dessa visão truncada, os físicos estão tentando explicar tudo, percebe? Essa coisa toda simplesmente não tem significado algum. Pense nisso: a física moderna nem sequer consegue falar do mundo real!

SHELDRAKE: Mas como você acha que podemos obter um conceito da realidade?

BOHM: Bem, eu acho que pela ordem implicada. Temos uma projeção do todo para constituir um momento; um momento é um movimento. E podemos dizer que a projeção é o ato de tornar real. Em outras palavras, a coisa que a física não discute é como diversos momentos sucessivos se relacionam, e é isso que afirmo que a ordem implicada está tentando fazer. Se estendermos a mecânica quântica por meio da ordem implicada, acolheríamos exatamente essa questão sobre como os momentos passados exercem um efeito sobre o presente (ou seja, pela injeção e reprojeção). Atualmente, a física diz que o momento seguinte é inteiramente independente, mas com alguma probabilidade de ser isto ou aquilo. Não há nela espaço para o tipo de coisa de que você está falando, de ter certo efeito acumulado do passado; mas a extensão da mecânica quântica pela ordem implicada teria essa possibilidade. E mais, suponha que de algum modo eu fosse combinar a extensão da mecânica quântica pela ordem implicada [*que justificaria os efeitos acumulados do passado*] com o potencial quântico [*que justificaria o fato de esses efeitos terem natureza não local*]; desse modo, creio que teríamos as coisas de modo muito similar àquilo de que você está falando.

SHELDRAKE: Sim, isso seria muito excitante! De todos os modos que já analisei, creio que esse é o modo mais promissor e capaz de mesclar essas ideias. Não encontrei nenhum outro modo que pareça mostrar tais possíveis conexões.

BOHM: Se acolhermos o tempo, e digo que cada momento tem certo campo de potenciais (representados pela equaçao de Schrödinger) e também uma realidade, que é mais restrita (representada pela partícula em si); e depois digo que o momento seguinte tem seu potencial e sua realidade, e precisamos ter alguma conexão entre a realidade dos momentos anteriores e os *potenciais* dos seguintes – isso seria introjeção, não da função de onda do passado, mas da realidade do passado naquele campo do qual o presente será projetado. Isso seria exatamente o tipo de coisa de que você está falando. Pois então você constrói uma série de realidades introjetadas que estreitariam o potencial do campo cada vez mais, e elas formariam a base das projeções subsequentes. Isso explicaria a influência do passado sobre o presente.

SHELDRAKE: Sim, sim. E como você acha que isso se relaciona com as supostas ondas de matéria na equação de Louis de Broglie?

BOHM: É exatamente aí onde começamos. Essas ondas de matéria são a causa formativa, e foi essa a sugestão dada originalmente por de Broglie. No entanto, ele queria considerar a onda de matéria apenas como uma onda real e tridimensional no tempo, e isso não funciona bem. O campo formativo é uma interpretação bem melhor. O potencial quântico é o campo formativo que derivamos das ondas generalizadas sugeridas por de Broglie. E dizemos que a partícula é a realidade, afetada pelo campo formativo. O conjunto de partículas, a estrutura de todas as partículas que formam um sistema, é a concretização desse campo formativo.

Mas esse modelo em si ainda ignora o tempo, de modo que o passo seguinte é introduzir o tempo para dizer que existe uma sucessão de momentos no tempo na qual há uma realidade recorrente. E diríamos que aquilo que recorre é afetado pelo campo formativo. Mas então o campo formativo é afetado por aquilo que efetivamente aconteceu antes. Bem, isso ajudaria a remover a maioria dos problemas da física, desde que o consigamos. E isso se associaria bem de perto com o tipo de coisa de que você está falando.

Veja, hoje podemos dizer que a função de onda como potencial espalha-se muito rapidamente e depois entra subitamente em colapso e se traduz num estado definido e real por motivos totalmente alheios à teoria. Assim, dizemos que ela exige um aparato de medição para fazê-lo. Depois outro colapso, e a única continuidade desse sistema seria obtida por um conjunto infinito de aparatos de medição que o mantêm sob observação o tempo todo, e esses aparatos de observação, por sua vez, teriam de ser observados para que pudessem existir concretamente, e assim por diante. E tudo se esvai numa névoa de confusão. Como as pessoas consideram sagrada a matemática atual, dizem que essas equações, em sua forma geral, nunca devem ser alteradas, e depois dizem que estamos com todos esses problemas estranhos. Mas, como você pode ver, quase ninguém quer introduzir qualquer coisa fundamentalmente diferente nessa estrutura geral.

SHELDRAKE: Então a interpretação dada por de Broglie é o caminho que você está pensando em desenvolver. Você teria essa concretização recorrente de alguma coisa que está continuamente associada com o campo formativo.

BOHM: E o atual campo formativo é afetado por concretizações passadas. Na atual mecânica quântica não existe meio de fazer com que o campo formativo seja afetado por qualquer coisa, inclusive pelo passado, pois há apenas um momento do qual você pode falar. Você não pode encontrar nada que afete o campo formativo, e esse é o problema.

SHELDRAKE: É, percebo. Mas este é um tópico relacionado: aquilo que estou dizendo sobre os campos morfogenéticos tem a ver com formas físicas e padrões habituais de comportamento. A conexão entre essas ideias e o processo de pensamento em si não é óbvia, embora certamente esteja relacionada. Se você começa a enquadrar o tema em termos físicos, como fiz com os campos morfogenéticos, então você precisa falar em termos de ressonância mórfica, a influência de formas passadas sobre as presentes através do campo morfogenético por meio de alguma ressonância. Se, no entanto, você começa usando linguagem psicológica, e começa a falar em termos de pensamento, então você tem um modo de pensar mais prático sobre a influência do passado, pois com campos mentais você tem a memória. E é possível estender essa memória se pensarmos no universo todo como algo essencialmente semelhante a um pensamento, como fizeram muitos sistemas filosóficos. Você poderia dizer que se o universo todo é semelhante a um pensamento, então automaticamente você tem um tipo de desenvolvimento de memória cósmica. Há sistemas de pensamento que adotam exatamente essa visão. Um deles é um sistema budista Mahayana – a ideia do Alayavijnana, o armazém da consciência, é bem similar à ideia da memória cósmica. E os teosofistas de que me lembro adotaram parte dela no conceito de registro akáshico. Todo o universo é, numa escola de pensamento hindu, o sonho de Vishnu. Vishnu sonha e o universo é criado – ele tem o mesmo tipo de realidade que os sonhos, e como Vishnu é uma divindade que vive muito, que sonha por um longo tempo, ele mantém certa consistência. Há memórias dentro desse sonho; aquilo que foi sonhado no passado tende a se repetir, tendo suas próprias leis e dinâmica. Todos esses sistemas de pensamento têm a memória embutida neles. Assim, você poderia frasear tudo em linguagem psicológica. Mas isso não nos ajuda a fazer contato com a física moderna e com nosso moderno modo científico de ver o mundo. Portanto, em certo sentido, noções como a ordem implicada parecem ser um modo melhor de abordar o problema, pois a ordem implicada tem conotação neutra. É algo que pode estar por trás tanto da realidade física quanto do pensamento.

Desse modo, ela transcende a habitual dicotomia materialista-idealista, que diz que ou toda a realidade se assemelha a um pensamento, ou que toda a realidade se assemelha à matéria. A ideia da ordem implicada tem a grande vantagem de transcender essa distinção.

BOHM: Na verdade, sua própria essência é essa transcendência.

SHELDRAKE: Se adotarmos uma visão mais ampla da criatividade, teremos a ideia do processo evolutivo global; bem, é claro que esse é um processo criativo. Como você acha que esse tipo de criatividade evolutiva se relaciona com este modelo?

BOHM: Você pode especular que boa parte da vida é a replicação constante de formas que são dadas com pequenas variações, e isso é similar à nossa experiência do pensamento: uma constante replicação de padrões dentro da variação. Mas então, pensamos, "Como é que conseguimos variações – como é que superamos esse padrão?"

SHELDRAKE: Sim, "saltos" criativos.

BOHM: "Saltos" – é; veja, falamos de "saltos" quando há projeções sobre as categorias fixas do pensamento. Se você fosse dizer que existe uma protointeligência ou uma inteligência implícita na matéria que evolui, que na realidade ela não está se movendo causalmente numa sequência e sim sendo constantemente criada e replicada, então há espaço para que tal ato criativo ocorra, e para se projetar e introjetar um conteúdo criativo.

SHELDRAKE: A coisa que está envolvida nessa criatividade parece ser algo que liga as coisas, uma totalidade que envolve partes e forma relações entre elas. Elas estão ligadas dentro de um todo novo, que não existia antes. Nessa percepção criativa, duas coisas previamente separadas foram associadas dentro de um todo.

BOHM: Sim, elas são vistas agora como meros aspectos do todo, e não como existências independentes. Você percebeu uma totalidade nova, e dessa percepção você pode criar também uma realidade externa.

SHELDRAKE: Assim, o processo criativo, que dá origem a novos pensamentos, pelos quais novas totalidades são percebidas, é similar, nesse sentido, à realidade criativa que dá origem a novas totalidades no processo evolutivo. O processo criativo poderia ser visto como um desenvolvimento sucessivo de totalidades mais complexas e de nível superior, através de coisas anteriormente separadas e que estão sendo ligadas.

BOHM: E sendo compreendidas agora não apenas como partes independentes, mas como aspectos de um todo maior, com novas qualidades.

SHELDRAKE: Certo, e essa compreensão de um todo maior é o que efetivamente cria o todo maior.

BOHM: Sim, e poderia até ser proposto que, como na imaginação, ou num lampejo de *insight*, você percebe o todo na mente e o compreende ainda mais no exterior com o trabalho. Assim, você pode supor, digamos, que de certo modo a natureza percebe que está sendo apresentada com várias coisas que agora precisam ser reunidas. A natureza percebe essa totalidade maior num nível mais profundo, que é análogo à imaginação, e depois o desenvolve no ambiente externo. De certo modo, ocorre um lampejo de *insight* criativo no sistema biológico.

SHELDRAKE: Exatamente. Agora, você acha que essas relações entre as coisas que as tornam parte do todo maior poderiam, recuando-se no tempo, ter dado origem às forças fundamentais da física? Por exemplo, poderiam as forças gravitacionais que unem toda a matéria ter surgido graças a um *insight* criativo original de que toda a matéria era uma só?

BOHM: Poderíamos dizer que na união de diversas coisas que antes estavam dispersas, houve subitamente a compreensão de sua unidade, e isto criou um novo todo que é o universo, pelo menos tal como o conhecemos. Podemos dizer que a natureza tem uma intenção, percebe, muito maior do que aquilo que aparece na superfície.

SHELDRAKE: Bem, e quanto às leis naturais serem dados eternos ou terem sido formadas gradualmente – como você vê essa questão?

BOHM: Creio que, tendo em vista a ordem implicada, o conceito de campos formativos tornando-se gradualmente necessários é o correto. Mesmo a física moderna aponta para essa ideia dizendo que houve um momento (ou seja, anterior ao Big Bang) antes de existirem essas unidades (moléculas, *quarks*, átomos) sobre as quais baseamos a necessidade. Assim, se você disse que havia certas leis fixas e perenes das moléculas e dos átomos, então o que você diria se tentasse localizá-las antes que existissem os átomos e as moléculas? A física nada diz sobre isso, certo? Ela só pode dizer que houve uma formação dessas partículas num dado estágio. Logo, teria de haver um desenvolvimento efetivo no qual a necessidade de certo campo aumentou e se fixou. Você pode até ver isso acontecendo quando resfria uma substância que se liquefez; no início, você vê pequenos blocos de líquido que são transientes, e depois eles ficam maiores e mais determinados. Bem, os físicos explicam isso dizendo que as leis das moléculas são eternas; moléculas são meramente consequências dessas leis, ou derivadas dessas leis. Mas e se você retroceder e perguntar, "Onde havia moléculas?": bem, originalmente elas eram prótons e elétrons, que originalmente eram quarks, que originalmente eram *subquarks*. E recuamos a um estágio em que nenhuma das unidades que conhecemos existia, e todo o esquema se esvai. Então, cabe a você dizer que, em geral, campos de necessidade não são eternos; estão sempre se formando e se desenvolvendo.

SHELDRAKE: Creio que a atual postura convencional e científica ainda não se defrontou com tudo isso. Veja, a ciência começou com um conceito neoplatônico ou neopitagórico – a ideia de leis atemporais – que foram tomadas pela ciência como fato consumado durante um longo tempo. Creio que quando surgiu a teoria evolutiva na biologia, ela disparou o começo da mudança. Então, tivemos uma visão evolutiva da realidade concernente a animais e plantas, mas ainda se pensava na existência de um pano de fundo atemporal do mundo físico, o mundo molecular e atômico. Agora, fomos à cosmologia do Big Bang, que é amplamente aceita. Logo, temos a ideia do universo como um todo como sendo um universo radicalmente evolutivo. E isto, creio, provoca uma crise, e deveria provocar uma crise. A ideia de leis atemporais que sempre existiram, que de algum modo permeiam o espaço e o tempo, deixa de ter muito sentido quando você tem um histórico e real Big Bang, porque então você tem um problema: onde estavam as leis antes do Big Bang?

BOHM: Há ainda a crença, comumente aceita, de que no centro dos buracos negros as leis conhecidas desapareceriam. Como você disse, os cientistas ainda não se defrontaram com isso porque ainda estão pensando do modo antigo, em termos de leis atemporais. Mas alguns físicos perceberam isso. Um cosmologista estava dando uma palestra e disse, "Sabem, eu costumava achar que tudo era uma lei da natureza, e que tudo era fixo, mas no que diz respeito ao buraco negro, qualquer coisa pode acontecer. Veja, se de repente aparecesse ali um anúncio da Coca-Cola, isso ainda seria uma possibilidade". [*Risos*]. Portanto, o conceito de leis atemporais parece não se sustentar, porque o próprio tempo faz parte da necessidade que se desenvolveu. O buraco negro não envolve o tempo e o espaço como o conhecemos; todos desaparecem. Não é apenas a matéria que desaparece, mas qualquer ordem regular que conhecemos desaparece, e portanto você pode dizer que vale tudo, ou nada vale.*

SHELDRAKE: O interessante sobre a teoria do Big Bang é que no momento em que você precisa tratar da questão da origem das leis da natureza, você é forçado a reconhecer as premissas filosóficas subjacentes a qualquer tipo de ciência. As pessoas que se imaginam mecanicistas ou pragmáticas de linha dura consideram a metafísica como perda de tempo, como uma inútil atividade especulativa, e se supõem cientistas práticos fazendo o seu trabalho. Mas você pode forçá-los a perceber que sua postura de que as leis da natureza são atemporais, o que está implícito em tudo que dizem ou pensam ou fazem, é, na verdade, uma visão metafísica. E é uma possível visão metafísica, não é a única possível. Converso com amigos biólogos e eles dizem, "Ora, o que você está fazendo é metafísica". E eu respondo, "Espere aí, vamos analisar o que você está fazendo. E então você os confronta com a questão – onde estavam as leis da natureza antes do Big Bang. E a maioria deles responde, "Bem, elas sempre devem ter estado por aí". E você pergunta, "Onde? Não existe matéria em nenhum sentido conhecido antes do Big Bang. Onde estavam essas leis da natureza, flutuando à vontade?" E eles dizem, "Bem, devem ter estado em algum lugar". E você diz, "Não percebe que isso é um conceito um tanto quanto metafísico, em qualquer sentido literal da metafísica, porque vai bem além da física atual?" E eles acabam admitindo isso mais cedo ou mais tarde. Assim que você entra nesse terreno, a certeza que muitos cientistas depositam nas bases de sua visão de mundo simplesmente desaparece. Fica claro que a ciência atual pressupõe um tipo possível de metafísica acima da crítica. Quando nos damos conta disso, podemos pelo menos começar a pensar no problema em vez de aceitarmos um modo de pensar nele como autoevidente, como líquido e certo. E se começamos a pensar nisso, podemos conseguir aprofundar nossa compreensão sobre o tema.

---

* O autor faz um jogo de palavras evocando o título de uma canção de Cole Porter, *Anything Goes* (N. do T.).

Notas

Prefácio

1   Citado in Kennington (2004), p. 11.
2   Thomson (1852).
3   Singh (2004).
4   Terence McKenna, comunicação pessoal, ca. 1985, cf. Sheldrake, McKenna e Abraham (2005), capítulos 8 e 10.
5   Para uma discussão mais detalhada da história das leis eternas da natureza e sua colisão com a ideia da evolução, ver capítulos 1 a 3 *in* Sheldrake (1988).
6   Sheldrake (1988).
7   Para uma excelente análise desse período do otimismo mecanicista, ver Le Fanu (2009).
8   Venter (2007), p. 299.
9   *ibid.*, p. 300.
10 *ibid.*
11 Olsen e Varki (2004).
12 *Wall Street Journal*, 2 de maio de 2004.
13 Howe *et al* (2008).
14 Carroll *et al* (2001).
15 Gerhart e Kirschner (1997).
16 Darwin (1905), p. 379.
17 Dawkins (1982), pp. 164-65.
18 Young (2008).
19 Qiu (2006).

20 Sheldrake (1988).

21 Dürr (1997), trad. ingl. em Dürr (2003).

22 Bohm (1980), p. xv.

23 Dürr (1997), p. 247.

24 Greene (2000).

25 Smolin (2007).

26 Carr (2008).

27 Laszlo (2004).

28 Sheldrake (2003).

29 Sheldrake (2004).

30 Maddox (1981).

31 Esta controvérsia foi plenamente documentada na segunda edição deste livro, publicada em 1985 por Blond, Londres.

32 Josephson (1981).

33 BBC 2 TV, *Heretics*, 19 de julho de 1994.

34 Dürr e Gottwald (orgs.) (1997).

35 Horgan (1996), p. 6.

Introdução

1 Para uma exposição particularmente lúcida, ver Monod (1972).

2 No sentido de Kuhn (1962).

3 P. ex., Russell (1945); Elsasser (1958); Polanyi (1958); Beloff (1962); Koestler (1967); Lenartowicz (1975); Popper e Eccles (1977); Thorpe (1978).

4 P. ex., Driesch (1908); Bergson (1911a, b). Para uma discussão da abordagem vitalista, ver Sheldrake (1980b).

5 Popper (1965), p. 37.

6 Whitehead (1928).

7 P. ex., Woodger (1929); von Bertalanffy (1933); Whyte (1949); Elsasser (1966); Koestler (1967); Leclerc (1972); Varela (1979); Capra (1997).

8 Numa conferência sobre "Problemas da Redução na Biologia", o fracasso da abordagem organísmica em produzir qualquer diferença significativa para a pesquisa biológica foi ilustrado pela ampla concordância prática entre mecanicistas e organicistas. Isso levou um participante a observar que "os argumentos reducionista/antirreducionistas entre biólogos pode ter tão pouca relevância e impacto sobre a direção da biologia quanto argumentos similares lançados em abstrato por filósofos". (Ayala e Dobzhansky (orgs.), 1974, p. 85.)

9 Um relato clássico pode ser encontrado em Weiss (1939).

10 P. ex., Elsasser (1966, 1975); von Bertalanffy (1971).

11 Ver, por exemplo, a discussão entre C. H. Waddington e R. Thom *in* Waddington (org.) (1969), p. 242.

12 Este ponto é discutido no capítulo final deste livro.

13 Esta evidência é discutida no Capítulo 11.

Capítulo 1

1 Huxley (1867), p. 74.

2 Ver, por exemplo, Crick (1967) e Monod (1972). Estes dois autores alegam, talvez com razão, que suas opiniões são representativas das opiniões da maioria de seus colegas. Na verdade, o relato de Crick, menos sofisticado do que o de Monod, deve ser mais próximo do pensamento da maior parte dos biólogos moleculares. Mas a declaração de Monod é a mais clara e a mais explícita da posição mecanicista que apareceu nos últimos anos.

3 Gerhart e Kirschner (1997).

4 Holland (org.) (2003).

5 Needham (1942), p. 686.

6 Driesch (1908).

7 Wolff (1902).

8 Outro conceito que tem o mesmo papel explanatório que o programa genético é o do genótipo. Embora esta palavra seja menos obviamente teleológica, costuma ser usada num sentido muito similar ao de um programa genético. Numa análise detalhada, Lenartowicz (1975) mostrou que se o genótipo é simplesmente identificado com o DNA, seu aparente valor explanatório desaparece.

9 Para uma discussão mais extensa, ver Sheldrake (1980a).

10 Dawkins (1976).

11 Muitos outros exemplos podem ser encontrados em von Frisch (1975).

12 Ricard (1969).

13 Darwin (1905).

14 Rensch (1959); Mayr (1963); Stebbins (1974).

15 Goldschmidt (1940); Willis (1940); Stanley (1981).

16 Crick e Orgel (1973).

17 Hoyle e Wickramasinghe (1978).

18 Eigen e Schuster (1979).

19 Ver, por exemplo, as discussões de Beloff (1962) e Popper e Eccles (1977).

20 Este problema foi apontado de maneira particularmente clara por Schopenhauer (1883).

21 D'Espagnat (1976), p. 286.
22 Wigner (1961, 1969); Penrose (1989).
23 Churchland (1992).
24 Pauen *et al* (2006).
25 Hyslop (1998).
26 P. ex., Watson (1924); Skinner (1938); Broadbent (1961).
27 Para discussões críticas, ver Beloff (1962); Koestler (1967); Popper e Eccles (1977).
28 P. ex., Damasio (1994).
29 Varela *et al* (1991).
30 Chalmers (1996).
31 Jung (1959), p. 43.
32 *Ibid.*, p. 75.
33 Sheldrake (2003a).
34 Carter (2007).
35 Ashby (1972) apresenta uma bibliografia crítica que cobre a maioria dos aspectos da pesquisa psíquica, e análises amplas da literatura podem ser encontradas em Wolman (org.) (1977), Radin (1997) e Sheldrake (2003a).
36 Thouless (1972), Radin (1997, 2006) e Sheldrake (2003a).
37 Taylor e Balanovski (1979).
38 Para uma análise da literatura teórica, ver Rao (1977).
39 P. ex., Radin (2006).
40 P. ex., Walker (1975); Whiteman (1977); Hasted (1978).

Capítulo 2

1 Para um exemplo do modo como uma análise dos resultados da pesquisa descritiva pode levar à formulação de hipóteses, ver Crick e Lawrence (1975).
2 Carroll *et al* (2001), p. 47.
3 Wolpert (1978).
4 King e Wilson (1975).
5 Olsen e Varki (2004).
6 *Ibid.*
7 MacWilliams e Bonner (1979).
8 Sheldrake (1973).
9 Para uma discussão teórica desse problema, ver Meinhardt (1978).
10 Roberts e Hyams (orgs.) (1979).
11 Nicolis e Prigogine (1977).

12 Kauffman (1994).

13 Huxley (1867), p. 74.

14 Em Driesch (1914), p. 119.

15 Driesch (1929), p. 290.

16 Driesch (1908), Vol. l, p. 203.

17 Driesch (1929), pp. 152-54, 293.

18 *Ibid.*, pp. 135, 291.

19 *Ibid.*, p. 246.

20 *Ibid.*, p. 103.

21 *Ibid.*, p. 246.

22 *Ibid.*, p. 266.

23 *Ibid.*, p. 262.

24 Eddington (1935), p. 302.

25 Eccles (1953).

26 P. ex., Walker (1975); Whiteman (1977); Hasted (1978); Lawden (1980).

27 Para uma discussão dessas influências, e um relato do desenvolvimento subsequente de ideias organísmicas, ver Haraway (1976). O melhor resumo do início da abordagem organísmica da morfogênese é o de von Bertalanffy (1933).

28 Gurwitsch (1922).

29 Para uma apresentação sistemática das ideias de Weiss, ver seu *Principles of Development* (1939).

30 Waddington (1957), Capítulo 2.

31 Thom (1975a).

32 *Ibid.*, pp. 6-7.

33 Abraham e Shaw (1984).

34 Thom (1983).

35 Waddington nem sequer explicita o histórico organísmico de seus conceitos, pelo motivo explicado no seguinte texto, escrito no final de sua carreira:

> Como sou uma pessoa nada agressiva, e vivi num período agressivamente antimetafísico, decidi não expor publicamente estas posições filosóficas. Um ensaio que escrevi por volta de 1928 sobre "A Controvérsia Vitalista-Mecanicista e o Processo de Abstração" nunca foi publicado. Em lugar disso, tentei usar a abordagem de Whitehead em certas situações experimentais. Assim, os biólogos que não têm interesse pela metafísica não percebem o que há por trás – embora costumem reagir como se estivessem se sentindo obscuramente desconfortáveis. (Waddington (org.), 1969, pp. 72-81).

36 Em Waddington (org.) (1969), pp. 238, 242.

37 P. ex., Elsasser (1966, 1975); von Bertalanffy (1971). Para uma discussão desse "organicismo mecanicista", ver Sheldrake (1981).

38 Goodwin (1979), pp. 112-13. Ver também Goodwin (1994).

39 Carroll *et al* (2001).

40 Bolker (2000).

41 Gilbert *et al* (1996).

Capítulo 3

1 Uma excelente introdução ao problema da forma orgânica é apresentada por Sinnott (1963).

2 Para uma discussão deste problema, ver Thom (1975a).

3 *Ibid.*, p. 320.

4 Thom (1975b).

5 Para uma discussão da relevância limitada da Teoria da Informação para a biologia, ver Waddington (1975), pp. 209-30.

6 Alguns matemáticos deixam isso explícito, como Penrose (1989).

7 Numerosos exemplos da combinação de aspectos da filosofia organísmica com especulações claramente neoplatônicas são apresentados por Ruyer (1974) em seu relato de um pequeno grupo neognóstico nos Estados Unidos, cujos membros incluem diversos cientistas proeminentes.

8 Ver Emmet (1966).

9 Pauling (1960), p. 220.

10 Helgaker *et al* (2004).

11 Pauling (1960), p. 543.

12 Maddox (1988).

13 Dunitz e Scheraga (2004).

14 *Ibid.*

15 Sanderson (2007).

16 Anfinsen e Scheraga (1975).

17 Para uma análise, ver Nemethy e Scheraga (1977).

18 www.predictioncenter.org/casp6/doc/categories.html

19 Dunitz e Scheraga (2004).

20 Anfinsen e Scheraga (1975).

21 Cf. o "princípio das classes finitas" de Elsasser (1975).

22 Essa distinção entre causação formativa e causação energética assemelha-se à distinção de Aristóteles entre "causas formais" e "causas eficientes". No

entanto, a hipótese da causação formativa desenvolvida nos capítulos seguintes difere radicalmente da teoria de Aristóteles, que pressupunha formas eternamente dadas.

23 Do ponto de vista teórico, o papel causal dos campos morfogenéticos pode ser analisado em termos de "condicionais contrafatuais". Para uma discussão destes últimos, ver Mackie, por exemplo (1974).

24 Arthur Koestler sugeriu o uso do termo *holon* para tais "sistemas abertos autorregulados que exibem tanto as propriedades autônomas dos todos e as propriedades dependentes das partes" (*in* Koestler e Smythies (orgs.) (1969), pp. 210-11). Este termo tem aplicação mais ampla do que o termo unidade mórfica – ele inclui, por exemplo, estruturas linguísticas e sociais – mas representa um conceito muito similar.

Capítulo 4

1 A identificação de campos morfogenéticos com campos eletromagnéticos é responsável por boa parte da confusão inerente à teoria dos "Campos Vitais" eletrodinâmicos de H. S. Burr. Burr (1972) cita evidências incontroversas de que os organismos vivos estão associados a campos eletromagnéticos, que mudam quando os organismos mudam, mas depois alega que esses campos controlam a morfogênese atuando como "projetos" de desenvolvimento, o que é uma coisa bem diferente.

2 Para uma análise da literatura sobre mudanças conformativas em proteínas em solução, ver Williams (1979).

3 Anfinsen (1973), p. 228.

4 Para uma discussão geral da causalidade probabilística, ver Suppes (1970).

5 Cf. o conceito de Karl Popper de campo de probabilidade ou propensão (Popper, 1967; Popper e Eccles, 1977).

6 Esta sugestão pode se encaixar na abordagem da física quântica defendida por Bohm (1969, 1980) e Hiley (1980).

7 Este e outros exemplos daquilo que Thom (1975a) chama de "catástrofes generalizadas" são discutidos no Capítulo 6 de seu livro *Structural Stability and Morphogenesis*.

8 Bentley e Humphreys (1962).

9 Ver Nicolis e Prigogine (1977). Uma abordagem diferente, mas relacionada, desses problemas é delineada por Haken (1977).

10 Stevens (1977).

UMA NOVA CIÊNCIA DA VIDA

11 A teoria do caos proporciona modelos para alguns tipos de processos formativos em termos de "atratores estranhos" (Gleik, 1988).

12 Para uma discussão das teorias de Thompson, ver Medawar (1968).

13 Para relatos recentes das propriedades e funções dos microtúbulos, ver Dustin (1978) e Roberts e Hyams (orgs.) (1979).

14 Uma sugestão é que o retículo endoplasmático liso tem um papel no transporte de subunidades de microtúbulos para as regiões nas quais se agregam (Burgess e Northcote, 1968). A existência de "elementos nucleadores" que podem ou não se ligar em "centros organizadores de microtúbulos" também foi sugerida por U. B. Tucker, *in* Roberts e Hyams (orgs.), 1979.

15 Street e Henshaw (1965).

16 Para exemplos, ver Willmer (1970).

17 Em alguns casos, os núcleos são destruídos nos estágios finais da diferenciação (p. ex., vasos xilêmicos em plantas, células vermelhas do sangue em mamíferos). Nesses casos, os núcleos poderiam agir como germes morfogenéticos para o processo de diferenciação até o ponto no qual ainda estivessem intactos; depois, os estágios finais de diferenciação poderiam proceder de forma puramente mecanicista mediante processos químicos objetivos e não sujeitos à ordem morfogenética, graças à liberação de enzimas hidrolíticas.

18 Em algumas algas, p. ex. *Oedogonium*, a membrana nuclear permanece intacta durante a mitose; provavelmente, esta é uma característica evolutiva primitiva (Pickett-Heaps, 1975).

19 Pickett-Heaps (1969).

20 Clowes (1961).

21 Wolpert (1978).

Capítulo 5

1 Mackie (1974), p. 19.

2 Hesse (1961), p. 285.

3 Foram descritos muitos exemplos de oscilações em sistemas biológicos. Ver, por exemplo, a análise das oscilações a nível celular feita por Rapp (1979).

4 A vibração de um sistema causada por um estímulo energético "unidimensional" pode, com efeito, dar origem a formas e padrões definidos: exemplos simples são as "figuras Chladni" produzidas por areia ou outras pequenas partículas sobre um diafragma vibrante. Ilustrações de numerosos padrões bi- e tridimensionais sobre superfícies vibrantes podem ser encontradas em

Jenny (1967) e Lauterwasser (2006). Mas isso não é comparável ao tipo de morfogênese produzido através da ressonância mórfica.

5 Para discussões da possibilidade de influências causais de eventos futuros, ver Hesse (1961) e Mackie (1974).

6 Evidências da precognição só seriam relevantes para este argumento caso se presumisse, com bases metafísicas, que os estados mentais fossem um aspecto de estados físicos do corpo, ou existissem em paralelo a eles, ou fossem epifenômenos deles. Entretanto, do ponto de vista do interacionismo, uma influência de estados *mentais* futuros não exigiria necessariamente que uma influência *física* fosse exercida "para trás" no tempo. Essas alternativas metafísicas são discutidas mais a fundo no Capítulo 12.

7 Woodard e McCrone (1975).

8 *Ibid.*

9 Holden e Singer (1961), pp. 80-1.

10 *Ibid.*, p. 81.

11 Woodard e McCrone (1975).

12 Goho (2004).

13 Bernstein (2002), p. 90.

14 Citado *in* Woodard e McCrone (1975).

15 Danckwerts (1982).

Capítulo 6

1 Parece provável que uma causa importante do envelhecimento, pelo menos no nível celular, seja o acúmulo de detritos nocivos que as células são incapazes de eliminar. Se as células crescem com rapidez suficiente podem se manter "um passo à frente" desse acúmulo, simplesmente porque essas substâncias são diluídas com o crescimento. Ademais, em divisões celulares assimétricas, comuns em animais e plantas superiores, essas substâncias podem ser passadas de maneira desigual para as células-filhas. uma pode se rejuvenescer às custas da maior mortalidade da outra. Assim, o rejuvenescimento depende do crescimento e da divisão das células: pontos finais morfogenéticos – as células, tecidos e órgãos diferenciados de organismos multicelulares – são necessariamente mortais (Sheldrake, 1974).

2 Para exemplos animais, ver Weiss (1939); para plantas, Wardlaw (1965).

3 A discussão clássica desse ponto elementar, mas importante, está no capítulo "On Magnitude" *in* Thompson (1942).

4 Se o sistema se "identifica" com uma localização específica e se sua persistência nesse local depende de uma ressonância mórfica consigo mesmo no passado imediato, sua resistência a ser movido dessa localização – *sua massa inercial* – deve estar relacionada com a frequência com que ocorre essa autorressonância. A ressonância depende de ciclos de vibração característicos; ela não pode ocorrer num instante, pois um ciclo de vibração toma tempo. Quanto mais elevada a frequência de vibração, mais recentes serão os estados passados com que a autorressonância ocorre; logo, maior será a tendência do sistema a ficar "amarrado" em sua posição no passado imediato. Por outro lado, quanto mais baixa a frequência de vibração, menos forte será a tendência de um sistema "identificar-se" consigo mesmo numa localização específica; ele poderá se mover mais com relação a outros objetos antes de "perceber" que o fez.

5 Karl Popper, entre outros, argumentou que falar do dualismo de partícula e onda tem causado muita confusão, e sugeriu que se abandone o termo dualismo:

> Proponho que, em vez disso, falemos (como fez Einstein) da partícula e de seus campos de propensão *associados* (o plural indica que os campos dependem não apenas da partícula como de outras condições), evitando assim a sugestão de uma relação simétrica. Sem estabelecer terminologias como esta ("associação" no lugar de "dualismo"), o termo "dualismo" está fadado a sobreviver, com todas as concepções errôneas associadas a ele; pois ele aponta para algo importante: a associação que existe entre partículas e campos de propensão (Popper, 1967, p. 41).

Esta proposta parece se harmonizar bem com a hipótese da causação formativa se os campos de propensão incluírem os campos morfogenéticos.

Capítulo 7

1 A obra clássica sobre este assunto é de Bateson (1894).
2 Morata e Lawrence (1977).
3 Snoad (1974).
4 Carroll *et al* (2001).
5 Bourguet (1999).
6 Fisher (1930).
7 Haldane (1939).
8 Serra (1966).
9 Baldwin (1902).

10 Muitas dessas evidências foram resumidas por Semon (1912) e Kammerer (1924).

11 Koestler (1971).

12 Medvedev (1969).

13 Durrant (1974).

14 Morgan *et al* (1999).

15 Anway *et al* (2005).

16 Young (2008).

17 Dennis (2003).

18 Qiu (2006).

19 Vines (1998).

20 Waddington (1956).

21 *Ibid.*, p. 65.

22 Waddington (1957).

23 Ver a discussão entre C. H. Waddington e A. Koestler *in* Koestler e Smythies (orgs.) (1969), pp. 382-91.

24 Waddington (1975), p. 87.

25 *Ibid.*, pp. 87-8.

26 Ho *et al* (1983).

27 Gibson e Hogness (1996).

28 Goldschmidt (1940), p. 267.

29 Waddington (1961).

30 Lambert *et al* (1989).

31 Stebbins e Basile (1986).

Capítulo 8

1 Hooper (2002). Entretanto, experimentos recentes proporcionaram novas e melhores evidências a favor da hipótese da ave predadora (de Roode, 2007).

2 Apresentações abrangentes da posição neodarwinista podem ser encontradas em Huxley (1942); Rensch (1959); Mayr (1963) e Stebbins (1974).

3 Goldschmidt (1940); Gould (1980).

4 Este argumento é exposto com muitos exemplos por Willis (1940).

5 Talvez a mais estimulante crítica da teoria mecanicista da evolução ainda seja *Creative Evolution* (1911) de Henri Bergson. Bergson não diz que a evolução como um todo tem um propósito e uma direção. Isto quem diz é P. Teilhard de Chardin (1959). Para uma discussão, ver Thorpe (1978).

6 Ver, por exemplo, Monod (1972).

7 Rensch (1959).

8 Para muitos exemplos instrutivos, ver Darwin (1875).

9 Rensch (1959); Thompson (1942), pp. 1094-095; Wigglesworth (1964); Lewis (1963, 1978).

10 Thompson (1942), pp. 1094-095.

11 Wigglesworth (1964).

12 Lewis (1963, 1978).

13 Ver o capítulo intitulado "Reversion or Atavism" *in* Darwin (1875).

14 Lewis (1978).

15 P. ex., Penzig (1922). Para discussões, ver Dostal (1967) e Riedl (1978).

16 Britten *in* Duncan e Weston-Smith (orgs.) (1977).

17 Rensch (1959).

Capítulo 9

1 Para o relato clássico, ver Darwin (1880).

2 Darwin (1882).

3 Audus (1979).

4 Curry (1968).

5 Jaffe (1973).

6 Siegelman (1968).

7 Bunning (1973).

8 Satter (1979).

9 Bose (1926); Roblin (1979).

10 Bentrup (1979).

11 Espécies diferentes de *Amoeba* diferem em detalhes em seu padrão de movimento e de reação da conhecida *A. proteus*; logo, a *A. limax* forma poucos pseudópodes e normalmente move-se para a frente como uma única massa alongada; a *A. verrucosa* move-se lentamente com uma forma quase sempre constante; a *A. velata* costuma liberar um pseudópode "sensor" na água. No entanto, os princípios gerais de movimento parecem ser os mesmos. Para mais detalhes e referências, ver Jennings (1906).

12 Warner *in* Roberts e Hyams (orgs.) (1979).

13 Sleigh (1968).

14 Jennings (1906).

15 Eckert (1972).

16 P. ex., Pecher (1939).

17 Verveen e de Felice (1974).

18 Katz e Miledi (1970).

19 Stevens (1977).

20 Katz (1966).

21 Como discutido no Capítulo 12 do meu livro *The Presence of the Past.*

22 Lindauer (1961).

23 Ver Thom (1975), Capítulo 13.

24 Jennings (1906).

25 Como discutido no meu livro *The Sense of Being Stared At.* [*A Sensação de Estar Sendo Observado*, publicado pela Editora Cultrix, São Paulo, 2004.]

26 Freeman (1999).

27 Hingston (1928).

28 Marais (1971); von Frisch (1975).

29 Hingston (1928).

30 Sheldrake (1988).

Capítulo 10

1 Kandel (1979).

2 Murphy e Glansman (1996).

3 Buchtel e Berlucchi *in* Duncan e Weston-Smith (orgs.) (1977).

4 Lashley (1950), p. 478.

5 Boycott (1965).

6 Pribram (1971).

7 Para uma análise e discussão abrangentes, ver Thorpe (1963).

8 Tinbergen (1951), p. 27.

9 *Ibid.*

10 Thorpe (1963).

11 Por ex., Jennings (1906).

12 Hinde (1966).

13 Thorpe (1963), p. 429.

14 Spear (1978).

15 Embora essa ideia, sugerida por Hebb (1949), tenha sido defendida por muitos anos, não foi nem refutada conclusivamente, nem apoiada de forma convincente pelas evidências experimentais.

16 Köhler (1925).

17 Lotzos (1967), p. 203.

18 Thorpe (1963).

Capítulo 11

1 Parsons (1967).
2 Brenner (1973).
3 Benzer (1973).
4 Manning (1975), p. 80.
5 Dilger (1962).
6 McDougall (1927), p. 282.
7 McDougall (1938).
8 McDougall (1930).
9 Crew (1936).
10 McDougall (1938).
11 Crew (1936), p. 75.
12 Tinbergen (1951), p. 201.
13 Agar, Drummond, Tiegs e Gunson (1954).
14 Rhine e McDougall (1933), p. 223.
15 Várias explicações possíveis foram sugeridas na época em que esses experimentos estavam sendo realizados; são discutidos nos trabalhos de McDougall, os quais o leitor interessado deve consultar. Nenhuma dessas explicações mostrou-se plausível sob exame detalhado. Agar *et al* (1954) perceberam que flutuações nas taxas de aprendizado estavam associadas a mudanças, estendendo-se por várias gerações, na saúde e vigor dos ratos. McDougall já tinha percebido um efeito similar. Uma análise estatística mostrou que, de fato, havia uma correlação baixa mas significativa (no nível de probabilidade de 1%) entre o vigor (medido em termos de fertilidade) e taxas de aprendizado na linha "treinada", mas não na linha "sem treinamento". No entanto, se forem consideradas apenas as primeiras 40 gerações, os coeficientes de correlação foram um tanto mais elevados: 0,40 na linha "treinada" e 0,42 na linha "sem treinamento". Mas embora essa correlação possa ajudar a explicar as flutuações nos resultados, não pode explicar de maneira plausível a tendência geral. Segundo a teoria estatística-padrão, a proporção da variação "explicada" por uma variável correlacionada é dada pelo quadrado do coeficiente de correlação, neste caso $(0,4)^2 = 0,16$. Em outras palavras, as variações em vigor justificam apenas 16% das mudanças na taxa de aprendizado.
16 McDougall estimou que o número médio de erros em sua primeira geração foi superior a 165. No experimento de Crew, esse número foi 24, e no de Agar, 72; ver as discussões *in* Crew (1936), e em Agar *et al* (1942). Se o grupo de Agar usou ratos com pais idênticos e seguiu os mesmos procedimentos que

Crew, seu resultado inicial deveria ter sido até menor do que o dele. Contudo, por seus ratos terem pais diferentes, e por diferenças no procedimento dos testes, os resultados não são plenamente comparáveis. Mesmo assim, a maior facilidade de aprendizado nestes últimos experimentos é sugestiva.

17 Brown (1975).

18 Numerosos exemplos deste tipo de especulação podem ser encontrados *in* Wilson (1975) e Dawkins (1976).

19 Por ex., Clarke (1980).

20 Tinbergen (1951).

21 Thorpe (1963); Bekoff e Byers (orgs.) (1998).

22 Dawkins (1976), p. 206.

23 A linguagem, em especial, é um excelente exemplo da organização hierárquica dos campos motores, e já foi dado um primeiro passo por René Thom no desenvolvimento de uma teoria da linguagem em termos de creodos; ver Thom (1975a), Capítulo 6.

24 Para uma discussão mais ampla do papel da ressonância mórfica na herança cultural, ver meu livro *The Presence of the Past*, Capítulos 14 e 15.

Capítulo 12

1 Algumas versões da filosofia do materialismo dialético talvez proporcionassem um bom ponto de partida para o desenvolvimento de um materialismo modificado neste sentido. Elas já incluem muitos aspectos da abordagem organísmica, e baseiam-se na ideia de que a realidade é inerentemente evolutiva (Graham, 1972).

2 Para um relato histórico e discussão crítica das diversas teorias materialistas, ver os capítulos de Popper *in* Popper e Eccles (1977).

3 A hipótese de que tanto a telepatia quanto a memória podem ser explicadas sob a ótica de um novo tipo de "ressonância" transtemporal e transespacial entre sistemas complexos já foi apresentada por Marshall (1960); com efeito, sua sugestão antecipa, em diversos aspectos importantes, a ideia da ressonância mórfica. Para uma discussão do papel dos campos mórficos na telepatia animal e humana, ver meus livros *Dogs That Know When Their Owners Are Coming Home* e *The Sense of Being Stared At*.

4 Embora se possa conceber uma explicação para a telepatia e a telecinese do ponto de vista da causação formativa, é difícil ver como esta hipótese poderia ajudar a justificar outros fenômenos como a clarividência, que parece apresentar problemas incontornáveis para qualquer teoria física. Para uma análise

das diversas teorias, físicas e não físicas, que foram propostas a fim de explicar os fenômenos da parapsicologia, ver Rao (1977).

5   Ryle (1949).

6   Por ex., Eddington (1935); Eccles (1953); Walker (1975). Para uma análise das teorias quânticas da consciência, ver Stapp (2007).

7   Jouvet (1967).

8   Dois tipos diferentes de teoria dualista ou vitalista podem ser identificadas à luz desta classificação. O primeiro, exemplificado nos trabalhos de Driesch (1908, 1927), postula a existência de um novo tipo de causação responsável por processos biológicos repetitivos e regulares, correspondendo à causação formativa no presente sentido. O segundo, desenvolvido de forma brilhante por Bergson, enfatiza a causação consciente, por um lado (em seu *Matter and Memory*), e a criatividade evolutiva por outro (em *Creative Evolution*), e nenhum deles poderia ser explicado em termos de causas físicas.

9   Bergson (1911a).

Apêndice A

1   Sheldrake (1994, 1999, 2003).

2   As principais fontes para pontos de fusão em datas diferentes foram várias edições dos seguintes manuais: *Beilsteins Handbuch der Organischen Chemie, British Pharmacopoeia, British Pharmaceutical Codex, CRC Handbook of Chemistry and Physics*, e o *Merck Index*. Além destes manuais, também consultei muitos trabalhos originais em diversas publicações químicas.

3   Essas determinações de pontos de fusão foram realizadas usando um aparato de ponto de fusão em microscópio de estágio a quente pelo Sr. A. Datta, trabalhando "às cegas". Forneci réplicas de amostras codificadas e também a indicação de uma faixa de 10°C dentro da qual se esperava que recaísse o ponto de fusão de cada amostra. Este trabalho foi realizado sob a supervisão do dr. Gwyn Hocking.

4   Por exemplo, *Eremothecium ashbyii* (Sebrell e Harris, 1972).

5   Sebrell e Harris (1972).

6   *Merck Index*, 1996.

7   Altstaedter (1997).

8   Clarke *et al* (1949).

9   Purseglove (1968).

10 van Genderen *et al* (2002a); Sheldrake (2002); van Genderen *et al* (2002b).

11 Davis e Oshier (1967).

12 Dunitz (1991).

13 Bernstein (2002).

14 Hill (2000).

15 *Ibid*, pp. 214-15.

16 Darwin (1905), p. 377.

17 Roll-Hansen (2005).

18 Darwin (1905), p. 379.

19 Vines (1998).

20 Sheldrake (1992b).

21 Sheldrake (1992a), Rose (1992).

22 Hadler e Buckle (1992).

23 Fisher e Hinde (1949).

24 Hinde e Fisher (1951).

25 Bedechek (1961), p. 157.

26 *Ibid*, pp. 157-58.

27 Hoy (1982).

28 Sheldrake (1988), p. 65.

29 *Guardian*, 28 de fevereiro de 1985.

30 *Daily Telegraph*, 3 de março de 1997.

31 *Daily Telegraph*, 23 de março de 1997.

32 *Huddersfield Daily Examiner*, 27 de julho de 2004.

33 Sheldrake (1990), Capítulo 10.

34 Schwartz (1997).

35 Mahlberg (1987).

36 Ertel (1997).

37 Schorn *et al* (2006).

38 Robbins e Roe (2008).

39 Sheldrake (1983).

40 *Institute of Noetic Sciences Bulletin*, outono de 1991.

41 Dienes (1994).

42 Ertel (1997).

43 Anderson (1982).

44 Flynn (1983, 1984).

45 Flynn (1987).

46 Neisser (1995); Horgan (1995).

47 Horgan (1995).

48 *Ibid*.

49 Varela e Letelier (1988).
50 Sheldrake (1989).
51 Fedanzo e Wingfield (1988).
52 Rooke, S., comunicação pessoal, outubro de 2007.
53 Trachtman (2000).

Apêndice B

1 Bohm (1957).
2 Bohm (1980).
3 Sheldrake e Bohm (1982).

Referências

Abraham, R. e Shaw, C. D. *Dynamics: The Geometry of Behavior*. Santa Cruz, CA: Aerial Press, 1984.

Agar, W. E., Drummond, F. H. e Tiegs, O.W. "Second report on a test of McDougall's Lamarckian experiment on the training of rats". *Journal of Experimental Biology*, 19 (1942), pp. 158-67.

Agar, W. E., Drummond, F. H., Tiegs, O.W. e Gunson, M. M. "Fourth (final) report on a test of McDougall's Lamarckian experiment on the training of rats". *Journal of Experimental Biology*, 31 (1954), pp. 307-21.

Altstädter, R. *100 years of Acetyl-Salicylic Acid*. Leverkusen, Alemanha: Bayer AG, 1997.

Anderson, A. M. "The great Japanese IQ increase". *Nature*, 297 (1982), pp. 180-81.

Anfinsen, C. B. "Principles that govern the folding of protein chains". *Science*, 181 (1973), pp. 223-30.

Anfinsen, C. B. e Scheraga, H. A. "Experimental and theoretical aspects of protein folding". *Advances in Protein Chemistry*, 29 (1975), pp. 205-300.

Anway, M. D., Cupp, A.S., Uzumcu, M. e Skinner, M. K. "Epigenetic transgenerational actions of endocrine disruptors and male fertility". *Science*, 308 (2005), pp. 1466-469.

Ashby R. H. *The Guidebook for the Study of Psychical Research*. Londres, RU: Rider, 1972.

Audus, L. J. "Plant geosensors". *Journal of Experimental Botany*, 30, pp. 1051-073.

Ayala, F. J. e Dobzhansky, T. (orgs.). *Studies in the Philosophy of Biology*. Londres, RU: Macmillan, 1974.

Baldwin, J. M. *Development and Evolution*. Nova York, NY: Macmillan, 1902.

Banks, R. D., Blake, C. C. F., Evans, P.R., Haser, R., Rice, D.W., Hardy, G.W., Merrett, M. e Phillips, A.W. "Sequence, structure and activities of phosphoglycerate kinase". *Nature*, 279 (1979), pp. 773-77.

Bateson, W. *Materials for the Study of Variation: Treated with Especial Regard to Discontinuity in the Origin of Species*. Londres, RU: Macmillan, 1894.

Bedechek, R. *Adventures With A Texas Naturalist* (nova edição). Austin, TX: University of Texas Press, 1961.

Bekoff, M. e Byers, J. A. *Animal Play: Evolutionary, Comparative and Ecological Perspectives*. Cambridge, RU: Cambridge University Press, 1998.

Beloff, J. *The Existence of Mind*. Londres, RU: MacGibbon and Kee, 1962.

Beloff, J. "Is normal memory a 'paranormal' phenomenon?" *Theoria to Theory*, 14 (1980), pp. 145-61.

Bentley, W. A e Humphreys, W. J. *Snow Crystals*. Nova York, NY: Dover, 1962.

Bentrup, F. W. "Reception and transduction of electrical and mechanical stimuli". *Encyclopedia of Plant Physiology*. Pirson, A. e Zimmermann, M. H. (orgs.). Berlim, Alemanha: Springer-Verlag, 1979, vol. 7, pp. 42-70.

Benzer, S. "Genetic dissection of behavior". *Scientific American* 229(6), 1973, pp. 24-37.

Bergson, H. *Creative Evolution*. Londres, RU: Macmillan, 1911a.

Bergson, H. *Matter and Memory*. Londres, RU: Allen & Unwin, 1911b.

Bernstein, J. *Polymorphism in Molecular Crystals*. Oxford, RU: Clarendon Press, 2002.

Bohm, D. *Causality and Chance in Modern Physics*. Nova York, NY: Harper, 1957.

Bohm, D. "Some remarks on the notion of order". *Towards a Theoretical Biology 2: Sketches* (Waddington, org.). Edinburgh, RU: Edinburgh University Press, 1969.

Bohm, D. *Wholeness and the Implicate Order*. Londres, RU: Routledge and Kegan Paul, 1980. [*A Totalidade e a Ordem Implicada*, publicado pela Editora Cultrix, São Paulo, 1992.]

Bolker, J. A. "Modularity in development and why it matters to evo-devo". *American Zoologist*, 40 (2000), pp. 770-76.

Bonner, J.T. *The Evolution of Development*. Cambridge, RU: Cambridge University Press, 1958.

Bose, J.C. *The Nervous Mechanism of Plants*. Londres, RU: Longmans, Green & Co., 1926.

Bourguet, D. "The evolution of dominance". *Heredity*, 83 (1999), pp. 1-4.

Boycott, B.B. "Learning in the octopus". *Scientific American*, 212 (3) (1965), pp. 42-50.

Brenner, S. "The genetics of behaviour". *British Medical Bulletin*, 29 (1973), pp. 269-71.

Broadbent, D.E. *Behaviour*. Londres, RU: Eyre and Spottiswoode, 1961.

Brown, J. L. *The Evolution of Behavior*. Nova York, NY: Norton, 1975.

Bunning, E. *The Physiological Clock*. Londres, RU: English Universities Press, 1973.

Burgess, J. e Northcote, D.H. "The relationship between the endoplasmic reticulum and microtubular aggregation and disaggregation". *Planta,* 80 (1968), pp. 1-14.

Burr, H. S. *Blueprint for Immortality*. Londres, RU: Neville Spearman, 1972.

Bursen, H. A. *Dismantling the Memory Machine*. Dordrecht, Holanda: Reidel, 1978.

Butler, S. *Life and Habit*. Londres, RU: Cape, 1878.

Capra, F. *The Web of Life: A New Synthesis of Mind and Matter*. Londres, RU: Flamingo, 1997. [*A Teia da Vida*, publicado pela Editora Cultrix, São Paulo, 1997.]

Carington, W. *Telepathy*. Londres, RU: Methuen, 1945.

Carr, B. "Worlds apart? Can psychical research bridge the gap between matter and mind?" *Proceedings of the Society for Psychical Research*, 59, parte 221 (2008), pp. 1-96.

Carroll, S. B., Grenier, J. K. e Weatherbee, S.D. *From DNA to Diversity: Molecular Genetics and the Evolution of Animal Design*. Oxford, RU: Blackwell, 2001.

Carter, C. *Parapsychology and the Skeptics*. Pittsburgh, PA: Sterling House, 2007.

Chalmers, D. *The Conscious Mind: The Search for a Fundamental Theory*. Oxford, RU: Oxford University Press, 1996.

Chibnall, A.C. *Protein Metabolism in the Plant*. New Haven, CT: Yale University Press, 1939.

Churchland, P. *A Neurocomputational Perspective: The Nature of Mind and the Structure of Science*. Cambridge, MA: MIT Press, 1992.

Clarke, H.T., Johnson, J. R. e Robinson, R. (org.). *The Chemistry of Penicillin*. Princeton, NJ: Princeton University Press, 1949.

Clarke, R. "Two men and their dogs". *New Scientist*, 87 (1980), pp. 303-04.

Clowes, F. A. L. *Apical Meristems*. Oxford, RU: Blackwell, 1961.

Crew, F. A. E. "A repetition of McDougall's Lamarckian experiment". *Journal of Genetics*, 33 (1936), pp. 61-101.

Crick, F. H. C. e Lawrence, P. "Compartments and polyclones in insect development". *Science*, 189 (1975), pp. 340-47.

Crick, F. H. C. *Of Molecules and Men*. Seattle, WA: University of Washington Press, 1967.

Crick, F. H. C. e Orgel, L. "Directed panspermia". *Icarus*, 10 (1973), pp. 341-46.

Curry, G.M. "Phototropism". *Physiology of Plant Growth and Development* (M.B. Wilkins, org.). Londres, RU: McGraw-Hill, 1968.

D'Espagnat, B. *The Conceptual Foundations of Quantum Mechanics*. Reading, MA: Benjamin, 1976.

Damasio, A. *Descartes' Error: Emotion, Reason and the Human Brain*. Nova York, NY: Putnam, 1994.

Danckwerts, P. V. Letter. *New Scientist*. 11 de novembro de 1982, pp. 380-81.

Darwin, C. *The Variation of Animals and Plants Under Domestication*. Londres, RU: Murray, 1875.

Darwin, C. *The Power of Movement in Plants*. Londres, RU: Murray, 1880.

Darwin, C. *The Movement and Habits of Climbing Plants*. Londres, RU: Murray, 1882.

Darwin, C. *The Variation of Animals and Plants Under Domestication*, vol. 2 (edição popular). Londres, RU: John Murray, 1905, p. 377.

Davis, B. L. e E. M. Oshier. "Memory effect in single-crystal transformations of aragonite-type to calcite-type potassium nitrate". *The American Mineralogist*, 32 (1967), pp. 957-73.

Dawkins, R. *The Selfish Gene*. Oxford, RU: Oxford University Press, 1976.

Dawkins, R. *The Extended Phenotype*. Oxford, RU: Oxford University Press, 1982.

De Chardin, P. T. *The Phenomenon of Man*. Londres, RU: Collins, 1959. [*O Fenômeno Humano*, publicado pela Editora Cultrix, São Paulo, 1988.]

De Roode, J. "The moths of war". *New Scientist*, 8 de dezembro de 2007, pp. 46-9.

Dennis, C. "Altered states". *Nature*, 421 (2003), pp. 686-88.

Dienes, Z. "A test of Sheldrake's claim of morphic resonance". *Journal of Scientific Exploration*, 8 (1994), p. 578.

Dilger, W. C. "The behavior of lovebirds". *Scientific American*, 206 (1962), pp. 88-98.

Dostal, R. *On Integration in Plants*. Cambridge, MA: Harvard University Press, 1967.

Driesch, H. *Science and Philosophy of the Organism*. (1908, 2ª ed. 1929). Londres, RU: A. & C. Black.

Driesch, H. *History and Theory of Vitalism*. Londres, RU: Macmillan, 1914.

Driesch, H. *Mind and Body*. Londres, RU: Methuen, 1927.

Duncan, R. e Weston-Smith, M. (orgs.) *Encyclopedia of Ignorance*. Oxford, RU: Pergamon Press, 1977.

Dunitz, J.D. "Phase transitions in molecular crystals from a chemical viewpoint". *Pure and Applied Chemistry*, 63 (1991), pp. 177-85.

Dunitz, J.D. e Scheraga, H. A. "Exercises in prognostication: crystal structures and protein folding". *Proceedings of the National Academy of Sciences USA*, 101 (2004), pp. 14, 309-11.

Dürr, H.-P. e Gottwald, F.-T. (orgs.) *Rupert Sheldrake in der Diskussion*. Berna, Suíça: Scherz Verlag, 1997.

Dürr, H.-P. "Sheldrakes Vorstellungen aus dem Blickwinkel der modernen Physik". (1997). *Rupert Sheldrake in der Diskussion*. Dürr, H.-P. e Gottwald, F.-T. (orgs.). Berna, Suíça: Scherz Verlag, 1997.

Dürr, H.-P. "Sheldrake's ideas from the perspective of modern physics". *Frontier Perspectives*, 12 (1) (2003), pp. 10-22.

Durrant, A. "The association of induced changes in flax". *Heredity*, 32 (1974), pp. 133-43.

Dustin, P. *Microtubules*. Berlim, Alemanha: Springer-Verlag, 1978.

Eccles, J.C. *The Neurophysiological Basis of Mind*. Oxford, RU: Oxford University Press, 1953.

Eckert, R. "Bioelectric control of ciliary activity". *Science*, 176 (1972), pp. 473-81.

Eddington, A. *The Nature of the Physical World*. Londres, RU: Dent, 1935.

Eigen, M. e Schuster, P. *The Hypercycle*. Heidelberg, Alemanha e Nova York, NY: Springer-Verlag, 1979.

Elsasser, W. M. *Physical Foundations of Biology*. Londres, RU: Pergamon Press, 1958.

Elsasser, W. M. *Atom and Organism*. Princeton, NJ: Princeton University Press, 1966.

Elsasser, W. M. *The Chief Abstractions of Biology*. Amsterdã, Holanda: North-Holland, 1975.

Emmet, D. *Whitehead's Philosophy of Organism*. Londres, RU: Macmillan, 1966.

Ertel, S. "Morphische Resonanz auf dem Prüfstand des Experimentes" (1997). *Rupert Sheldrake in der Diskussion*. Dürr, H.-P. e Gottwald, F.-T. (org.). Berna, Suíça: Scherz Verlag, 1997.

Fedanzo, A. e Wingfield, I. S. "Morphic resonance test". *Skeptical Inquirer*. Outono de 1988, pp. 100-01.

Fisher, J. e Hinde, R. A. "The opening of milk bottles by birds". *British Birds*, 42 (1949), pp. 347-57.

Fisher, R. A. *Genetical Theory of Natural Selection*. Londres, RU: Clarendon Press, 1930.

Flynn, J.R. "Now the great augmentation of the American IQ". *Nature*, 301 (1983), p. 655.

Flynn, J.R. "The mean IQ of Americans: massive gains 1932 to 1978". *Psychological Bulletin*, 95 (1984), pp. 29-51.

Flynn, J.R. "Massive IQ gains in 14 nations". *Psychological Bulletin*, 101 (1987), pp. 171-91.

Freeman, W. J. *How Brains Make Up Their Minds*. Londres, RU: Weidenfeld and Nicholson, 1999.

Gerhar, T. J. e Kirschner, M. *Cells, Embryos and Evolution*. Oxford, RU: Blackwell, 1997.

Gibson, G.C. e Hogness, D.S. "Effect of polymorphism in the Drosophila regulatory gene *Ultrabithorax* on homeotic stability". *Science*, 271 (1996), pp. 200-03.

Gilbert, S.F., Opik, J.M. e Raff, R. A. "Resynthesizing evolutionary and developmental biology". *Developmental Biology*, 173 (1996), pp. 357-72.

Gleik, J. *Chaos: Making a New Science*. Londres, RU: Heinemann, 1988.

Goebel, K. *Organographie der Pflanzen*. Jena, Alemanha: Fischer, 1898.

Goho, A. "The crystal form of a drug can be the secret of its success". *Science News*, 166 (2004), pp. 122-24.

Goldschmidt, R. *The Material Basis of Evolution*. New Haven, CT: Yale University Press, 1940.

Goodwin, B.C. "On morphogenetic fields". *Theoria to Theory*, 113 (1979), pp. 109-14.

Goodwin, B.C. *How the Leopard Changed its Spots: The Evolution of Complexity*. Londres, RU: Weidenfeld and Nicholson, 1994.

Gould, S. J. "Return of the hopeful monster". *The Panda's Thumb*. Nova York, NY: Norton, 1980.

Graham, L. A. *Science and Philosophy in the Soviet Union*. Nova York, NY: Knopf, 1972.

Greene, B. *The Elegant Universe*. Nova York, NY: Vintage, 2000.

Gurwitsch, A. "Über den Bergriff des embroyonalen Feldes". *Archiv fur Entwicklungsmechanik*, 51 (1922), pp. 383-415.

Hadler, M.R. e Buckle, A.P. "Forty-five years of anticoagulant rodenticides – past, present and future trends". *Proceedings of the Fifteenth Vertebrate Pest Conference*. Lincoln, NE: University of Nebraska, 1992.

Haken, H. *Synergetics*. Berlim, Alemanha: Springer-Verlag, 1977.

Haldane, J.B.S. "The theory of the evolution of dominance". *Journal of Genetics*, 37 (1939), pp. 365-74.

Haraway, D.J. *Crystals, Fabrics and Fields*. New Haven, CT: Yale University Press, 1976.

Hardy, A. *The Living Stream*. Londres, RU: Collins, 1965.

Hasted, J.B. "Speculations about the relation between psychic phenomena and physics". *Psychoenergetic Systems*, 3 (1978), pp. 243-57.

Hebb, D.O. *The Organization of Behavior*. Nova York, NY: Wiley, 1949.

Helgaker, T., Ruden, T. A., Jporgensen, P., Olsen, J. e Klopper, W. "*A priori* calculation of molecular properties to chemical accuracy". *Journal of Physical Organic Chemistry*, 17 (2004), pp. 913-33.

Hesse, M.B. *Forces and Fields*. Londres, RU: Nelson, 1961.

Hiley, B. J. "Towards an algebraic description of reality". *Annales de la Foundation Louise de Broglie*, 5 (1980), pp. 75-103.

Hill, M. "Adaptive state of mammalian cells and its nonseparability suggestive of a quantum system". *Scripta Medica*, 73 (2000), pp. 211-22.

Hinde, R. A. e Fisher, J. "Further observations on the opening of milk bottles by birds". *British Birds*, 445 (1951), pp. 393-96.

Hinde, R. A. *Animal Behavior*. Nova York, NY: McGraw-Hill, 1966.

Hingston, R.W. G. *Problems of Instinct and Intelligence*. Londres, RU: Arnold, 1928.

Ho, M.W., Tucker, C., Keeley, D. e Saunders, P.T. "Effects of successive generations of ether treatment on penetrance and expression of the bithorax phenocopy in Drosophila melanogaster". *Journal of Experimental Zoology*. 225 (1983), pp. 357-68.

Holden, A. e Singer, P. *Crystals and Crystal Growing*. Londres, RU: Heinemann, 1961.

Holland, O. (org.) *Machine Consciousness*. Exeter, RU: Imprint Academic, 2003.

Hooper, J. *Of Moths and Men: Intrigue, Tragedy and the Peppered Moth*. Londres, RU: Fourth Estate, 2002.

Horgan, J. "Get smart, take a test: A long-term rise in IQ scores baffles intelligence experts". *Scientific American*, novembro de 1995, pp.10-1.

Horgan, J. *The End of Science: Facing the Limits of Knowledge in the Twilight of the Scientific Age*. Londres, RU: Little, Brown and Company, 1996.

Howe, D. e Rhee, S.Y. "The future of biocuration". *Nature*, 455 (2008), pp. 47-8.

Hoy, J.F. *The Cattle Guard: Its History and Lore*. Lawrence, KS: University Press of Kansas, 1982.

Hoyle, F. e Wickramasinghe, C. *Lifecloud*. Londres, RU: Dent, 1978.

Huxley, J. *Evolution: The Modern Synthesis*. Londres, RU: Allen & Unwin, 1942.

Huxley, T.H. *Hardwicke's Science Gossip*, 3 (1867), p. 74.

Hyslop, A. "Methodological Epiphenomenalism". *Australasian Journal of Philosophy*. 76 (1998), pp. 61-70.

Jaffe, M. J. "Thigmomorphogenesis". *Planta*, 114 (1973), pp. 143-57.

Jennings, H.S. *Behavior of the Lower Organisms*. Nova York, NY: Columbia University Press, 1906.

Jenny, H. *Cymatics*. Basileia, Suíça: Basileus Press, 1967.

Josephson, B. "Incendiary subject". *Nature*, 294 (1981), p. 594.

Jouvet, M. "The states of sleep". *Scientific American*, 216(2) (1967), pp. 62-72.

Jung, C.G. *The Archetypes and the Collective Unconscious*. Londres, RU: Routledge and Kegan Paul, 1959.

Kammerer, P. *The Inheritance of Acquired Characteristics*. Nova York, NY: Boni and Liveright, 1924.

Kandel, E.R. "Small systems of neurons". *Scientific American*, 241(3) (1979), pp. 61-71.

Katz, B. *Nerve, Muscle and Synapse*. Nova York, NY: McGraw-Hill, 1966.

Katz, B. e Miledi, R. "Membrane noise produced by acetylcholine". *Nature*, 226 (1970), pp. 962-63.

Kauffman, S. *Origins of Order: Self-Organization and Selection in Evolution*. Oxford, RU: Oxford University Press, 1994.

Kennington, R. *On Modern Origins: Essays in Early Modern Philosophy*. Lanham, MD: Lexington Books, 2004.

King, M.C. e Wilson, A.C. "Evolution at two levels in humans and chimpanzees". *Science*, 188 (1975), pp. 107-16.

Koestler, A. e Smythies, J.R. (orgs.). *Beyond Reductionism*. Londres, RU: Hutchinson, 1969.

Koestler, A. *The Ghost in the Machine*. Londres, RU: Hutchinson, 1967.

Koestler, A. *The Case of the Midwife Toad*. Londres, RU: Hutchinson, 1971.

Kohler, W. *The Mentality of Apes*. Nova York, NY: Harcourt Brace, 1925.

Krstic, R. V. *Ultrastructure of the Mammalian Cell*. Berlim, Alemanha: Springer-Verlag, 1979.

Kuhn, T. S. *The Structure of Scientific Revolutions*. Chicago, IL: Chicago University Press, 1962.

Lambert, D.M., Stevens, C.S., White, C.S., Gentle, N.R., Phillips, N.R., Millar, C.D., Barker, J.R. e Newcomb, R.D. "Phenocopies". *Evolutionary Theory*, 8 (1989), pp. 285-304.

Lashley, K.S. "In search of the engram". *Symposia of the Society for Experimental Biology*. 4 (1950), pp. 454-82.

Laszlo, E. *Science and the Akashic Field: An Integral Theory of Everything*. Rochester, VT: Inner Traditions International, 2004. [*A Ciência e o Campo Akáshico*, publicado pela Editora Cultrix, São Paulo, 2008.]

Lauterwasser, A. *Water Sound Images*. Newmarket: NH: Macromedia Publishing, 2006.

Lawden, D.F. "Possible psychokinetic interactions in quantum theory". *Journal of the Society for Psychical Research*. 50 (1980), pp. 399-407.

Le Fanu, J. *Why Us?* Londres, RU: HarperCollins, 2009.

Leclerc, I. *The Nature of Physical Existence*. Londres, RU: Allen & Unwin, 1972.

Lenartowicz, P. *Phenotype-Genotype Dichotomy*. Roma, Itália: Gregorian University, 1975.

Lewis, E.B. "Genes and developmental pathways". *American Zoologist*, 3 (1963), pp. 33-56.

Lewis, E.B. "A gene complex controlling segmentation in *Drosophila*". *Nature*, 276 (1978), pp. 565-70.

Lindauer, M. *Communication Among Social Bees*. Cambridge, MA: Harvard University Press, 1961.

Lotzos, C. "Play behaviour in higher primates: a review". *Primate Ethology*. Morris, D. (org.). Londres, RU: Weidenfeld and Nicolson, 1967.

Mackie, J.L. *The Cement of the Universe*. Oxford, RU: Oxford University Press, 1974.

Mackinnon, D.C. e Hawes, R.S.J. *An Introduction to the Study of Protozoa*. Oxford, RU: Oxford University Press, 1961.

MacWilliams, H.K. e Bonner, J.T. "The prestalk-prespore pattern in cellular slime moulds". *Differentiation*, 14 (1979), pp. 1-22.

Maddox, J. "A book for burning?" *Nature*, 293 (1981), pp. 245-46.

Maddox, J. "Crystals from first principles" *Nature*, 335 (1988), p. 201.

Maheshwari, P. *An Introduction to the Embryology of Angiosperms*. Nova York, NY: McGraw-Hill, 1950.

Mahlberg, A. "Evidence of collective memory: a test of Sheldrake's theory". *Journal of Analytical Psychology*, 32 (1987), pp. 23-34.

Manning, A. "Behaviour genetics and the study of behavioural evolution". *Function and Evolution in Behaviour*. Baerends, G.P., Beer, C. e Manning, A. (orgs.). Oxford, RU: Oxford University Press, 1975.

Marais, E. *The Soul of the White Ant*. Londres, RU: Cape and Blond, 1971.

Marshall, N. "ESP and memory: a physical theory". *British Journal for the Philosophy of Science*, 10 (1960), pp. 265-86.

Masters, M.T. *Vegetable Teratology*. Cambridge, RU: Ray Society, 1869.

Mayr, E. *Animal Species and Evolution*. Cambridge, MA: Harvard University Press, 1963.

McDougall, W. "An experiment for the testing of the hypothesis of Lamarck". *British Journal of Psychology*, 17 (1927), pp. 267-304.

McDougall, W. "Second report on a Lamarckian experiment". *British Journal of Psychology*, 20 (1930), pp. 201-18.

McDougall, W. "Fourth report on a Lamarckian experiment". *British Journal of Psychology*, 28 (1938), pp. 321-45.

Medawar, P. B. *The Art of the Soluble*. Londres, RU: Methuen, 1968.

Medvedev, Z.A. *The Rise and Fall of T.D. Lysenko*. Nova York, NY: Columbia University Press, 1969.

Meinhardt, H. "Space-dependent cell determination under the control of a morphogen gradient". *Journal of Theoretical Biology*, 74 (1978), pp. 307-21.

Monod, J. *Chance and Necessity*. Londres, RU: Collins, 1972.

Morata, G. e Lawrence, P. A. "Homoeotic genes, compartments and cell determination in *Drosophila*". *Nature*, 265 (1977), pp. 211-16.

Morgan, H.D., Sutherland, H.G.E., Martin, D.I.K., e Whitelaw, E. "Epigenetic inheritance at the agouti locus in the mouse". *Nature Genetics*, 23 (1999), pp. 314-18.

Murphy, G.G. e Glanzman, D.L. "Enhancement of sensorimotor connections by conditioning-related stimulation in *Aplysia* depends upon postsynaptic Ca^{2+}." *Proceedings of the National Academy of Sciences USA*, 93 (1996), pp. 9.931-936.

Needham, J. *Biochemistry and Morphogenesis*. Cambridge, RU: Cambridge University Press, 1942.

Neisser, U. *Intelligence: Knowns and Unknowns*. Washington, DC: American Psychological Association, 1995.

Nemethy, G. e Scheraga, H.A. "Protein folding". *Quarterly Review of Biophysics*, 10 (1977), pp. 239-352.

Nicolis, G. e Prigogine, I. *Self-Organization in Nonequilibrium Systems*. Nova York, NY: Wiley-Interscience, 1977.

Olsen, M.V. e Varki, A. "The chimpanzee genome – a bittersweet celebration". *Science*, 305 (2004), pp. 191-92.

Parsons, P. A. *The Genetic Analysis of Behaviour*. Londres, RU: Methuen, 1967.

Pauen, M., Staudacher, A. e Walter, S. "Epiphenomenalism: Dead end or way out?" *Journal of Consciousness Studies*, 13 (2006), pp. 7-19.

Pauling, L. *The Nature of the Chemical Bond*. (3ª ed.). Ithaca, NY: Cornell University Press, 1960.

Pearson, K. *Life of Francis Galton*. Cambridge, RU: Cambridge University Press, 1924.

Pecher, C. "La fluctuation d'excitabilité de la fibre nerveuse". *Archives Internationales de Physiologie*, 49 (1939), pp. 129-52.

Penrose, R. *The Emperor's New Mind: Concerning Computers, Minds and the Laws of Physics*. Oxford, RU: Oxford University Press, 1989.

Penzig, O. *Pflanzen-Teratologie*. Berlim, Alemanha: Borntraeger, 1921-922.

Pickett-Heaps, J.D. "The evolution of the mitotic apparatus". *Cytobios*, 3 (1969), pp. 257-80.

Pickett-Heaps, J.D. *Green Algae*. Sunderland, MA: Sinauer Associates, 1975.

Polanyi, M. *Personal Knowledge*. Londres, RU: Routledge and Kegan Paul, 1958.

Popper, K.R. *Conjectures and Refutations*. Londres, RU: Routledge and Kegan Paul, 1965.

Popper, K.R. "Quantum mechanics without 'the observer'". *Quantum Theory and Reality*. Bunge, M. (org.). Berlim, Alemanha: Springer-Verlag, 1967.

Popper, K.R. e Eccles, J.C. *The Self and its Brain*. Berlim, Alemanha, Springer International, 1977.

Pribram, K.H. *Languages of the Brain*. Englewood Cliffs, NJ: Prentice Hall, 1971.

Purseglove, J.W. *Tropical Crops: Dicotyledons*. Londres, RU: Longmans, 1968.

Qiu, J. "Unfinished symphony". *Nature*, 441 (2006), pp. 143-45.

Radin, R. *The Conscious Universe: The Scientific Truth of Psychic Phenomena*. San Francisco, CA: Harper, 1997.

Radin, D. *Entangled Minds: Extrasensory Experiences in a Quantum Reality*. Nova York, NY: Pocket Books, 2006.

Rao, K.R. "On the nature of psi". *Journal of Parapsychology*, 41 (1977), pp. 294- -351.

Rapp, P. E. "An atlas of cellular oscillations". *Journal of Experimental Biology*, 81 (1979), pp. 281-306.

Raven, P. H., Evert, R.F. e Curtis, H. *Biology of Plants*. Nova York, NY: Worth Publishers, Inc., 1976.

Rensch, B. *Evolution Above the Species Level*. Londres, RU: Methuen, 1959.

Rhine, J.B. e McDougall, W. "Third report on a Lamarckian experiment". *British Journal of Psychology*, 24 (1933), pp. 213-35.

Ricard, M. *The Mystery of Animal Migration*. Londres, RU: Constable, 1969.

Riedi, R. *Order in Living Organisms*. Chichester, RU e Nova York, NY: Wiley Interscience, 1978.

Rignano, E. *Biological Memory*. Nova York, NY: Harcourt, Brace and Co., 1926.

Roberts, K. e Hyams, J.S. (orgs.). *Microtubules*. Londres, RU: Academic Press, 1979.

Roblin, G. "*Mimosa pudica*: a model for the study of the excitability in plants". *Biological Reviews*, 54 (1979), pp. 135-53.

Roll-Hansen, N. *The Lysenko Effect: The Politics of Science*. Amherst, NY: Humanity Books, 2005.

Rose, R. "So-called 'formative causation': a hypothesis disconfirmed". *Biology Forum*, 85 (1992), pp. 444-53.

Russell, B. *Analysis of Mind*. Londres, RU: Allen & Unwin, 1921.

Russell, E.S. *The Directiveness of Organic Activities*. Cambridge, RU: Cambridge University Press, 1945.

Ruyer, R. *La Gnose de Princeton*. Paris, France: Fayard, 1974.

Ryle, G. *The Concept of Mind*. Londres, RU: Hutchinson, 1949.

Sanderson, K. "Model predicts structure of crystals". *Nature*, 450 (2007), p. 771.

Satter, R.L. "Leaf movements: tendril curling". *Encyclopaedia of Plant Physiology*. Pirson, A. e Zimmermann, M.H. (orgs.). New Series vol. 7, Berlim, Alemanha: Springer-Verlag, 1979, pp. 442-84.

Schöpenhauer, A. *The World as Will and Idea*. Londres, RU: Kegan Paul, 1883, Livro l, Seção 7.

Schorn, R., Tappeiner, G. e Walde, J. "Analysing 'spooky' action at a distance with concerning brand logos". *Innovative Marketing*, 1 (2006), pp. 45-60.

Schwartz, G. "Morphische Resonanz und systemetisches Gedächtnis. Die Yale--Arizona Hebräisch-Studien". *Rupert Sheldrake in der Diskussion*. Dürr, H.-P. e Gottwald, F.-T. (orgs.). Berna, Suíça: Scherz Verlag, 1997.

Sebrell, W.H. e Harris, R.S. *The Vitamins: Volume V*. (2ª ed.). Nova York, NY: Academic Press, 1972.

Semon, R. *Das Problem der Vererbung Erworbener Eigenschaften*. Leipzig, Alemanha: Engelmann, 1912.

Semon, R. *The Mneme*. Londres, RU: Allen & Unwin, 1921.

Serra, J.A. *Modern Genetics*, vol. II. Londres, RU: Academic Press, 1966, pp. 269--270.

Sheldrake, R. "The production of hormones in higher plants". *Biological Reviews*, 48 (1973), pp. 509-59.

Sheldrake, R. "The ageing, growth and death of cells". *Nature*, 250 (1974), pp. 381-85.

Sheldrake, R. "Three approaches to biology: I. The mechanistic theory of life". *Theoria to Theory*, 14 (1980a), pp. 125-44.

Sheldrake, R. "Three approaches to biology: II. Vitalism". *Theoria to Theory*. 14 (1980b), 227-40.

Sheldrake, R. "Three approaches to biology: III. Organicism". *Theoria to Theory*. 14 (1981), pp. 310-11.

Sheldrake, R. "Formative causation: the hypothesis supported". *New Scientist*, 27 de outubro de 1983.

Sheldrake, R. *A New Science of Life: The Hypothesis of Formative Causation*. (2ª ed.). Londres, RU: Blond, 1985.

Sheldrake, R. *The Presence of the Past*. Nova York, NY: Times Books, 1988a.

Sheldrake, R. "Cattle fooled by phoney grids". *New Scientist*, 11 de fevereiro de 1988b.

Sheldrake, R. "Morphic resonance in silicon chips". *Skeptical Inquirer*. Inverno de 1989, pp. 203-04.

Sheldrake, R. "An experimental test of the hypothesis of formative causation". *Biology Forum*, 85 (1992a), pp. 431-43.

Sheldrake, R. "Rose refuted". *Biology Forum*, 85 (1992b), pp. 455-60.

Sheldrake, R. *Seven Experiments that Could Change the World: A Do-It-Yourself Guide to Revolutionary Science*. Londres, RU: Fourth Estate, 1994. [*Sete Experimentos que Podem Mudar o Mundo*, publicado pela Editora Cultrix, São Paulo, 1999.]

Sheldrake, R. *Dogs That Know When Their Owners Are Coming Home, And Other Unexplained Powers of Animals*. Londres, RU: Hutchinson, 1999.

Sheldrake, R. "Are melting points constant?" *Skeptical Inquirer*, setembro/outubro de 2002, pp. 40-1.

Sheldrake, R. *The Sense of Being Stared At, And Other Aspects of the Extended Mind*. Nova York, NY: Crown, 2003a. [*A Sensação de Estar Sendo Observado*, publicado pela Editora Cultrix, São Paulo, 2004.]

Sheldrake, R. "Set them free". *New Scientist*, 19 de abril de 2003b.

Sheldrake, R. "Public participation: let the people pick projects". *Nature*, 432 (2004), 271.

Sheldrake, R. e Bohm, D. "Morphogenetic fields and the implicate order". *ReVision*, 5 (1982), pp. 41-8.

Sheldrake, R., McKenna, T. e Abraham, R. *The Evolutionary Mind: Conversations on Science, Imagination and Spirit*. Rhinebeck, NY: Monkfish Books, 2005.

Siegelman, H.W. "Phytochrome". *Physiology of Plant Growth and Development*. Wilkins, M.B. (org.). Londres, RU: McGraw-Hill, 1968.

Singh, S. *The Big Bang*. Londres, RU: Fourth Estate, 2004.

Sinnott, E.W. *The Problem of Organic Form*. New Haven, CT: Yale University Press, 1963.

Skinner, B.F. *The Behaviour of Organisms*. Nova York, NY: Appleton Century, 1938.

Sleigh, M. A. "Co-ordination of the rhythm of beat in some ciliary systems". *International Review of Cytology*, 25 (1968), pp. 31-54.

Snoad, B. "A preliminary assessment of 'leafless peas'". *Euphytica*, 23 (1974), pp. 257-65.

Spear, N.E. *The Processing of Memories*. Hillsdale, NJ: Lawrence Erlbaum Associates, 1978.

Stanley, S.M. *Macroevolution: Pattern and Process*. San Francisco, CA: W.H. Freeman, 1981.

Stapp, H. "Quantum mechanical theories of consciousness". *The Blackwell Companion to Consciousness*. Velmans, M. e Schneider, S. Oxford, RU: Blackwell, 2007.

Stebbins, G.L. *Flowering Plants: Evolution Above the Species Level*. Cambridge, MA: Harvard University Press, 1974.

Stebbins, G.L. e Basile, D.V. "Phyletic phenocopies". *Evolution*, 40 (1986), pp. 422-25.

Stevens, C.F. "Study of membrane permeability changes by fluctuation analysis". *Nature*, 270 (1977), pp. 391-96.

Street, H.E. e Henshaw, G.G. "Introduction and methods employed in plant tissue culture". *Cells and Tissues in Culture*. Willmer, E.N. vol. 3. Londres, RU: Academic Press, 1965, pp. 459-532.

Suppes, P. *A Probabilistic Theory of Causality*. Amsterdã, Holanda: North-Holland, 1970.

Taylor, J. G. e Balanovski, E. "Is there any scientific explanation of the paranormal?" *Nature*, 279 (1979), pp. 631-33.

Thom, R. *Structural Stability and Morphogenesis*. Reading, MA: Benjamin, 1975a.

Thom, R. "D'un modele de la science a une science des modeles". *Synthese*, 31 (1975b), pp. 359-74.

Thom, R. *Mathematical Models of Morphogenesis*. Nova York, NY: Wiley, 1983.

Thomson, W. "On a universal tendency in nature to the dissipation of mechanical energy". *Philosophical Magazine*, outubro de 1852.

Thompson, D'Arcy W. *On Growth and Form*. Cambridge, RU: Cambridge University Press, 1942.

Thorpe, W.H. *Learning and Instinct in Animals*. (2ª ed.). Londres, RU: Methuen, 1963.

Thorpe, W.H. *Purpose in a World of Chance*. Oxford, RU: Oxford University Press, 1978.

Thouless, R.H. *From Anecdote to Experiment in Psychical Research*. Londres, RU: Routledge and Kegan Paul, 1972.

Tinbergen, N. *The Study of Instinct*. Oxford, RU: Oxford University Press, 1951.

Townsend, C., Ketterle, W. e Stringari, S. "Bose-Einstein condensation". *Physics World*, 1º de março de 1997.

Trachtman, P. "Redefining robots". *Smithsonian Magazine*, fevereiro de 2000, pp. 97-112.

van Genderen, M., Koene, B. e Nienhuys, J.W. "Sheldrake's crystals". *Skeptical Inquirer*, outubro/novembro de 2002a, pp. 35-40.

van Genderen, M., Koene, B. e Nienhuys, J.W. "A last reply to Sheldrake". *Skeptical Inquirer*, outubro/novembro de 2002b, p. 41.

Varela, F. *Principles of Biological Autonomy*. Nova York, NY: North-Holland, 1979.

Varela, F., Thompson, E. e Risch, E. *The Embodied Mind: Cognitive Science and Human Experience*. Cambridge, MA: MIT Press, 1991.

Varela, F.C. e Letelier, J. "Morphic resonance in silicon chips". *Skeptical Inquirer*, primavera de 1988, pp. 298-300.

Venter, C. *A Life Decoded*. Londres, RU: Allen Lane, 2007.

Verveen, A. A. e De Felice, L. J. "Membrane noise". *Progress in Biophysics and Molecular Biology*, 28 (1974), pp. 189-265.

Vines, G. "Hidden inheritance". *New Scientist*, 28 de novembro de 1998, pp. 27-30.

von Bertalanffy, L. *Modern Theories of Development*. Londres, RU: Oxford University Press, 1933.

von Bertalanffy, L. *General Systems Theory*. Londres, RU: Allen Lane, 1971.

von Frisch, K. *Animal Architecture*. Londres, RU: Hutchinson, 1975.

Waddington, C.H. "Genetic assimilation of the Bithorax phenotyre". *Evolution*, 10 (1956), pp. 1-13.

Waddington, C.H. *The Strategy of the Genes*. Londres, RU: Allen & Unwin, 1957.

Waddington, C.H. "Genetic assimilation". *Advances in Genetics*, 10 (1961), pp. 257-92.

Waddington, C.H. *The Evolution of an Evolutionist*. Edimburgo, RU: Edinburgh University Press, 1975.

Waddington, C.H. (org.). *Towards a Theoretical Biology. 2: Sketches*. Edimburgo, RU: Edinburgh University Press, 1969.

Walker, E.H. "Foundations of paraphysical and parapsychological phenomena". *Quantum Physics and Parapsychology*. Otera, L. (org.). Nova York, NY: Parapsychology Foundation, 1975.

Wardlaw, C.W. *Organization and Evolution in Plants*. Londres, RU: Longmans, 1965.

Watson, J.B. *Behaviorism*. Chicago, IL: Chicago University Press, 1924.

Weiss, P. *Principles of Development*. Nova York, NY: Holt, 1939.

Whitehead, A.N. *Science and the Modern World*. Cambridge, RU: Cambridge University Press, 1928.

Whiteman, J.H.M. "Parapsychology and physics". *Handbook of Parapsychology*. Wolman (org.). Nova York, NY: Van Nostrand Reinhold, 1977.

Whyte, L.L. *The Unitary Principle in Physics and Biology*. Londres, RU: Cresset Press, 1949.

Wigglesworth, V.B. *The Life of Insects*. Londres, RU: Weidenfeld and Nicolson, 1964.

Wigner, E. "Remarks on the mind-body question". *The Scientist Speculates*. Good, I.J. (org.). Londres, RU: Heinemann, 1961.

Wigner, E. "Epistemology in quantum mechanics" (1969). *Contemporary Physics. Trieste Symposium*, 1968. International Atomic Energy Authority, Viena, vol. II, pp. 431-38.

Williams, R.J.P. "The conformational properties of proteins in solution". *Biological Reviews*, 54 (1979), pp. 389-437.

Willis, J.C. *The Course of Evolution*. Cambridge, RU: Cambridge University Press, 1940.

Willmer, E.N. *Cytology and Evolution*. (2ª ed.). Londres, RU: Academic Press, 1970.

Wilson, E.O. *Sociobiology: The New Synthesis*. Cambridge, MA: Harvard University Press, 1975.

Wolff, G. *Mechanismus and Vitalismus*. Leipzig, Alemanha: 1902.

Wolman, B.B. (org.). *Handbook of Parapsychology*. Nova York, NY: Van Nostrand Reinhold, 1977.

Wolpert, L. "Pattern formation in biological development". *Scientific American*, 239(4), (1978), pp. 154-64.

Woodard, G.D. e McCrone, W.C. "Unusual crystallization behavior". *Journal of Applied Crystallography*, 8 (1975), p. 342.

Woodger, J.H. *Biological Principles*. Londres, RU: Kegan Paul, Trench, Trubner & Co., 1929.

Young, E. "Rewriting Darwin: the new non-genetic inheritance". *New Scientist*, 9 de julho de 2008.

PRÓXIMOS LANÇAMENTOS

Para receber informações sobre os lançamentos da
Editora Cultrix, basta cadastrar-se
no site: www.editoracultrix.com.br

Para enviar seus comentários sobre este livro,
visite o site www.editoracultrix.com.br ou mande
um e-mail para atendimento@editoracultrix.com.br